205 CD Tolien

Eugéne, Bouchard

Édouard BLED
Directeur honoraire de collège à Paris

Odette BLED
Institutrice honoraire à Paris

Lauréats de l'Académie française

BLED

5ᵉ / 4ᵉ / 3ᵉ
——*Cours supérieur*

Orthographe   Conjugaison

Grammaire   Vocabulaire

Nouvelle édition 1998
assurée par Daniel Berlion
Inspecteur de l'Éducation nationale

HACHETTE
Éducation

Maquette intérieure et couverture : **Pascal Plottier.**
Réalisation technique en PAO : **Typo-Virgule.**

ISBN 2-01-125191-5
© **HACHETTE LIVRE 1998**
43, quai de Grenelle, 75905 Paris Cedex 15

www.hachette-education.com

**PAPIER À BASE DE
FIBRES CERTIFIÉES**

hachette s'engage pour
l'environnement en réduisant
l'empreinte carbone de ses livres.
Celle de cet exemplaire est de :
1100 g éq. CO$_2$
Rendez-vous sur
www.hachette-durable.fr

Avant-propos

IL EN EST DE L'ORTHOGRAPHE comme de bien d'autres disciplines, surtout lorsqu'il s'agit des commencements : si nous voulons atteindre l'objectif fixé, avec ce que cela implique d'efforts patients, persévérants et ordonnés, il faut procéder en adoptant une démarche qui va du simple au complexe ; comme le disaient Édouard et Odette BLED « hâtons-nous lentement ! ». Certes, cette manière de faire n'est pas la seule mais dans le cas spécifique de l'orthographe, c'est elle qui — très pragmatiquement — donne les meilleurs résultats pour une majorité d'élèves.

Cette démarche fut adoptée par É. et O. BLED dans tous leurs ouvrages ; nous avons tenu à conserver la ligne de conduite qui a assuré le succès de la collection. La rigueur, l'exhaustivité, la clarté de la présentation, la formidable somme d'exercices (plus de 800 pour cet ouvrage !) que l'élève doit aborder avec méthode et détermination, clé de ses progrès, nous en avons fait notre miel et tous les utilisateurs du *Bled* retrouveront ces qualités qui structurent un enseignement difficile pour le maître et long pour l'élève.

Alors pourquoi une refonte puisque la permanence de ces valeurs n'échappe à personne ?

En cinquante ans, les conditions d'enseignement ont changé, la didactique orthographique a mis en évidence certains faits — ils n'avaient, pour la plupart, pas échappé à É. et O. BLED (les procédés de nominalisation ou de substitution sur l'axe paradigmatique par exemple) — qui permettent de mieux soutenir l'effort de l'élève ; aussi avons-nous introduit une cohérence nouvelle en fonction des programmes d'enseignement. Nous avons mis l'accent sur les difficultés figurant explicitement dans ces programmes même si des extensions sont proposées car, sur de nombreux points, certains élèves ont la capacité de poursuivre leurs apprentissages à partir des bases qui leur sont données.

En somme, nous avons voulu offrir à l'élève le plus en difficulté un ouvrage qui lui permette de reprendre confiance, et, à l'élève le plus avancé dans ses apprentissages, une possibilité de perfectionner son orthographe.

Restait, bien sûr, le problème du vocabulaire. Les transformations, voire les bouleversements de notre vie quotidienne ont été tels depuis quelques années que tout en respectant, ici ou là, la nostalgie d'un monde rural et stable encore cher à certains, nous avons choisi de poursuivre résolument ce qui avait déjà été amorcé et de placer l'élève devant des situations qu'il rencontrera au cours de sa vie scolaire ; la télévision, la vidéo, les moyens de communication, les modes alimentaires, les avancées technologiques, les voyages, le sport, bref tous les centres d'intérêt d'un adolescent d'aujourd'hui, servent de support aux exemples. Nous avons tenu également à conserver un certain nombre de phrases d'auteurs qui permettent d'illustrer les problèmes orthographiques dans des situations d'écrits littéraires.

La première partie de cet ouvrage est consacrée à **l'orthographe d'usage**. Nous avons groupé les mots par analogie de terminaison ou de difficulté ; à partir des classements effectués, l'élève constituera des séries et surtout mémorisera progressivement les probabilités d'apparition des différentes graphies. Cette démarche permet l'intégration des nouveaux savoirs dans les réseaux ainsi organisés, car chacun admet que les meilleurs apprentissages se construisent sur des bases solides.

Sans prétendre épuiser une discipline aussi complexe que l'orthographe, nous présentons les difficultés les plus souvent rencontrées. On ne saurait trop en recommander une étude systématique.

Pour l'**orthographe grammaticale**, nous suivons de près la progression recommandée par les Instructions Officielles. L'élève sera, sans cesse, appelé à réfléchir et à rechercher la nature des mots. En effet, sans identification précise de celle-ci, il n'est pas possible d'appliquer correctement les règles qui président aux différents accords de la phrase. La difficulté est étudiée pour elle-même, dans des situations variées, soigneusement choisies. Enfin, au fur et à mesure que les connaissances grammaticales se précisent, nous proposons des procédés et des exercices simples pour que soient évitées les erreurs fâcheuses dues aux homonymies.

L'étude de la **conjugaison** a une grande importance parce que le verbe est le mot essentiel de la proposition. L'élève doit se familiariser avec ses formes multiples, tant pour acquérir une bonne orthographe que pour construire des phrases correctes.

Nous étudions les verbes aux conjugaisons régulières en rapprochant des formes que l'oreille est tentée de confondre : *je plie, je remplis* ; *il boira, il aboiera* ; *je partai, je partais* ; *je cours, que je coure*. Nous consacrons aussi de nombreuses leçons aux verbes usuels dont les conjugaisons sont particulières. Il est impératif, puisque l'élève devra les employer tout au long de ses écrits, qu'ils soient étudiés avec le plus grand soin.

Les temps les plus usuels font l'objet d'une étude systématique ; quant aux temps qui ne se rencontrent plus que dans les textes littéraires (conditionnel passé, subjonctif imparfait…), ils sont présentés dans des situations variées afin que l'élève les identifie sans difficulté et s'essaie, pourquoi pas, à les placer dans ses écrits.

Dans une dernière partie, intitulée **Vocabulaire**, nous attirons l'attention sur les problèmes que pose l'emploi de certains mots (les homonymes, les paronymes, les prépositions) ou la rencontre d'anomalies. En cas de doute, l'élève se référera avec profit aux listes que nous avons dressées.

Presque toutes les leçons s'achèvent par des séries de mots présentant des analogies phonétiques ou graphiques ; il est ainsi plus facile de reconnaître leur orthographe. Ces mots appartiennent au vocabulaire d'aujourd'hui. Il est indispensable que leur orthographe soit mémorisée avec sûreté pour que l'élève puisse se libérer de la plupart des contraintes d'écriture et concentrer ses efforts sur l'expression de sa pensée.

À travers l'apprentissage de l'orthographe, c'est en fait la maîtrise de la langue que nous visons ; si l'élève est à l'école de la rigueur et de la correction, il sera progressivement conduit à être plus attentif à tous les problèmes que pose une expression personnelle, puisque c'est bien évidemment l'objectif ultime : **mettre l'orthographe au service de l'expression de l'élève**. C'est pourquoi nous avons placé, aussi souvent qu'il était possible, des exercices qui visent un réinvestissement, en situation d'écriture, des acquisitions orthographiques.

DANIEL BERLION

Sommaire

► Sommaire ——————————————————

2ᵉ partie : Grammaire .... page 51

Sommaire

Sommaire

Sommaire

Sommaire

ALPHABET PHONÉTIQUE									
voyelles						**consonnes**			
[a]	patte	[ɔ]	or	[ã]	enfant	[b]	bateau	[p]	papier
[ɑ]	pâte	[o]	eau	[ɛ̃]	train	[d]	début	[ʀ]	rare
[e]	été	[œ]	meuble	[ɔ̃]	poisson	[f]	fraise	[s]	salle
[ɛ]	forêt	[ø]	feu	[œ̃]	brun	[g]	gare	[ʃ]	chat
[ə]	me	[u]	fou			[k]	cou	[t]	table
[i]	midi	[y]	rue			[l]	lapin	[v]	voile
						[m]	mère	[z]	zéro
semi-voyelles						[n]	nourrir	[ʒ]	jeu
[j]	yeux	[ɥ]	huile	[w]	oui	[ɲ]	agneau		

Orthographe

Les accents

RÈGLE

Quand on écrit, les accents sont aussi importants que les lettres.

1. Il y a trois accents : l'accent aigu, l'accent grave et l'accent circonflexe.

• **L'accent aigu** se met sur la lettre **e** (e fermé) [e] :
   l'é*pingle, le gé*néral, la socié*té.*

• **L'accent grave** se met sur la lettre **e** (e ouvert) [ɛ] et sur **a** et **u** :
   *la crè*me, la lumiè*re, le trè*fle, *à, çà, là, où.*

• **L'accent circonflexe** se met sur la lettre **e** (e ouvert) [ɛ] et sur **a, i, o, u** :
   *le chê*ne, bâ*tir, le gî*te, le cô*ne, la flû*te.

2. Les accents modifient la prononciation de e.
e accentué devient é [e], è [ɛ] ou ê [ɛ] :
   é*lever, un é*lè*ve, la crê*pe.

3. L'accent circonflexe peut remplacer une lettre disparue, généralement un *s*, quelquefois un *e*, un *a* ou un *u* :
   *la forê*t (forest), l'â*ge (eage ou aage), la piqû*re (piquure).

4. Les accents distinguent certains homonymes :
   a (verbe), *à* (préposition)
   ou (conjonction), *où* (pronom ou adverbe)
   le mur (nom), *mûr* (adjectif qualificatif)
   sur (préposition ou adjectif « aigre »), *sûr* (adjectif « assuré »).

5. Les accents distinguent certaines formes verbales :
   il chanta (passé simple), *il faudrait qu'il chantât* (imparfait du subjonctif).

Remarque

L'accent circonflexe sur le *i* et sur le *u* ne change pas la prononciation de la voyelle : *la cime, l'abî*me ; la chute, la flû*te.

EXERCICES

1 **Placez les accents comme il convient.**

Au cœur de la foret de Seillon, la troupe tomba en arret devant un nid de guepes qu'elle croyait abandonne. Arme d'un baton, David decida de l'ecarter du chemin. C'est alors que les insectes foncerent sur les tendres peaux des randonneurs ; les piqures se compterent par dizaines ! — C'etait une bete tres rare, une bete des anciens ages dont l'espece decroissait depuis des millenaires. (J.-H. ROSNY AÎNÉ) — On part au petit jour, dans la fraicheur glacee. (J. CRESSOT)

2 **Trouvez cinq mots où l'accent rappelle une lettre disparue ; indiquez un mot de la même famille qui a conservé cette lettre.**

Ex : l'ancêtre → ancestral

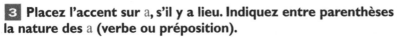

3 **Placez l'accent sur** a, **s'il y a lieu. Indiquez entre parenthèses
la nature des** a **(verbe ou préposition).**

Martial n'a pas été assez assidu a l'entraînement, maintenant, il a de la peine a
suivre ses camarades. — La machine a laver est tombée en panne ; Babette a
fait la lessive a la main : quelle corvée ! — La vie a parfois de curieux hasards,
se disait Monsieur Grisoni quand il a rencontré son ami Roger dans un bar de
l'hôtel Prima, a Sydney. — Aujourd'hui, c'est décidé, Madame Garnec apprend
a conduire. Elle s'est inscrite a l'auto-école et, a l'heure prévue, elle est au rendez-vous, mais avec un peu d'appréhension ! — On a plaisir a suivre chaque
matin ce sentier étroit. (A. France) — Il y a a peine huit jours que je suis installé, j'ai déjà la tête bourrée d'impressions. (A. Daudet) — Je m'attachais a ce
foyer, a tous ses recoins, a toutes les pierres de ses murs. (P. Loti)

4 **Placez l'accent sur** ou, **s'il y a lieu. Indiquez entre parenthèses
la nature des** ou **(conjonction, pronom ou adverbe).**

Nous habitons un quartier ou, autrefois, vivaient de nombreux artisans. — Le
parc de la Vanoise est un lieu privilégié ou l'on a la possibilité de rencontrer des
chamois ou des mouflons au détour d'un sentier. — Savez-vous d'ou vient l'expression « avoir un violon d'Ingres » ? C'est une allusion au peintre français
Dominique Ingres qui, pour se délasser ou pour oublier un moment la peinture,
jouait du violon. — Au milieu du trou apparaît hors de l'eau une gueule grande
ouverte d'ou sort un gargouillement profond. (P.-É. Victor) — Pourtant, par une
sorte de flair ou de méfiance, je ne puis m'empêcher de penser : « Toi, mon
petit Nicolas, tu n'es pas tranquille. » (P. Gamarra) — Je parcourus des champs,
des bois ou tout était immobile. (B. Constant)

5 **Placez l'accent sur** mur **et** sur, **s'il y a lieu.
Indiquez entre parenthèses la nature de ces mots.**

Un peu de parmesan sur les pâtes et je suis sur que vous vous régalerez ! —
J'aime les vieux ; ils sont si bons qu'ils ont l'air surs que nous deviendrons
aussi vieux qu'eux. (J. Giraudoux) — De temps en temps, le vol lourd d'un faisan
passait par-dessus le mur. (A. Daudet) — J'ai regagné la petite chambre qui sent
le melon mur. (J. Cressot) — Il y a des fruits dont la chair malgré l'hiver demeure
sure. (A. Gide)

6 **Placez l'accent sur** du **et** cru, **s'il y a lieu.**

M. Vallet paie son du. — Je bois du lait cru. — Nous avons du refaire notre travail. — J'ai cru entendre le téléphone sonner. — La rivière a cru : les prairies
sont inondées. — Ce terroir produit un cru mondialement connu. — Je préfère
un fruit cru à un fruit cuit.

---

7 **Vocabulaire à retenir**

le bâton, la bastonnade — le château, le castelet — le blâme, le blasphème
la pâture, pastoral — le bâtiment, la bastide — l'intérêt, intéresser

---

Consonne simple et accent

RÈGLE

On ne double pas la consonne qui suit une voyelle accentuée,
sauf dans *châssis* et les mots de sa famille :
   un hérisson, un prophète, une fête, bâtir, une île, la côte.

Remarques

1. Comme il est souvent difficile de savoir s'il faut mettre un accent
ou doubler la consonne, il est prudent de consulter un dictionnaire
quand on a un doute.

2. Dans une même famille, une voyelle peut être accentuée
dans certains mots et ne pas l'être dans d'autres.
La prononciation nous renseigne parfois :
   le pôle, polaire   la grâce, gracieux   le cône, conique.

Attention à *jeûner* et *déjeuner*, *l'abîme* et *la cime*, *le fût* et *la futaie*.

â	ê	î	ô	û
l'âne	la fenêtre	la boîte	le cône	l'affût
l'appât	la gêne	la chaîne	un dôme	brûler
le château	le hêtre	le dîner	le rôle	la flûte
le pâté	pêcher	le faîte	le rôti	mûrir
râper	la tête	le gîte	la tôle	la piqûre

EXERCICES   *Utilisez votre dictionnaire*

8 Complétez ces mots.

t ou tt :   le bâ…iment   pâ…eux   une aigre…e   un athlè…e
            une silhoue…e   la diè…e   une barre…e   une arê…e
n ou nn :   un re…e   les rê…es   le frê…e   l'arè…e
            l'ébè…e   l'ante…e   une be…e   une sirè…e
r ou rr :   la taniè…e   la te…asse   l'é…aflure   inté…essant
            la fougè…e   se…er   la priè…e   la pie…e
l ou ll :   la parce…e   l'hé…ice   la goé…ette   la clientè…e
            la gaze…e   le zè…e   la dente…e   le modè…e
m ou mm :   la po…e   no…er   la go…e   suprê…e
            le fantô…e   le baptê…e   le diadè…e   un gra…e

9 Vocabulaire à retenir

la boîte — le dîner — une île — un abîme — le gîte — l'huître — l'épître
la crête — le prêtre — l'arrêt — la tempête — la conquête — le poêle

Consonne double ou simple

RÈGLE

1. La consonne qui suit une voyelle peut être simple ou double selon l'usage et la prononciation :
   la butte, la chute   *aggraver, agrandir*   *occulte, oculaire.*

2. Après une consonne, on ne double pas la consonne qui suit, sauf à l'imparfait du subjonctif des verbes *tenir, venir* et de leurs composés (*maintenir, revenir, convenir…*) :
   un insecte, une articulation, l'altitude, un gonflement
   que je tinsse, que tu tinsses   *que je vinsse, que tu vinsses.*

EXERCICES   *Utilisez votre dictionnaire*

10 **Conjuguez au passé simple et à l'imparfait du subjonctif.**
revenir de la plage   retenir une leçon   tenir ses promesses

11 **Conjuguez au présent de l'indicatif.**

souffrir du froid   nourrir son chat   actionner les manettes
soufrer la vigne   courir à perdre haleine téléphoner à son cousin
détrôner le leader   comparer les prix   barrer un trimaran
tâtonner dans le noir   slalomer dans la pente s'assommer contre le mur

12 **Complétez ces mots.**

f ou ff :	ron…ler	con…orter	la ga…e	l'agra…e	la gau…re
	l'o…ense	la gi…le	le chi…re	le chi…on	le gou…re
t ou tt :	en…endre	a…endre	pré…endre	con…redire	ba…re
	l'aba…oir	trico…er	fro…er	l'a…elier	a…errir
c ou cc :	a…ourir	con…ourir	en…lencher	a…rocher	con…ret
	a…lamer	pro…lamer	a…user	a…order	un a…ompte
p ou pp :	a…ercevoir	a…orter	ra…orter	su…orter	dé…orter
	a…latir	re…orter	com…orter	a…aiser	le ra…el

13 **Écrivez les verbes entre parenthèses à l'imparfait du subjonctif.**
Mes amis, j'aimerais que vous vous (tenir) près de moi en ce jour. — Pour que la biche ne se sauve pas, il aurait fallu que nous (retenir) notre souffle. — Il serait souhaitable que tu (venir) de bonne heure pour profiter d'une bonne journée à la campagne. — Il conviendrait qu'ils me (prévenir) de leur arrivée.

14 **Vocabulaire à retenir**
reporter, apporter, rapporter, déporter, supporter, comporter, transporter
abattre, l'abattoir, les abats, les abattis, l'abattage, l'abattement

Le tréma

RÈGLE

On met un tréma sur une voyelle pour indiquer qu'elle se détache de celle qui la précède. La voyelle **i** peut être surmontée du tréma ; les voyelles **e** et **u** aussi, mais plus rarement :

la faïence, aiguë, un capharnaüm.

Remarques

1. Dans *ciguë, aiguë,* etc., le tréma sur le e indique que ces mots doivent être prononcés autrement que dans *figue* ou *digue* où la lettre *u* est placée pour donner à la lettre *g* le son [g].

2. Dans quelques noms propres, le tréma sur le e indique que cette lettre ne se prononce pas : *Mme de Staël* [stal].

---

le tréma				
archaïque	le caïman	l'égoïne	l'héroïne	le païen
la baïonnette	le camaïeu	l'égoïsme	laïque	le stoïcisme
le caïd	le celluloïd	hébraïque	le maïs	la taïga

EXERCICES

Utilisez votre dictionnaire

15 **Employez, dans une phrase, l'adjectif dérivé de ces noms qui s'écrit avec un tréma.** *Ex.* : la haine → le mensonge et l'hypocrisie sont haïssables.

l'œuf   le trapèze   le héros   le paganisme   l'hélice

16 **Donnez la qualité exprimée par ces adjectifs.**

ambigu   contigu   exigu   naïf   égoïste

17 **Rétablissez les accents et les trémas qui ont été oubliés.**

La tempete est si violente que le batiment se couche sur babord ; mais avec un calme inoui le barreur parvient a garder le cap. — La glande thyroide joue un grand role dans la croissance des enfants. — Descendre l'Ardeche en canoe, c'est risque si on ne sait pas tenir une pagaie. — Au large de l'ile de Roudisi, on dit que les sirenes entrainent les navigateurs dans des abimes insondables. — Des palais de mosaiques et d'exquises faiences s'emiettent sans recours. (P. LOTI) — Des glaieuls dressaient leurs feuilles aigues. (É. MOSELLY)

---

18 **Vocabulaire à retenir**

le maïs — un aïeul — le glaïeul — la mosaïque — la faïence
une héroïne — naïf — égoïste — inouï — Noël — la typhoïde — la pagaïe
la coïncidence — l'ouïe — la baïonnette

La cédille

RÈGLE

Il faut placer une cédille sous le **c** pour conserver le son [s] devant *a, o, u* :
un Français, un glaçon, une gerçure.

Remarque : dans *douceâtre,* le e après le *c* est la survivance d'un vieil usage. On écrit aujourd'hui également *douçâtre.*

ça, ço, çu				
un aperçu	un charançon	les fiançailles	agaçant	un reçu
un arçon	le curaçao	le forçat	un poinçon	un remplaçant

EXERCICES

Utilisez votre dictionnaire

19 **Complétez par** c **ou** ç.

aper...evoir   la fa...on   grima...ant   la ger...ure   la su...ette
le gla...ier   le ré...if   le gla...on   la grima...e   un ma...on
le pin...eau   la fa...ade   la ré...itation   un lima...on   le commer...ant

20 **Écrivez les verbes entre parenthèses au passé composé.**
L'accident d'avion fut spectaculaire et s'il y eut des blessés, tous (survivre). — On pense que les premiers hommes (vivre) dans la vallée du Rift en Tanzanie où les conditions climatiques étaient favorables. — Les ingénieurs (concevoir) un nouveau robot télécommandé pour explorer la planète Vénus. — Les médaillés français des Jeux olympiques (recevoir) les félicitations du président de la République. — Carine et Mathieu (vaincre) leur appréhension et ils (sauter) dans le vide, avec un parachute, bien sûr ! — Les résultats des dernières épreuves de contrôle m'(décevoir) ; j'attendais de meilleures notes.

21 **Écrivez les verbes entre parenthèses à l'imparfait de l'indicatif.**
Bien que faible, le bruit régulier de l'eau tombant du toit goutte à goutte nous (agacer) prodigieusement. — Alors que tu n'étais qu'au cours préparatoire, tu (annoncer) à tout le monde que tu (vouloir) devenir ministre. — Nos grands-parents (placer) toutes leurs économies à la Caisse d'épargne : c'était une tradition. — Avant d'acheter une perceuse électrique, Monsieur Daligond (percer) les murs avec un tamponnoir et un marteau. — En l'absence de tous repères, vous (avancer) un peu au hasard.

22 **Vocabulaire à retenir**
le glaçon — la leçon — le maçon — le garçon — la façon — le caleçon
la façade — un aperçu — un reçu — un tronçon — la balançoire

m devant m, b, p

RÈGLE

Devant les lettres *m, b, p,* il faut écrire **m** au lieu de *n* :
emm*êler*, déambuler, le crampon, la jambe.
Quelques exceptions :
un bonbon, une bonbonne, une bonbonnière, l'embonpoint, néanmoins.

---

mm	mb		mp	
emmailloter	l'ambulance	le jambon	le crampon	la sympathie
emmancher	l'embarras	le tambour	le pamphlet	le symptôme
emmitoufler	l'embryon	le symbole	le pompon	le triomphe

EXERCICES
Utilisez votre dictionnaire

23 **Employez le contraire de ces adjectifs ou de ces verbes dans une expression.**
Ex. : prévu → imprévu ; un événement imprévu.

mangeable	moral	probable	émerger	émigrer	débarquer
mobile	pitoyable	prévoyant	débrayer	dégager	déballer

24 **Donnez les verbes qui correspondent aux expressions.**
Ex. : mettre dans un sac → ensacher.
mettre en pile, en broche, dans sa poche, en grange, en bouteilles, en paquet — couvrir de pierres, de buée, de neige — rendre laid, rendre beau — serrer dans ses bras — enduire de glu, enduire de colle — saupoudrer de farine.

25 **Complétez avec n ou m.**

l'e...buscade	e...ja...ber	e...mener	co...péte...t	co...te...pler
l'aplo...b	e...co...brer	e...mêler	le pri...te...ps	un co...co...bre
i...mobile	e...se...ble	un ti...bre	le trio...phe	la sy...phonie

26 **Complétez les mots comme il convient.**
J'ai e...prunté des livres à la bibliothèque. — Joël a reçu un ja...bon en réco...pense de son exploit. — Sylvie e...ménage samedi dans le nouvel i...meuble. — André Herrero adorait respirer l'odeur du ca...phre dans les vestiaires des rugbymen. — L'abbé Birotteau traversait aussi pro...ptement que son e...bo...point pouvait le lui permettre la petite place déserte. (BALZAC)

27 Vocabulaire à retenir
le crampon — le timbre — l'empereur — le plomb — l'emballage
l'imprévu — impatient — imparfait — imbuvable — improbable

La lettre x

RÈGLE

Dans les mots commençant par ex-, le **x** se prononce [gz] s'il est suivi d'une voyelle ou d'un h muet :
*ex**a**ucer, ex**h**aler.*

Il faut mettre un **c** après ex- si le **x** doit être prononcé [k] :
*un ex**c**ès, ex**c**ellent.*

Remarque : *x* en début de mot se prononce [gz] ou [ks] selon les cas :
xénophobe [gz]   *xylophone* [gz] ou [ks].

---

x prononcé [ks]		ex prononcé [gz]		ex [ks]
annexer	la boxe	exacerber	exhorter	expansif
l'anxiété	le larynx	l'exactitude	exhumer	expulsion
l'apoplexie	luxuriant	exagérer	exigeant	excéder
le bombyx	le lynx	exalter	l'exigence	l'excellence
connexe	orthodoxe	exaspérer	l'exiguïté	l'excentricité
convexe	le paradoxe	exécrer	l'exode	l'exception
la dextérité	le paroxysme	l'exemple	exorbitant	excessif
le duplex	la perplexité	l'exemption	exotique	exciter
l'équinoxe	le phénix	l'exercice	exubérant	l'exclamation
le fax	la proximité	exhausser	exulter	l'excursion

EXERCICES

Utilisez votre dictionnaire

28 **Placez un** c **après le** x**, s'il y a lieu.**

ex...horter   ex...essif   ex...entrer   ex...eller   ex...éder
ex...user   ex...écrer   l'ex...ode   l'ex...ercice   ex...ubérant
ex...iler   ex...humer   ex...iter   l'ex...actitude   l'ex...ipient

29 **Complétez par un de ces mots :** excellence, exercice, excès, plexus, équinoxe, oxygène, toxique.

Victime d'un coup au ..., le boxeur s'écroula au tapis. — M. Chervel souffre d'un ... de cholestérol. — Des vapeurs ... s'échappent de la cuve en fusion. — En fin d'année, Marie obtient le prix d'... ; elle est récompensée pour son travail régulier. — Certains croient que l'on peut progresser sans faire d'..., ils ont tort ! — Sans ... , il n'y aurait pas de vie sur terre. — Méfiez-vous, les marées d'... sont particulièrement importantes dans cette région.

30 **Vocabulaire à retenir**

l'exercice — exact — exotique — l'exemple — exiger — exagérer
l'anxiété — excellent — expulser — s'exclamer — l'excursion — exciter

La lettre y

RÈGLE

Entre deux consonnes, la lettre **y** a la valeur de la lettre *i* :
un c**y**clone, une gl**y**cine, un s**y**mbole.

Remarque : dans *abbaye*, le y a la valeur de deux *i*.

la lettre y				
l'acrylique	cynique	l'hémicycle	la nymphe	le symbole
anonyme	le cyprès	l'hydre	l'odyssée	la symétrie
le baryton	dynamique	la hyène	l'olympiade	la symphonie
la bicyclette	la dynamo	l'hymne	le papyrus	le symptôme
le cataclysme	la dynastie	l'hypocrisie	la paralysie	la syncope
le collyre	la dysenterie	le labyrinthe	le polygone	le système
la crypte	l'embryon	le lycée	le porphyre	le tympan
le cyanure	l'étymologie	le martyre	le presbytère	le type
le cyclamen	l'eucalyptus	le myosotis	le psychologue	le typhon
le cyclone	la glycérine	la myriade	le pyjama	le tyran
le cygne	la glycine	le mystère	le pylône	le yacht
le cylindre	le gymnase	le mythe	la pyramide	la yole
la cymbale	le gypse	la mythologie	le rythme	le zéphyr

EXERCICES

Utilisez votre dictionnaire

31 Complétez par i ou y.

l'…ode	le r…thme	un histr…on	un p…lastre	une c…thare
la …ole	une m…te	un embr…on	un p…lône	une c…mbale
la r…me	le m…the	une l…re	une c…terne	un c…lindre
un s…phon	le t…mpan	un d…lemme	une s…llabe	le st…le
un c…clone	le rall…e	l'ox…de	un c…cle	l'h…g…ène

32 Complétez par un de ces mots : olympique, geyser, tyran, thym, symbole.

Le … et le laurier sont des plantes aromatiques présentes dans la cuisine provençale. — Le … des Jeux …, ce sont cinq anneaux de couleur représentant les cinq continents. — Pour certains, Napoléon Bonaparte est un génie, pour d'autres c'est un … . — Si vous visitez l'Islande, allez admirer ses   .

33 Vocabulaire à retenir

anonyme — le cycle — le cylindre — la dynastie — le gymnase
le pyjama — la pyramide — mythique — le tympan — le symbole
la hyène — hypocrite — typique — une olympiade

La lettre z

RÈGLE

1. Entre deux voyelles, on peut hésiter entre un **s** et un **z**.
En cas de doute, il est prudent de consulter un dictionnaire :
le bazar, le hasard ; la rizière, la lisière.

2. En début de mot, le son [z] s'écrit toujours **z** :
le zébu, le zénith.

3. En fin de mot, le **z** peut être muet :
le nez, le rez-de-chaussée.

Attention à l'orthographe de : *la dizaine, un dixième.*

la lettre z				
l'alizé	le bronze	le gazouillis	la topaze	zézayer
l'amazone	byzantin	l'horizon	le trapèze	zigzaguer
l'azote	le chimpanzé	le lézard	zapper	le zinc
l'azur	le colza	la merguez	la zébrure	la zizanie
le benzène	l'eczéma	le muezzin	le zèle	le zodiaque
bizarre	la gaze	la pizza	le zéphyr	le zoo
le blizzard	la gazelle	le quartz	le zeste	le zouave

EXERCICES

Utilisez votre dictionnaire

34 **Complétez par s ou z.**

la lu...erne	le mélè...e	l'a...ur	le ga...on	un ga...ouillis
la ca...erne	le malai...e	l'u...ure	le bi...on	les By...antins
la ga...e	le ba...ar	une alè...e	une ma...ure	l'hori...on
la mi...ère	le ma...out	le lé...ard	le trapè...e	la cé...ure
un bla...on	la ri...ière	une ro...ette	un rhi...ome	une dou...aine

35 **Complétez par un de ces mots :** le muezzin, la mezzanine,
le zodiaque, le colza, l'eczéma, zapper.

Quel est votre signe du ... ? Le Lion ou la Vierge ? — Du sommet du minaret
de la mosquée, le ... appelle les musulmans à la prière. — La télécommande
permet de ... facilement, bien assis dans son fauteuil. — Tania vient d'aména-
ger la ... de sa chambre pour mieux recevoir ses amies. — Au printemps, les
champs de ... prennent une splendide couleur jaune. — L' ... provoque des
démangeaisons ; le traitement en est toujours délicat.

36 **Vocabulaire à retenir**

la pizza — la mezzanine — le blizzard — le muezzin — la razzia — le grizzli
le zeste — le zigzag — la zone — le zoo — la zoologie — le zouave

c ou qu   g ou gu

RÈGLE

1. Devant *a* et *o*, on écrit dans la plupart des cas *g* ou *c*
au lieu de *gu* ou *qu* :
    la navigation, vigoureux ; la fabrication, un picotement.
Exceptions : *le quartier, la qualité, un trafiquant, le quotient...*

2. Devant *e* et *i*, il faut placer un *u* après le *g* pour conserver le son [g] :
    une écorce rugueuse, il nargue, la guenon, la guitare.

3. Les verbes terminés par *-quer* ou *-guer* à l'infinitif conservent le *u*
dans toute leur conjugaison pour avoir toujours le même radical
(voir leçon 123) :
    nous voguons, il voguait, nous fabriquons, il fabriqua.

Remarque : le participe présent, forme verbale, a donc un *u*, alors que
le nom ou l'adjectif, n'en ont pas :
    en *intriguant* (participe présent), *un intrigant* (nom), *un homme intrigant* (adjectif).

EXERCICES
Utilisez votre dictionnaire

37 Pour chacun des verbes, écrivez la **1ʳᵉ** personne du singulier de
l'imparfait de l'indicatif, le participe présent et un mot de la même
famille dans lequel on a **ga** ou **ca**.
Ex. : carguer → je carguais, en carguant, la cargaison

éduquer	fatiguer	revendiquer	prodiguer	suffoquer
tanguer	indiquer	naviguer	démarquer	débarquer

38 Complétez avec **u**, s'il y a lieu.
Le sauteur à la perche, dans un sursaut d'org...eil, franchit la barre placée à six mètres. — La cig...ale et l'alouette agitent leurs ailes infatig...ables. (H. GRÉVILLE) — Les cailloux crissaient, la caisse tang...ait, les essieux gémissaient. (J. CAMP) — Le petit sentier zigzag...ait entre les bois et les champs. (A. THEURIET)

39 Complétez avec **c** ou **qu**.
Je reprendrais bien un peu de sauce pi...ante avec mon couscous. — Nous sommes, ...otidiennement, assaillis par la publicité qui veut nous indi...er chacun de nos choix. — L'araignée retourna à son embus...ade. (A. KARR) — L'air retombait immobile, la chaleur était suffo...ante. (É. MOSELLY)

40 Vocabulaire à retenir
éduquer, l'éducation — embarquer, l'embarcation — indiquer, l'indication
la fatigue, un travail fatigant, en se fatiguant, infatigable

Le son [k] : qu, ch, k, ck, c

RÈGLE

Le son [k] s'écrit de plusieurs manières :
le reliquaire, le chrysanthème, le karaté, le jockey, le déclic.
En cas de doute, il est donc prudent de consulter un dictionnaire.

qu		ch	k / ck	c
l'antiquaire	narquois	l'archéologue	ankyloser	chic
aqueux	le quadrille	le chaos	le kangourou	le hamac
la béquille	le quart	le chlore	le kaolin	le pic
le carquois	le quémandeur	le chœur	la kermesse	le roc
la coloquinte	la querelle	le choléra	le kimono	le trac
l'éloquence	la quinte	la chorale	le kiosque	le trafic
équarrir	quinze	le chorus	la kitchenette	le troc
le maquis	le quiproquo	la chronologie	le klaxon	en vrac

EXERCICES

Utilisez votre dictionnaire

41 Écrivez un mot de la même famille et placez-le dans une courte phrase.
Ex. : l'antiquaire → J'admire les antiquités grecques du musée du Louvre

équarrir	l'orchestre	l'archéologie	un klaxon	le chœur
archaïque	un moustique	un coquin	technique	le nickel

42 Complétez les mots comme il convient.
Le verdict du …ronomètre est impitoyable : c'est Laurent qui remporte l'étape contre la montre. — À leur mort, les pharaons égyptiens étaient placés dans des sar…ophages richement décorés. — Ce judo…a français est devenu …adruple champion olympi…e. — Comment les ar…éologues trouvent-ils des vestiges au milieu de ces véritables …aos de blo…s et de rochers ? — Le …atholicisme et le protestantisme sont des religions …rétiennes.

43 Complétez les mots comme il convient.
Connaissez-vous le nom scientifique du sel de cuisine ? Le …lorure de sodium. — La Nouvelle-Calédonie est l'un des plus importants exportateurs de ni…el du monde. — Élisabeth présente le jeu de l'élasti… à sa grand-mère qui la regarde tout étonnée …ar, lors…'elle était à l'école, ce jeu n'existait pas.

44 Vocabulaire à retenir
l'orchestre, le chœur, la chorale, les choristes, le chorus
la musique — le choléra — le kiosque — ankylosé — le hamac — le trac

Le son [j] : ill ou y

RÈGLE

1. Quand le son [j] s'écrit **ill**, la lettre *i* est inséparable des deux *l* et n'est pas liée avec le son de la voyelle qui précède :
railler → ra-iller, la raillerie → ra-ille-rie.

Attention : le groupe de lettres **ill**
• se prononce [il] dans *ville, village, tranquille, tranquillité.*
• se prononce [ij] dans *bille, fille, quille, vrille.*

2. Le son [j] peut aussi s'écrire avec un *y* ; dans ce cas, le *y* a généralement la valeur de deux *i*, dont le premier est lié avec la voyelle qui précède et le second avec la voyelle qui suit :
rayer → rai-ier   la rayure → rai-iure.

Remarques
1. Dans les noms, le son [j] écrit *ill* est rarement suivi d'un *i*.
Exceptions : *le quincaillier, le groseillier, le marguillier, le joaillier.*

2. Dans les noms, le *y* n'est jamais suivi d'un *i*, sauf dans *un essayiste.*

3. Dans les verbes, à l'imparfait de l'indicatif et au présent du subjonctif, le groupe de lettres *ill* et le *y* peuvent être suivis d'un *i* :
je cueillais, nous cueillions ; que je cueille, que nous cueillions
j'essuyais, nous essuyions ; que j'essuie, que nous essuyions.

EXERCICES   *Utilisez votre dictionnaire*

45 **Écrivez les adjectifs qualificatifs correspondant à ces noms.**
Ex. : la joie → joyeux.

| le roi | la loi | l'effroi | la soie | la pitié | la raie |
| la craie | la paie | la monnaie | l'ennui | le gibier | la larme |

46 **Complétez par ill ou y.**
Le jarret flageolant, Victor foudro…é, considéra ce voilier increvable qui, une fois réparé, partirait avec lui à la Tortue. (R. FALLET) — L'animation commençait du côté de l'encan où arrivaient les camionnettes des mare…eurs. (SIMENON) — Le troupeau de Djelloul s'éga…ait à mi-pente. (J. PEYRÉ) — Jeanne faisait sa petite princesse de contes de fées, ra…ait impito…ablement mes timidités. (P. LOTI) — La flamme faisait luire une marmite de fer accrochée à une créma…ère. (V. HUGO)

47 Vocabulaire à retenir
le maillet — vaillant — le poulailler — l'écaille — un médaillon
la noyade — la balayure — un plaidoyer — un moyen — défrayer

Le son [s] écrit avec t ou avec sc

RÈGLE

1. Le son [s] s'écrit parfois avec un **t** ou avec **sc** :
le pétiole, la minutie, la suprématie, phosphorescent, ressusciter, sciemment.

2. Beaucoup de noms terminés par le son [sjɔ̃] s'écrivent **-tion** :
l'exhortation, l'incantation, la prétention.

Exceptions : *la dissension, l'expulsion, l'appréhension, la réflexion…*

Remarque : les adjectifs terminés par le son [ɑ̃sjɛl] s'écrivent généralement avec un **t**, ceux qui se terminent par [isjɛl] s'écrivent avec un **c** :
   confidentiel, substantiel, résidentiel   officiel, artificiel, matriciel.
Exceptions : *révérenciel* et *circonstanciel.*

EXERCICES   *Utilisez votre dictionnaire*

48 **Écrivez les noms en** -tion **correspondant à ces mots.**
Ex. : prétentieux → la prétention.

ambitieux	superstitieux	séditieux	arrêter	imaginatif
éteindre	convaincre	distinguer	décevoir	migrer

49 **Écrivez les adjectifs qualificatifs en** -iel **correspondant
à ces noms et placez-les dans une expression.**
Ex. : la superficie → un jugement superficiel.

la préférence	la circonstance	la cicatrice	la providence	la matrice
l'essence	la résidence	la confidence	l'artifice	la différence

50 **Écrivez un mot de la même famille. Placez-le dans une phrase.**
fasciner → Les chercheurs se lancent dans des travaux fascinants.

sceller	schématiser	acquiescer	discipliner	plébisciter
discerner	descendre	scier	scintiller	scinder

51 **Complétez les mots comme il convient.**
Savez-vous ce qu'est la pi…iculture ? — Les acteurs doivent entrer en …ène,
l'efferve…ence est à son comble. — Les hommes politiques doivent faire preuve
de di…ernement lorsqu'ils prennent une dé…ision. — Les adole…ents sont
une des cibles privilégiées des publi…itaires. — Dans les régimes peu démo-
cratiques, certains référendums se transforment en plébi…ites.

52 Vocabulaire à retenir

la science — la scène — l'ascenseur, l'ascension — un sceptre
un logiciel — circonstanciel — providentiel — résidentiel — confidentiel

Le son [f] : ph

RÈGLE

Le son [f] s'écrit parfois **ph** :
l'amphithéâtre, la métamorphose, la photocopie.
En cas de doute, il est prudent de consulter un dictionnaire.

Le son [f] écrit ph				
l'amphore	le camphre	le microphone	le pharynx	le raphia
aphone	la catastrophe	le nénuphar	le phénix	le saphir
l'apostrophe	le dauphin	l'œsophage	le phénomène	le sarcophage
l'asphalte	le diaphragme	l'orphelin	le philanthrope	le scaphandre
l'asphyxie	la diphtérie	le pamphlet	le philosophe	le sémaphore
l'atmosphère	éphémère	le paragraphe	la phonétique	la strophe
l'atrophie	l'épitaphe	la périphérie	le phosphore	la symphonie
l'autographe	l'euphonie	la phalange	la photographie	le téléphone
le bibliophile	le graphite	le pharaon	physique	le triomphe
le blasphème	l'hémisphère	la pharmacie	le prophète	le typhon

EXERCICES

Utilisez votre dictionnaire

53 **Écrivez les adjectifs qualificatifs correspondant à ces noms et placez-les dans une expression.**
Ex. : un philanthrope → une œuvre philanthropique.

une catastrophe	un pharmacien	une symphonie	l'atmosphère
un phénomène	la périphérie	un pharaon	le triomphe

54 **Complétez avec f, ff ou ph.**
On dit que le dau...in est un des mammi...ères les plus intelligents. — As-tu vu le film *Trois hommes et un cou...in* ? C'est une comédie qui a connu un ...ranc succès. — Le village de Saint-Paul se situe aux con...ins de la vallée de l'Ubaye. — La musique a...ricaine a fait la conquête du monde grâce à ses rythmes endiablés. — Charlène parle avec di...iculté car elle a un a...te dans la bouche. — Bettina n'a pas su qui avait cassé le vase de Soissons : quel a...ront ! — Pour essuyer les verres, prends un chi...on propre.

55 **Écrivez six phrases dans lesquelles vous emploierez des noms formés avec les suffixes** -sphère, -phone, -graphe.

56 Vocabulaire à retenir

l'atmosphère — l'asphyxie — l'asphalte — l'amphore — l'apostrophe
le pharynx — le physique — le phosphore — le prophète — le phénomène

Mots commençant par la lettre h

RÈGLE

1. Seuls l'usage ou la consultation d'un dictionnaire permettent de savoir si un nom commence par la lettre **h** :
l'hémorragie, l'hélicoptère, l'hexagone, la harpe, la honte.

2. Le **h** *muet* veut l'apostrophe au singulier, la liaison au pluriel.
l'habit, les habits.

3. Le **h** *aspiré* exige l'emploi de *le* ou de *la* au singulier et empêche la liaison au pluriel :
le hanneton, les / hannetons   *la hache, les / haches.*

4. On trouve aussi le **h** *muet* à la fin de certains mots :
un aurochs, le zénith, le fellah, un mammouth, le varech, l'almanach.

h muet			h aspiré	
l'haleine	l'hémisphère	l'histogramme	la hâte	le hors-d'œuvre
l'hélium	hirsute	l'hygiène	la hiérarchie	le hublot

EXERCICES
Utilisez votre dictionnaire

57 **Écrivez les adjectifs de la famille de ces mots et placez-les dans une expression.** *Ex.* : l'hippodrome → une course hippique.

un hercule	l'horreur	l'homme	l'hilarité	l'hiver	l'hôpital
la hiérarchie	l'habitude	l'horizon	le héros	l'honneur	l'hexagone

58 **Complétez par la lettre h, s'il y a lieu.**
Les …oraisons funèbres de Bossuet restent des chefs-d'œuvre de la littérature. — Au Moyen Âge, les prisonniers étaient parfois jetés aux …oubliettes. — Lors de la Seconde Guerre mondiale, les juifs furent les victimes d'un …olocauste. — L'…exagone a six côtés et l'…octogone en a …uit. — Le …oublon entre dans la préparation de la bière. — Les blancs …ortensias, de nouveau, luisent avec des tons de neige fraîche. (É. HERRIOT) — Charlatans, faiseurs d'…oroscopes, quittez les cours des princes de l'Europe. (LA FONTAINE)

59 **Pour marquer la différence de sens entre ces mots :** hiverner, hiberner ; habilité, habileté, **employez chacun d'eux dans une phrase.**

60 **Vocabulaire à retenir**
l'honneur — l'horreur — l'heure, l'horloge — le hoquet — l'horoscope
l'haleine — l'habitude — la hache — le halo — la hanche — le handicap

Les lettres muettes intercalées : h, e, m, p

RÈGLE

1. Certains mots s'écrivent avec un **h** *muet* à l'intérieur du mot :
le théâtre, le cahot.

Remarques :
Dans *bahut, envahir, prohiber, cohue, cohorte*, etc., la lettre *h* joue le rôle du tréma.
Dans *Borghèse, ghetto, narghilé*, la lettre *h* a la valeur d'un *u*.

2. La plupart des noms dérivant des verbes en *-ier, -ouer, -uer* et *-yer* gardent le **e** de l'infinitif. Ce **e** est *muet*, il ne faut pas l'oublier à l'écrit :

aboy**e**r → l'aboi**e**ment   dénu**e**r → le dénu**e**ment.

Attention : à l'orthographe des noms *châtiment* et *agrément*.
• *soierie*, qui vient de *soie*, s'écrit avec un *e muet* intercalé, alors que *voirie* s'écrit sans *e muet* intercalé.

3. Certains mots s'écrivent avec un **p** *muet* devant le *t* ou un **m** *muet* devant le *n* :

la sculpture, l'automne, condamner.

h muet			p muet	m muet
l'absinthe	cohérent	le misanthrope	l'acompte	automnal
l'adhérent	la cohésion	le mohair	le baptême	l'automne
l'adhésion	compréhensif	le mythe	baptiser	la condamnation
l'amphithéâtre	le dahlia	le panthéon	le compte	condamner
annihiler	esthétique	le philanthrope	compter	damner
l'anthologie	l'éther	la plinthe	le comptoir	
l'anthracite	exhaler	posthume	le décompte	**e muet**
l'antipathie	exhiber	rhabiller	l'escompte	le balbutiement
l'apathie	exhorter	rhétorique	exempt	le bégaiement
l'apothéose	le gothique	la rhinite	le mécompte	le dénuement
l'apothicaire	l'hypothèse	le rhinocéros	prompt	le dévouement
appréhender	incohérent	le rhododendron	sculpter	l'engouement
l'athlète	l'inhalation	la rhubarbe	le sculpteur	l'enrouement
la cathédrale	la méthode	la térébenthine	sept	le zézaiement

EXERCICES
Utilisez votre dictionnaire

61 À l'aide d'un mot de la même famille, justifiez le **h** muet.
Ex. : la préhistoire → historique.

exhaler   rhabiller   un cohéritier   exhausser   désherber   s'enhardir
inhumain   inhaler   cohabiter   exhumer   inhabituel   déshabituer

62 **Cherchez le sens de ces noms dans un dictionnaire.**

l'orthopédie	l'hydrothérapie	une discothèque	un aérolithe
un philanthrope	l'anthropométrie	la cinémathèque	un monolithe
la mythologie	une rhino-pharyngite	la théologie	un thermostat

63 **Donnez un mot de la famille de ces noms.**

l'authenticité	l'enthousiasme	l'exhibition	un luthier
un souhait	la sympathie	la rhétorique	l'exhortation
la théorie	le véhicule	l'athlète	la véhémence
la préhension	la sculpture	la damnation	l'enjouement

64 **Écrivez les noms dérivés de ces verbes dans lesquels il y a un e muet.** *Ex.* : zézayer → le zézaiement.

pépier	scier	dénouer	balbutier	ondoyer	flamboyer
tuer	dénuer	rapatrier	engouer	rouer	aboyer
déployer	poudroyer	tutoyer	renier	vouvoyer	manier

65 **Écrivez les verbes au futur simple (3ᵉ personne du singulier), puis le nom dérivé dans lequel il y a un e muet.**

remercier	déblayer	bégayer	rallier	éternuer	payer

66 **Complétez, s'il y a lieu, par une lettre muette.**

le r…ume	la lut…erie	la sil…ouette	exem…ter
la soi…rie	le men…ir	un drugst…ore	l'auto…ne
la fé…rie	se…tième	un châti…ment	conda…ner
la voi…rie	la plint…e	un chatoi…ment	dom…ter
la gai…té	da…né	un agré…ment	la scul…ture
la t…éière	un acom…te	l'apot…éose	le redéploi…ment
le ryt…me	l'agat…e	in…aler	in…achever

67 **Complétez avec ces mots dans lesquels se trouve une lettre muette :** anthropophagie, tuerie, discothèque, enrouement, dénouement.

Il ne doit plus y avoir d'… de par le monde, cette pratique a disparu, heureusement. — Le frère de Rachid fréquente les … ; c'est de son âge puisqu'il a dix-huit ans. — Ce soir, le chanteur ne pourra honorer son contrat, il est victime d'un léger … qui ne lui permet pas d'entrer en scène. — Le … de la *Mort aux trousses* a surpris tous les spectateurs ; Alfred Hitchcock est le roi du suspense. — Magali déteste les corridas, elle considère qu'il s'agit de véritables … .

68 **Vocabulaire à retenir**

la soierie — la gaieté — le rythme — le châtiment — adhérer
la silhouette — sympathique — gothique — la plinthe
le sculpteur — le dompteur — exempt — le dévouement — condamner
l'automne — un balbutiement — l'escompte

▶ Révision

69 **Écrivez un mot de la même famille, qui a conservé le s.**

Ex. : le goût → la dégustation.

| les vêpres | l'ancêtre | le maraîcher | l'intérêt | le prêt | l'arrêt |
| la croûte | le pâtre | la bête | l'hôpital | le château | la pâte |

70 **Donnez un mot, où a, o, u n'est pas accentué, de la famille de ces mots.**

| la côte | le diplôme | infâme | tâter | sûr |
| le fût | l'arôme | le fantôme | le cône | le pôle |

71 **Complétez avec c, cu ou qu, g ou gu.**

Les spectateurs écoutent, dans le plus parfait re…eillement, la fin du concert. — L'étape fut fati…ante ; les coureurs prennent un peu de repos. — Le pa…ebot navi…ant dans la brume fait retentir sa sirène. — Lumières non seulement fixes mais mobiles, tournantes, zigza…antes. (P. Morand) — Ne prends pas pour de l'or tout le clin…ant qui luit. (Gomberville) — Les chaloupes continuaient leur navette entre l'embar…adère et la *Méduse*. (R. Christophe)

72 **Employez avec un nom les adjectifs correspondant à ces verbes.**

Ex. : flamboyer → des étendards flamboyants.

| défaillir | verdoyer | payer | détailler | assaillir | effrayer |
| ondoyer | railler | chatoyer | fuir | prévoir | piailler |

73 **Écrivez les noms dérivés de ces adjectifs et de ces verbes.**

sentencieux	séditieux	disgracieux	minutieux	avaricieux
silencieux	capricieux	astucieux	malicieux	infectieux
décrire	corrompre	restreindre	fasciner	détruire

74 **Cherchez le sens de ces mots et employez-les dans une phrase.**

| l'hévéa | hétérogène | l'holocauste | un haras | l'herpès |
| l'hallali | hétéroclite | un helléniste | l'héroïsme | l'hagiographe |

75 **Complétez avec ces mots dans lesquels se trouve une lettre muette :** authenticité, améthyste, gaieté, tournoiement, flamboiement.

Le feu d'artifice s'achève dans un … de couleurs. — Le réveillon de la Saint-Sylvestre s'est déroulé dans la plus franche … . — Les vieilles villes nous surprennent à tout instant par des armoiries, une statuette qui attestent l'… d'une légende. (X. Marmier) — Mai, c'est le mois des lilas, des lilas fleuris en une délicate et tendre nuance d'… . (J. Richepin) — Le … de l'escalier me procurait un léger vertige. (G. Duhamel)

76 **Employez, dans une courte phrase ou une expression, un mot de la même famille que ces mots.** *Ex.* : l'anxiété → un concurrent anxieux

| exhorter | exorbité | l'annexe | la proximité | la symphonie |
| le rythme | l'eczéma | le symbole | anonyme | la symétrie |

La lettre finale d'un mot

RÈGLE

Pour trouver la lettre muette finale d'un mot, on peut en former le féminin ou chercher un des dérivés de ce mot dans lequel on entend la lettre :
le coing → *le cognassier* ; *l'essaim* → *essaimer* ; *franc* → *franche*.

Attention à quelques difficultés :
abriter (un abri) ; *une brindille (un brin)* ; *favoriser (favori)* ;
le dépôt (déposer) ; *le caoutchouc (caoutchouté)*.

Remarques

1. De nombreux mots ont une consonne finale sonore en *n, r*, ou *s* :
le spécimen, le cyclamen, l'oasis, l'humus, la cuiller, l'éther.

2. Des mots issus du latin ont une finale en *-um*, qui se prononce [ɔm] :
un album, le maximum.

noms en -um		noms en -s		en -en
l'aquarium	le minimum	l'autobus	le myosotis	l'abdomen
le capharnaüm	le minium	le cactus	le papyrus	le dolmen
le critérium	le muséum	le chorus	le prospectus	le gluten
le curriculum	l'opium	le cosmos	le rictus	le lichen
l'erratum	le podium	le couscous	le tamaris	le pollen
le forum	le post-scriptum	l'eucalyptus	le tennis	le spécimen
le géranium	le référendum	le fils	le tétanos	**en -er**
l'harmonium	le rhum	l'hiatus	le tournevis	l'éther
le maximum	le sanatorium	l'ibis	le typhus	le magister
le mémorandum	le summum	l'iris	le volubilis	

EXERCICES
Utilisez votre dictionnaire

77 **Complétez avec une lettre muette et, quand c'est possible, justifiez-la avec un mot de la même famille.** *Ex.* : le lard → des lardons.

le paradi...	l'appâ...	le standar...	l'étan...	le trépa...
le rempar...	le persi...	le compa...	le défau...	l'accro...
le débarra...	le gigo...	le circui...	le refu...	l'échafau...
le pri...	le bahu...	le galo...	le salu...	l'excè...
le remou...	le bour...	le plom...	le jon...	le flan...

78 **Trouvez six noms de métaux se terminant par** -um.

79 Vocabulaire à retenir
le standard — l'étendard — le départ — le rempart — l'encart

Noms en -eau, -au, -aud, -aut, -aux
Noms en -o, -ot, -os, -oc, -op

RÈGLE

1. Beaucoup de noms terminés par le son [o] s'écrivent **-eau** :
le bureau, l'escabeau, le rouleau.

2. Quelques noms se terminent en **-au, -aud, -aut, -aux** :
le noyau, le crapaud, l'artichaut, la faux.

3. D'autres noms terminés par le son [o] s'écrivent **-o, -ot, -os** :
le piano, le cacao, le chariot, le héros.

4. Quelques noms s'écrivent **-oc, -op** :
l'escroc, le galop.

Remarques

1. En cas de doute, il est préférable de consulter un dictionnaire.

2. Lorsque le son final [o] est écrit avec une consonne muette finale,
il n'y a jamais de e devant *au* :
le réchaud.

3. Il est parfois possible de trouver la consonne muette finale à l'aide
d'un mot de la même famille :
le robot → robotiser   le repos → se reposer
le galop → la galopade.

noms en -eau			en -au	-aud, -aut, -aux
l'anneau	le chapiteau	le pruneau	le boyau	l'échafaud
le bandeau	le lambeau	le radeau	l'étau	le crapaud
le barreau	le panneau	le renouveau	le fléau	l'assaut
le bordereau	le pinceau	le réseau	le joyau	le défaut
le caniveau	le plateau	le roseau	le noyau	le taux
le chapeau	le poireau	le terreau	le tuyau	la chaux

en -o		en -ot		en -os
le brasero	le lasso	le bibelot	le goulot	le dos
le cargo	le lavabo	le brûlot	le grelot	l'enclos
le casino	le loto	le cachalot	le haricot	le propos
la dynamo	le lumbago	le cachot	le hublot	le repos
l'eldorado	le mémento	le camelot	le javelot	
l'embargo	le pédalo	le chariot	le magot	**en -oc**
l'espéranto	le quiproquo	l'ergot	le manchot	l'accroc
le ghetto	le soprano	le flot	le marmot	le broc
le kimono	le studio	l'îlot	le plot	le croc
le lamparo	le trémolo	le garrot	le tricot	le raccroc

EXERCICES

Utilisez votre dictionnaire

80 **Avec un mot de la même famille, justifiez la dernière lettre de ces noms.** *Ex.* : le maillot → emmailloter.

le grelot	le calot	le sanglot	le galop	l'ergot	l'escroc
le ballot	le tricot	le repos	le complot	le propos	l'îlot
le croc	le dos	le trot	l'accroc	le lot	le pivot

81 **Attention, un mot de la même famille peut entraîner une erreur. Consultez un dictionnaire pour compléter ces noms.**

pianoter → le ...   l'escroquerie → l'...   la roulette → le ...

faucher → la ...   la bureautique → le ...   la tuyauterie → le ...

noyauter → le ...   numéroter → le ...   cacaoté → le ...

82 **Écrivez une expression dans laquelle il y aura un nom en** -ot **dérivé de ces mots.** *Ex.* : une gueule → un goulot de bouteille.

une cage   un char   une île   une manche   une maille

83 **Complétez les noms terminés par le son** [o].

Coluche disait que l'artich... est le légume du pauvre parce que « lorsque vous l'avez mangé, votre assiette est plus garnie qu'au début du repas ! » — L'auteur du scénari... a été récompensé d'un Oscar. Il fréquente les studi... de cinéma depuis des années. — Dressé sur ses erg..., le jeune coq fait admirer son plumage. — Les cheveux ondulés étaient teints et d'immenses ann... de cuivre pendaient aux oreilles de Rita. (C. Rihoit) — Camus assure que pour avoir une bonne mémoire, il faut avoir mangé du chapon, du levr... et des alouettes. (Voltaire) — Peut-être tes déf... sont-ils plus excitants que tes qualités ? (F. Sagan)

84 **Complétez les noms terminés par le son** [o].

En Afrique, les invasions de sauterelles constituent un flé... redoutable. — Les cow-boys des westerns manient le lass... avec virtuosité, pour les besoins de la caméra, bien sûr ! — Ce questionnaire est à remplir rect... vers... . — Le t... d'intérêt versé par les caisses d'épargne vient d'augmenter. — Les crocodiles fendent silencieusement les eaux dormantes du marig... . — L'imprimeur passe les livres au massic... pour égaliser les bords. — Pour sa fête, les collègues de bur... de Madame Chazelle lui ont offert une boîte de berling... . — Une des spécialités des sorcières était sans conteste d'user de la poudre de crap... . — Le camel..., grâce à son franc-parler, attire les bad... ; il vend un appareil révolutionnaire qui vous ouvre une boîte de maquer... en deux secondes. — Victor Hugo et Alphonse de Lamartine furent les hér... du mouvement romantique.

85 Vocabulaire à retenir

l'artichaut — le numéro, numéroter — l'escroc, l'escroquerie
le tournedos — le complot — le pivot — le calot — le sanglot

Noms en -er, -é, -ée
et en -té, -tié

RÈGLE

1. **Les noms masculins** terminés par le son [e] s'écrivent souvent **-er** :
> le coucher, le quartier, le papier.

Un certain nombre s'écrivent **-é** :
> le café, un aparté, le phrasé, le chimpanzé.

2. **Les noms féminins** terminés par le son [e] et qui ne se terminent pas par -té ou -tié s'écrivent **-ée** :
> une azalée, une orchidée, la chicorée, une simagrée.

Sauf : la clé, une psyché, l'acné.

On écrit aussi la clef. En ancien français, on écrivait une clef, des clés.

Remarque : certains noms masculins s'écrivent **-ée** : un musée, un lycée.

3. Parmi les noms qui se terminent par le son [e], certains dérivent de participes passés et s'écrivent **-é** :
> inviter → invité → un invité, une invitée.

4. **Les noms féminins** terminés par les sons [te] ou [tje] s'écrivent généralement sans e final :
> la cité, l'anfractuosité, l'humidité, la pitié, l'étanchéité.

Exceptions :

1. Les noms exprimant le contenu d'une chose :
> la charretée (le contenu de la charrette).

2. Six noms usuels : la butée, la dictée, la jetée, la montée, la pâtée, la portée.

noms masculins						
en -er			**en -é**		**en -ée**	
le bûcher	le goûter	l'ouvrier	l'autodafé	le liseré	l'apogée	
le cellier	le guêpier	le pilier	le côté	le pâté	le caducée	
le déjeuner	l'infirmier	le pommier	le défilé	le pré	le mausolée	
le dîner	le joaillier	le quincaillier	le degré	le prieuré	le scarabée	
l'escalier	le luthier	le rosier	le fossé	le scellé	le trophée	
le geôlier	le maraîcher	le sentier	le fourré	le thé		

noms féminins						
en -ée			**en -té**		**en -tié**	
l'assemblée	la flambée	la poussée	l'acuité	la fraternité	l'amitié	
la chaussée	la marée	la randonnée	l'anxiété	la liberté	l'inimitié	
l'embardée	l'odyssée	la poignée	la clarté	l'indemnité	la moitié	
l'enjambée	l'orée	la tranchée	l'ébriété	la santé	la pitié	
l'équipée	la pincée	la traînée	l'égalité	la vérité		

EXERCICES

Utilisez votre dictionnaire

86 Écrivez les noms féminins en -té qui correspondent à ces adjectifs.

Ex. : bref → la brièveté.

austère	malin	précoce	vrai	facile	subtil
fier	habile	lucide	crédule	immense	intègre
naïf	gai	hilare	énorme	nécessaire	inique
faux	assidu	vénal	téméraire	majestueux	pieux

87 Écrivez les noms féminins en -té qui correspondent à ces adjectifs et ajoutez un complément. *Ex.* : sûr → la sûreté d'un jugement.

sinueux	impétueux	annuel	âcre	monstrueux	rapide
léger	cupide	perpétuel	perspicace	loquace	absurde
âpre	frivole	futile	solidaire	multiple	grave

88 Écrivez les noms exprimant un contenu (ou une quantité) correspondant à ces noms et ajoutez un complément.

Ex. : une pince → une pincée de sel.

un plat	un nid	une maison	une aiguille	une cuillère
un bol	une table	une poêle	un bras	un four
un pot	une nuit	une brouette	une pelle	une assiette

89 Complétez ces noms masculins par -é ou -er.

un romanci...	un infirmi...	un débauch...	un miracul...	un dénivel...
un handicap...	un cantonni...	un maraîch...	un tisonni...	un vitri...
un hôteli...	un expatri...	un pétroli...	un balanci...	un licenci...

90 Complétez comme il convient.

la publicit... envahissante — les anfractuosit... du rocher — les cavit... du cœur — des indemnit... de logement — une sant... de fer — des sociét... de transport — des amit... de longue date — la propret... du linge — une retrait... heureuse — une handicap... physique — la fiscalit... indirecte.

91 Complétez les noms comme il convient.

Il a manqué de lucidit... dans son appréciation de la situation. — Sahel, fatigué et sans âge, cultive quelques ares de mil et d'arachide, pauvre de toute éternit... mais avec le sentiment désespérant de l'être de plus en plus. — Il lui est arrivé de s'adoucir comme au cours de ces randonn... à bicyclette. (N. SARRAUTE) — Les nuages se dissipent, ne projettent plus sous nous que des ond... rares. (P. MORAND) — Le camion s'étire au long des aspérit... de la piste. (G. ARNAUD)

92 Vocabulaire à retenir

un pied, un marchepied, un trépied — le lycée — le musée — le mausolée le rez-de-chaussée — l'assemblée — l'excentricité — l'embardée — l'odyssée

Les noms en -et, -ai, -aie

RÈGLE

1. Les noms **masculins** terminés par le son [ε] s'écrivent en général **-et** et les noms **féminins** s'écrivent **-aie** (sauf : *la paix, la forêt*) :
> *le pistolet, le pamphlet, la plaie, la haie.*

Remarques

1. Il existe d'autres terminaisons pour les noms masculins :
> *le lait, le succès, le quai, le poney.*

Les noms masculins en [ε] qui appartiennent à la famille d'un verbe en *-ayer* s'écrivent généralement **-ai** :
> *un étai (étayer) ; un balai (balayer).*

Attention : *un relais (relayer).*

2. Certains noms féminins en *-aie* désignent un lieu planté d'arbres d'une même espèce : *une cerisaie est un lieu planté de cerisiers.*

noms masculins en -et				noms féminins en -aie	
l'alphabet	le bracelet	le gobelet	l'œillet	la baie	la monnaie
l'archet	le brochet	le guichet	le pistolet	la claie	la raie
le banquet	le budget	le hochet	le poignet	la craie	la taie

noms masculins					
en -ai	**en -ais**	**en -ait**	**en -ect**	**en -ès**	**en -ey**
le geai	le dais	le fait	l'aspect	l'abcès	le jockey
le minerai	le laquais	le portrait	le respect	le cyprès	le hockey
le quai	le marais	le souhait	le suspect	le progrès	le poney

EXERCICES

Utilisez votre dictionnaire

93 **Donnez le nom des lieux de plantations formés sur ces noms.**

le châtaignier	le pommier	la ronce	le chêne	le hêtre
l'oranger	le palmier	la banane	l'osier	le rosier

94 **Justifiez la finale de ces mots par un mot de la même famille.**

Ex. : un portrait → un portraitiste.

l'engrais	un congrès	un excès	le souhait	le suspect
un accès	un progrès	le respect	le biais	l'alphabet

95 Vocabulaire à retenir

la haie — la futaie — la pagaie — la taie — la roseraie — la monnaie
le bonnet — le bracelet — le parquet — le procès — l'accès — la paix

Les noms en -ail, -eil, -euil, -ouil et en -aille, -eille, -euille, -ouille

RÈGLE

1. Les noms masculins terminés par le son [j] s'écrivent -il :
le travail, le réveil, le seuil, le fenouil.

2. Les noms féminins terminés par le son [j] s'écrivent -ille :
la ferraille, la corneille, la feuille, la grenouille.

Remarques

1. Les noms masculins *le chèvrefeuille, le portefeuille, le millefeuille*, formés sur *feuille*, s'écrivent avec deux *l*. Mais il faut écrire *le cerfeuil.*

2. Lorsque le son [œj] est précédé d'un *c* ou d'un *g*, on écrit *-ueil* pour *-euil* :
l'accueil, l'orgueil.

noms masculins				noms féminins	
en -ail	**en -eil**	**en -euil**	**en -ueil**	**en -aille**	**en -eille**
le corail	l'appareil	le bouvreuil	l'écueil	la bataille	la corbeille
le détail	l'éveil	le chevreuil	l'orgueil	l'entaille	la merveille
l'émail	l'orteil	le fauteuil	le recueil	la volaille	l'oseille
l'éventail	le soleil	le seuil	**en -ouil**	**en -euille**	**en -ouille**
le soupirail	le vermeil	le treuil	le fenouil	la feuille	la rouille

EXERCICES

Utilisez votre dictionnaire

96 **Complétez les noms comme il convient.**
Au large des bouches de Bonifacio, le *Mélodie* a heurté un récif et a endommagé son gouvern… . — Malgré l'installation d'un épouvant…, Monsieur Sadat voit son cerisier pillé par les oiseaux. — À minuit, Dracula sortit de son cerc… . — À l'arrivée de la course du tiercé, le poitr… de Blanc du Mortier est couvert d'écume, l'effort fut intense. — Les and… de Vire sont bien connues des amateurs de charcuterie. — L'aimant attire la gren… de fer.

97 **Écrivez le verbe à la 3ᵉ personne du singulier du présent de l'indicatif, puis le nom homonyme.** *Ex.* : entailler → il entaille, une entaille.

sommeiller   recueillir   conseiller   travailler   batailler   détailler
accueillir   appareiller   écailler   émailler   réveiller   éveiller

98 Vocabulaire à retenir

le réveil — le sommeil — le conseil — le cerfeuil — l'écureuil
le fauteuil — l'accueil — le recueil — l'orgueil — l'oseille — la cisaille

22e leçon

Les noms en -oi, -oie

RÈGLE

1. Les noms masculins terminés par le son [wa] s'écrivent souvent **-oi** et **les noms féminins** souvent **-oie** :

l'emploi, la courroie.

2. Mais comme il y a d'autres terminaisons, il est prudent de consulter un dictionnaire en cas de doute :

la noix, un chamois, un exploit, le froid, le poids.

noms en -oi		en -oie	en -ois	autres
le beffroi	la loi	la courroie	l'anchois	le choix
le désarroi	l'octroi	le foie	le bois	la croix
l'effroi	la paroi	la joie	le chamois	le détroit
l'émoi	le pourvoi	l'oie	le minois	le doigt
l'emploi	le renvoi	la proie	le patois	l'endroit
l'envoi	le roi	la soie	le pavois	le poids
la foi	le tournoi	la voie	le putois	la poix

EXERCICES

Utilisez votre dictionnaire

99 **Complétez ces noms comme il convient.**

L'arbitre siffle le coup d'env... de la partie. — Les mathématiciens font une différence entre le poi... et la masse d'un corps. — Grand-mère préparait de bonnes soupes de poi... cassés. — Les oiseaux de pr... sont désormais protégés car ils étaient en v... de disparition. — L'ébène est un b... très dur.

100 **Employez dans des phrases des homonymes de** foi, voie, pois.

101 **Complétez ces noms comme il convient.**

Le proverbe affirme qu'il vaut mieux un petit chez s... qu'un grand chez les autres. — Au tourn... de Bruxelles, David accomplit un véritable expl... en remportant tous ses combats avant la limite. — Le condamné a formulé un pourv... en cassation ; il espère être rejugé.

102 **Comment s'appellent les habitants de ces villes ou de ces pays ?**

Ex. : Brest → les Brestois   Reims   Gênes   Crète   Chine

Nice   Pau   Danemark   Suède   Lille   Gaule

103 Vocabulaire à retenir

l'émoi — le beffroi — le tournoi — le convoi — l'effroi — l'emploi
la courroie — le mois — le patois — le détroit — l'endroit — le choix

38 **Orthographe**

Noms en -oir, -oire

RÈGLE

1. Les noms masculins terminés par le son [waʀ] s'écrivent souvent **-oir** :
*le compt*oir, *le coul*oir.
Cependant, quelques-uns s'écrivent **-oire** :
*le laborat*oire, *l'audit*oire, *l'observat*oire.

2. Les noms féminins s'écrivent toujours **-oire** :
*la balanç*oire, *la bouill*oire.

noms masculins				n. féminins
en -oir		**en -oire**		**en -oire**
l'abreuvoir	le hachoir	l'accessoire	le purgatoire	la baignoire
le boudoir	le lavoir	l'auditoire	le réfectoire	l'histoire
le bougeoir	le loir	le conservatoire	le répertoire	la mâchoire
le désespoir	le manoir	l'interrogatoire	le réquisitoire	la mémoire
l'égouttoir	le réservoir	le pourboire	le suppositoire	la passoire
l'encensoir	le terroir	le promontoire	le territoire	la patinoire

EXERCICES

Utilisez votre dictionnaire

104 **Écrivez les noms en** -oir **ou en** -oire **correspondant à ces verbes.**
Ex. : dévider → un dévidoir.

entonner	promener	s'accouder	sarcler	racler	bouillir
rôtir	laminer	manger	bassiner	frotter	brûler
sécher	éteindre	dormir	laver	patiner	vaincre
saler	isoler	observer	répertorier	remonter	égoutter

105 **Complétez par** -oir **ou** -oire.
Pour verser de l'eau dans une bouteille, utiliser un entonn…, c'est tout de même plus pratique. — L'explorateur conte ses exploits et l'audit… est sous le charme. — De l'observat… du pic du Midi, on découvre des milliers d'étoiles. — Les flatteurs manient l'encens… avec beaucoup de facilité, méfions-nous. — Le répert… de ce chanteur est des plus variés ; il chante la gl… de l'Afrique ou le désesp… des Indiens d'Amérique. — Le merle proteste, discute et, si je crie plus fort, regagne son perch… pour bouder. (Alain-Fournier)

106 Vocabulaire à retenir
le rasoir — le devoir — le couloir — le comptoir — le peignoir
le miroir — l'entonnoir — le mouchoir — le désespoir — l'arrosoir
l'histoire — la mâchoire — la passoire — la baignoire — la rôtissoire
le laboratoire — le répertoire — l'observatoire — le territoire — l'auditoire

24ᵉ leçon

Noms en -ie, -i

RÈGLE

1. Les noms féminins terminés par le son [i] s'écrivent -ie :
la bonhomie, la prophétie, l'ortie, la zizanie.
Sauf : *la souris, la brebis, la perdrix, la fourmi, la nuit.*

2. Les noms masculins terminés par le son [i], s'écrivent -i, -ie, -il, -is, -it :
le souci, l'incendie, le fusil, le permis, le fruit.
En cas de doute, il est prudent de consulter un dictionnaire.

Remarque : *merci,* écrit avec un *i,* peut être masculin ou féminin :
merci, un grand merci.
à merci, à la merci, aucune merci (grâce).

noms féminins en -ie			noms masculins en -i, -il, -is, -it, -ie		
l'antipathie	l'éclaircie	l'intempérie	l'alibi	le colis	le coolie
l'apoplexie	l'effigie	la léthargie	le défi	le radis	le génie
l'asphyxie	la facétie	la myopie	l'oubli	le semis	l'incendie
l'autopsie	l'hégémonie	l'otarie	le repli	le conflit	le messie
la bizarrerie	l'hypocrisie	la parodie	l'outil	l'habit	le parapluie
la dynastie	l'insomnie	la trémie	le persil	le récit	le sosie

EXERCICES

Utilisez votre dictionnaire

107 **Par un mot de la même famille, justifiez la dernière lettre de ces noms.** *Ex.* : le récit → réciter.

le persil   le baril   le crédit   le dépit   le profit
le bruit   le sourcil   le fusil   le vernis   l'outil

108 **Complétez ces noms comme il convient.**
Les éditeurs vendent désormais des encyclopéd… consultables sur ordinateur. — Le maçon utilise un tam… pour passer le sable avant de crépir le mur. — De quel pays, la roup… est-elle la monnaie ? — Victime d'une avar…, le navire s'échoue sur la côte bretonne. — Le plongeur est remonté à la surface au bord de l'asphyx… . — C'était une hémiplég… qui, en paralysant tout le côté droit, lui avait aussi envahi la face. (É. Zola) — Les géologues rejettent maintenant la théor… du feu au centre de la Terre. (P. Rochard) — L'insomn… rallumait la lampe, rouvrait le livre de chevet de ma mère. (Colette)

109 Vocabulaire à retenir
le conflit — le repli — le radis — le colis — l'incendie — le génie
la voirie — la patrie — la chimie — la philosophie — la poulie — l'agonie

40 Orthographe

Noms en -ou, -oue

RÈGLE

1. Les noms féminins terminés par le son [u] s'écrivent **-oue** :
la houe, la proue.
Sauf : *la toux.*

2. Les noms masculins terminés par le son [u] s'écrivent souvent **-ou**, mais il est prudent de consulter un dictionnaire car il y a d'autres terminaisons :
le sapajou, le biniou ; le joug, l'embout.

noms en -oue	noms en -ou	autres terminaisons en [u]		
la boue	le bijou	l'atout	l'égout	le pouls
la gadoue	le bambou	le courroux	l'époux	le ragoût
la joue	le caillou	le coût	le loup	le redoux
la moue	le genou	le dégoût	le moût	le remous

EXERCICES

Utilisez votre dictionnaire

110 **Complétez ces noms comme il convient.**
Le courr… de Zeus était terrible ; il déclenchait la foudre pour une peccadille. — Les mineurs redoutaient par-dessus tout les coups de gris…, un gaz très inflammable. — Mamie savait préparer le rag… de mouton comme personne. — Le kangour… peut effectuer des bonds impressionnants : jusqu'à neuf mètres de long et trois de haut. — Le coléreux gour… fut soudain pris d'une quinte de t… qui le mit à b… de nerfs. — Tout cela était beau : le paysage, l'homme, l'enfant, les taureaux sous le j…. (G. Sand)

111 **Employez des homonymes de ces noms :** le mou, le cou, la joue, la houe, **dans de courtes phrases.**

112 **Complétez ces noms comme il convient.**
Le red… inquiète les responsables de la station ; bientôt on va skier sur les caill… . — Le hamster garde une partie de sa nourriture dans ses baj… . — Marius prétend qu'il n'y a rien de meilleur qu'une soupe au pist… — Parler l'anglais constitue un at… sérieux lorsqu'on recherche un emploi. — M. Kaster s'inquiète du c… des travaux ; le devis initial est dépassé. — Connaissez-vous le gn…, cet animal qui a l'aspect à la fois d'un jeune buffle et d'un cheval ?

113 Vocabulaire à retenir
le goût — le houx — le loup — le coup — le coût (le prix) — le sou
le pouls (la pulsation) — le pou (l'insecte) — la roue — un roux

Noms en -ue, -u, -ure, -ule

RÈGLE

1. Les noms féminins terminés par le son [y] s'écrivent **-ue** :
la sangsue, la cohue, la ciguë, la battue.
Sauf : *la bru, la glu, la tribu, la vertu.*

2. Les noms masculins terminés par le son [y] s'écrivent **-u, -us, -ut, -ux** :
un bossu, un rébus, le salut, le flux.

3. Les noms terminés par le son [yr] s'écrivent **-ure** :
la rayure, le mercure, la bordure, le murmure.
Sauf : *le mur, le fémur, l'azur, le futur.*

4. Les noms terminés par le son [yl] s'écrivent **-ule** :
la mandibule, le véhicule.
Sauf : *le calcul, le recul, le consul* et *la bulle, le tulle* (qui s'écrivent avec deux *l*).
En cas de doute, il est préférable de consulter un dictionnaire.

noms féminins en -ue			noms en -u, -us, -ut, -ux		
la bévue	la grue	la mue	le fichu	le jus	le bahut
la cornue	l'issue	la verrue	le tissu	le talus	le reflux

noms en -ure			noms en -ule	
un augure	la fêlure	la piqûre	la canicule	l'opuscule
l'envergure	la gageure	la sculpture	la campanule	le tentacule

EXERCICES

Utilisez votre dictionnaire

114 Écrivez les noms en -ure dérivés de ces verbes.
Ex. : couper → la coupure.

lire	écorcher	mordre	gercer	rompre	ceindre
flétrir	meurtrir	sculpter	geler	gager	teindre

115 Complétez par tribu ou tribut, ru ou rue, cru ou crue.
Geronimo était le chef indien de la … apache des Chiricahuas. — La Pologne a payé un lourd … en vies humaines lors de la Seconde Guerre mondiale. — Roméo habite au numéro 64 de la … Garibaldi. — Samia trempe ses pieds dans un petit … qui serpente dans la prairie. — Le Pouilly-Fuissé est un … renommé. — Le delta du Rhône est en … ; les digues tiendront-elles ?

116 Vocabulaire à retenir
la verrue — l'étendue — la retenue — la charrue — la couture — la mixture
la bavure — la tonsure — la friture — la morsure — la facture

Noms en -eur

RÈGLE

Les noms qui se terminent par le son [œʀ] s'écrivent **-eur** (ou **-œur**) :
le dompteur, l'ascenseur, la liqueur, la splendeur.
Exceptions : *le beurre, la demeure, l'heure, un leurre, un heurt (heurter).*

noms en -eur				en -œur
l'agriculteur	le bricoleur	la douleur	l'odeur	le chœur
l'apiculteur	la candeur	l'honneur	le téléviseur	le cœur
l'ampleur	la chaleur	l'humeur	la vapeur	la consœur
l'ardeur	le chasseur	la longueur	la vigueur	la rancœur
le baladeur	le cyclomoteur	le projecteur	la rigueur	la sœur

EXERCICES

Utilisez votre dictionnaire

117 **Donnez les noms exprimant la même qualité que ces adjectifs.**
Ex. : large → la largeur.

frais	tiède	ample	mince	ardent	splendide
moite	fervent	pudique	aigre	froid	chaud
horrible	fade	gros	hideux	valeureux	rigoureux

118 **Donnez les noms de ceux qui font ces actions.**
Ex. : rôder → un rôdeur.

gagner	rire	mener	lire	gêner	réaliser
observer	recevoir	explorer	éduquer	vaincre	dompter
resquiller	voler	râler	skier	nager	patiner
indiquer	fonder	profiter	sauver	corriger	libérer

119 **Complétez les noms comme il convient.**
Le missile n'était qu'un leur… destiné à tromper l'ennemi. — Au niveau de l'équat…, la durée du jour et celle de la nuit sont à peu près les mêmes, quelle que soit la saison. — La profession de min… a régressé en France ; il ne reste que quelques mines en exploitation. — Il n'y a pas péril en la dem…, dit le dicton populaire. — Jean Mermoz fut un aviat… audacieux qui créa la liaison aérienne entre l'Europe et l'Amérique du Sud. — En agglomération, la vitesse des véhicules est limitée à cinquante kilomètres à l'h… . — Je percevais des heur… de vaisselle et le bruit plus énervant d'une petite mécanique. (G. SIMENON)

120 **Vocabulaire à retenir**

un décapsuleur — un carburateur — un réalisateur — un explorateur
un ingénieur — un échangeur — un carreleur — un horodateur

Noms terminés par s ou x au singulier

RÈGLE

De nombreux noms se terminent par un **s** ou un **x** *muets* au singulier :
le corps, un mets, un talus, du velours, un prix.
Remarque : ces noms ne prennent pas, évidemment, la marque du pluriel :
des corps, des mets, des taillis, des perdrix.

noms en -s				noms en -x
l'anis	le chasselas	le glacis	le panaris	le crucifix
la brebis	le dais	le glas	le puits	la faux
le cabas	le débris	le lilas	le relais	le houx
le cambouis	le décès	le mâchicoulis	le remords	la paix
le canevas	le discours	le marais	le salsifis	la poix
le chaos	le fatras	le mépris	le succès	le taux

EXERCICES

Utilisez votre dictionnaire

121 **Complétez par** -oux, -ous **ou** -oix, -ois.
le red...   le h...   le rem...   l'ép...   le saind...   le rendez-v...
le hautb...   le carqu...   la n...   la p...   le p...   le ch...

122 **Employez** acquis **et** acquit **dans deux phrases différentes.**

123 **Justifiez la dernière lettre de ces noms en donnant un dérivé.**
Ex. : un brigand → le brigandage.
le bois   le suspens   le pas   le tas   le fracas
l'embarras   le trépas   le marquis   le tapis   l'avis
le cours   le repos   le procès   le rabais   le tamis
l'amas   l'envers   l'encens   l'excès   le biais

124 **Trouvez le nom terminé par** -is **dérivé de chacun de ces verbes.**
Ex. : rouler → le roulis.
gazouiller   vernir   tailler   cliqueter   tamiser   briser
ébouler   gargouiller   semer   ramasser   clapoter   abattre
loger   gribouiller   colorier   lambrisser   hacher   gâcher

125 Vocabulaire à retenir
le débris — le clapotis — le clafoutis — le cliquetis — le maquis
le relais — le marais — le rabais — le biais — le palais — l'engrais

126 Complétez avec la terminaison qui convient.

un fatra…	le parvi…	le taffeta…	le velour…	le parcour…
un crapau…	le hasar…	le faubour…	le musé…	l'univer…
le chao…	le trophé…	le mausolé…	le scarab…	un camé…
le camboui…	le dai…	le géni…	le harnai…	l'abri…
le remord…	le laquai…	le balai…	le délai…	le relai…

127 Complétez les noms comme il convient.

Le taureau ne fit aucune des excentricit… que se permettent les jeunes taureaux. (P. Fisson) — Avec une prodigieuse instantanéit… d'un bout à l'autre de Paris, la nouvelle se répand. (Jean d'Esme) — Je voudrais vivre à l'or… d'un bois. (A. France) — Philosophie, romans, voyages, théories morales, relations d'odyss… lui découvraient des horizons. (P. Audiat) — Magneux regardait son ami. Il admirait sa précision dans le lanc… du lourd marteau. (H. Poulaille)

128 Écrivez le diminutif de ces noms. *Ex.* : un os → un osselet.

un bâton	un tonneau	un agneau	un roi	un oiseau	un livre
un coussin	un porc	un wagon	un garçon	un coffre	un sac

129 Employez chacun de ces noms dans une phrase.

un sosie	un mausolée	un factotum	un mémorandum
un coolie	un caducée	un prytanée	un vade-mecum

130 Complétez avec l'un de ces noms : ajonc, incendie, legs, envers, muséum.

Je me rends souvent au … d'histoire naturelle. — Les voitures renversées montrent ce qu'on ne doit jamais voir, l'… mystérieux, les essieux, les ponts, les axes. (J.M.G. Le Clézio) — Il désirait lui laisser ce … avant de partir pour son long et dernier voyage. (P. Loti) — Les … et les bruyères, les orties et les ronces, prospéraient à nouveau sur les flancs de la colline. (P.-J. Hélias) — Aussitôt des flammes jaillissent. Toute la brousse en est illuminée, dans le crépitement de l'… qui se propage. (A. Robbe-Grillet)

131 Par un mot de la même famille, justifiez la dernière lettre de ces noms. *Ex.* : le chahut → chahuter.

le fût	l'affût	le chalut	le substitut	le bahut

132 Écrivez trois noms de la famille de ces verbes.

teindre	plaindre	peindre	prétendre	tondre
ceindre	craindre	défendre	pendre	apprendre

133 Employez un nom de la même famille que ces mots dans une phrase. *Ex.* : manger → Le fermier remplit la mangeoire des jeunes veaux

démanger	déranger	arranger	venger	engranger	manquer
ranger	vendanger	changer	mélanger	échanger	louanger

Les préfixes in-, dés-, en-, re-

RÈGLE

Pour bien écrire un mot dans lequel entre un préfixe comme **in-**, **dés-**, **en-**, **re-**, il faut penser au radical :

*in*accessible	formé du mot **accessible**	et du préfixe **in-**	→ un **n**.
*in*né	formé du mot **né**	et du préfixe **in-**	→ deux **n**.
s'*en*ivrer	formé du mot **ivre**	et du préfixe **en-**	→ un **n**.
s'*en*nuager	formé du mot **nuage**	et du préfixe **en-**	→ deux **n**.
*dés*habiller, *r*habiller	formés du mot **habiller**	et des préfixes **dés-** et **r-** (re-)	→ un **h**.

EXERCICES

134 À l'aide du préfixe in- (ou im-), écrivez les adjectifs contraires que vous placerez dans une expression.
Ex. : amovible → un siège inamovible.

habité	exprimable	attendu	matériel	amical	mature
partial	hospitalier	buvable	opportun	habituel	moral
actuel	palpable	perméable	flexible	exact	occupé

135 À l'aide des préfixes dés- ou il-, écrivez les mots contraires que vous placerez dans une expression.
Ex. : affecter → désaffecter une salle de spectacle.

sceller	habituer	honorer	hydrater	saisir	armer
aimanter	hériter	orienter	serrer	accorder	amorcer
légal	légitime	licite	logique	limité	lettré

136 Complétez par n ou nn.
Certains phénomènes météorologiques demeurent aujourd'hui encore i...expliqués. — Les jurés sont indécis, ils ne savent toujours pas, après quatre jours de débats, si l'accusé est i...ocent ou coupable. — Les sommets de l'Himalaya furent longtemps i...accessibles. — Ton arrivée est passée i...aperçue. — La mairie i...augure la nouvelle salle des fêtes. — L'odeur i...ommable de cette vieille maison m'a rappelé le temps jadis. — Des flots i...interrompus de chaleur et de lumière i...ondèrent la ville. (A. CAMUS) — Les abeilles sont i...offensives à force d'être heureuses. (MAETERLINCK) — Le tilleul faisait remuer d'i...ombrables petites médailles jaunes. (A. THIERRY) — Le nouveau articula d'une voix bredouillante un nom i...intelligible. (G. FLAUBERT)

137 Vocabulaire à retenir
innocent — inné — innombrable — innovant — inorganisé — inerte
inexact — inexploré — inexplicable — inéquitable — inexistant

Les familles de mots

RÈGLE

Pour trouver l'orthographe d'un mot, il est parfois possible de rechercher un autre mot de la même famille :

lampée :	de la famille de **laper**	s'écrit avec un **a**.
pouls :	de la famille de **pulsation**	s'écrit avec un **l** et un **s**.
immense :	de la famille de **mesure**	s'écrit avec un **e** et un **s**.

EXERCICES

138 À l'aide d'un mot de la même famille, justifiez les lettres en bleu.
Ex. : l'acroba**t**ie → l'acrobate.

par**t**iel	contr**aire**	l'éco**r**ce	la diploma**t**ie	insul**aire**
le respe**ct**	opport**un**	le r**ein**	la démocra**t**ie	popul**aire**
le miner**ai**	le numér**aire**	ser**ein**	la b**ai**gnade	v**ain**

139 À l'aide d'un mot de la même famille, justifiez la partie du mot en bleu. *Ex.* : l'étan**g** → stagner.

le cor**ps**	exp**an**sif	la p**en**dule	le bienf**ai**teur	le c**er**ceau
le tem**ps**	in**c**essant	la h**ai**ne	la d**en**telle	le cyclone
le doi**gt**	san**g**sue	la t**ein**te	la présen**t**ation	le m**an**che

140 Employez des dérivés de ces mots dans des phrases.

la main	le bois	descendre	la flamme	immense

141 Écrivez les noms en -ance ou en -ence dérivés de ces adjectifs.
Ex. : déférent → la déférence.

fréquent	ascendant	nonchalant	excellent	insouciant
corpulent	somnolent	innocent	indigent	vacant
absent	prévenant	influent	attirant	urgent
puissant	élégant	endurant	résident	exigeant

142 Écrivez un verbe de la famille de ces noms.
Ex. : l'expansion → épandre.

l'extincteur	la fente	la suspension	indépendant	l'étreinte
la préhension	la tente	la contrainte	la condamnation	l'atteinte
la croyance	la jointure	la cicatrice	la contenance	l'obtention

143 Vocabulaire à retenir

l'île, insulaire, l'insularité — contraire, la contrariété — la contraction
le corps, la corpulence, corpulent, incorporer, la corporation, le corset

Les noms d'origine étrangère

noms d'origine anglaise				
l'attaché-case	le cow-boy	le jazz	le pull-over	le spot
le badminton	le cyclo-cross	le jean	le puzzle	le sprint
le barbecue	le dealer	la jeep	le racket	le square
le barman	le derby	le jockey	le rallye	le stand
le base-ball	le docker	le jogging	le rap	le standard
le basket-ball	l'express	le knock-out	le record	la star
le bifteck	le far-west	la lady	le reporter	le starter
le blazer	le fax	le leader	le ring	le steak
le bluff	le ferry-boat	le listing	le rock	le steward
le boy-scout	le flash	le living-room	le round	le stock
des boots	le football	le lob	le rugby	le stock-car
le break	le footing	le lunch	le sandwich	le stress
le building	le fox-terrier	le magazine	le scoop	le sweat-shirt
le bulldozer	le fuel	le marketing	le scooter	le tag
le bungalow	le gadget	le match	le score	le tee-shirt
le business	le gentleman	le meeting	le senior	le tennis
le cake	le globe-trotter	le motocross	le shampooing	le ticket
le camping	le goal	le night-club	le shoot	le toast
le camping-car	le golf	le paddock	le short	le tramway
le catch	le grog	le parking	le sketch	le tweed
le chewing-gum	le groom	le pickpocket	le slogan	le volley-ball
le clown	le hall	le pick-up	le smash	le wagon
le club	le hamburger	le pipe-line	le smoking	le week-end
le cocktail	le handicap	le planning	le snack-bar	le western
le court (tennis)	l'interview	le poney	le sponsor	le whisky

noms d'origine italienne				
l'alto	le condottiere	le duo	le macaroni	le piano
le brocoli	le confetti	l'expresso	le maestro	la pizza
le carpaccio	le contralto	le graffiti	la mezzanine	le scénario
le cicérone	le crescendo	l'imbroglio	la mozzarella	le soprano
le concerto	le dilettante	le larghetto	l'opéra	le spaghetti

noms d'origines diverses				
l'aficionado	l'armada	l'embargo	le karaté	le muezzin
l'aïkido	l'atoll	le fandango	le kayak	le patio
l'alezan	l'autodafé	le feldspath	le kimono	le pilaf
l'almanach	l'ayatollah	le fellah	le kitsch	le ping-pong
l'alpaga	le blockhaus	l'hidalgo	le lest	la razzia
l'angora	le caïd	l'iceberg	la merguez	la saynète
l'anorak	le conquistador	le judo	le nem	la véranda
l'apparatchik	le couscous	la jungle	le nirvana	le yacht

EXERCICES

144 **Écrivez ces noms composés d'origine anglaise au pluriel.**

un boy-scout	un hot-dog	un starting-block	un sweat-shirt
un ferry-boat	un play-boy	un attaché-case	un tee-shirt
un blue-jean	un pull-over	un pipe-line	un snack-bar
un chewing-gum	un fox-terrier	un living-room	un camping-car

145 **Écrivez ces noms d'origine anglaise au pluriel.**

un barman	un recordman	un yachtman	un whisky
un gentleman	un policeman	un rugbyman	une lady

146 **Écrivez ces noms d'origine anglaise au pluriel.**

un clown	une interview	un club	un square	un meeting
un wagon	une star	un tramway	un sponsor	un building
un toast	un break	un short	un rallye	un puzzle

147 **Écrivez ces noms d'origine étrangère au pluriel.**

un maestro	un imbroglio	un hidalgo	un toréador
un blockhaus	un muezzin	une mezzanine	un couscous
un atoll	un anorak	un tchador	un toboggan

148 **Donnez, en vous aidant des listes de la page ci-contre, des noms d'origine étrangère qui concernent :**

le sport → le match, …
l'habillement → un jean, …
le théâtre et la musique → une saynète, le play-back, …
la nourriture → une pizza, …

149 **Complétez par un de ces noms d'origine étrangère :**
couscous, putsch, bulldozer, spot.

La télévision propose de nombreuses annonces publicitaires ; certains … nous divertissent ! — Le général Tapioca a déclenché un … pour s'emparer du pouvoir. — Désormais, le … est un plat parfaitement intégré au menu des pays européens. — Il n'y a ni … ni pelles mécaniques pour travailler. Tout se fait à la main. (B. SOLET)

150 **Complétez par un de ces noms d'origine étrangère :**
graffiti, caïd, interview, reporter, tag, surf.

À l'occasion de la campagne électorale, les murs de la ville sont couverts d'affiches, de … et de … . — Sur les pistes de ski, le … des neiges est très largement pratiqué, surtout par les jeunes. — Damien joue les … en éducation physique ; ses camarades prennent leur revanche en mathématiques ! — Une nuée de … est à ses trousses, Saint-Exupéry les évite en se dérobant par des sorties de service. Il n'accorde pas d'… . (R. DELANGE)

MOTS INVARIABLES

MOTS DONT L'ORTHOGRAPHE ET LA PRONONCIATION DIFFÈRENT

Grammaire

La ponctuation, les points

RÈGLE

La ponctuation précise le sens de la phrase. Elle sert à marquer, à l'aide de signes, les pauses et les inflexions de la voix dans la lecture, à fixer les rapports entre les propositions et les idées.

Les principaux signes de ponctuation : le point, le point d'interrogation, le point d'exclamation, la virgule, le point-virgule, les points de suspension, les deux-points, les guillemets, le tiret, les parenthèses.

1. Le point ordinaire marque une grande pause dans la lecture. Il indique la fin d'une phrase :

> *La nuit toucha la forêt. Les sapins relevèrent leurs capuchons et déroulèrent leurs longs manteaux. De grandes pelletées de silence enterraient le bruit du torrent. Une buse miaula.* (J. GIONO)

Il se met aussi après une abréviation et dans les sigles :

adj.	*V.T.T.*	*N.B.*
adjectif	*vélo tout terrain*	*nota bene*

Remarque : aujourd'hui, on écrit souvent les sigles sans points : *VTT, NB.*

2. Le point d'interrogation se place à la fin des phrases qui posent une question :

> *Quelle est votre date de naissance ?*
> *Quand reviendras-tu ? samedi ou dimanche ?*

3. Le point d'exclamation se met après une interjection ou à la fin d'une phrase qui exprime la joie, la douleur, l'admiration, l'étonnement... :

> *Ô rage ! ô désespoir ! ô vieillesse ennemie !* (CORNEILLE)
> *Je joue du piano ; oh ! pas encore comme un concertiste !*

Remarque : la phrase impérative se termine par un point ordinaire :

> *Va, cours, vole et nous venge.* (CORNEILLE)
> *Ne plongez pas car la piscine est vide.*

EXERCICES

151 **Placez les points et les majuscules comme il convient.**

Il en coûtait à Christophe de surveiller ses jeunes frères durant l'absence de leur mère mais il était fier qu'on le traitât en homme et il s'acquittait de sa tâche gravement il amusait de son mieux les petits en leur montrant ses jeux et il s'appliquait à leur parler il les portait dans ses bras, l'un après l'autre il fléchissait sous le poids, serrant les dents, pressant de toute sa force le petit frère contre sa poitrine pour qu'il ne tombât pas les petits voulaient toujours être portés ils lui donnaient bien du mal il se laissait pincer, taper, tourmenter avec magnanimité.

(R. ROLLAND, *Jean-Christophe*, Albin Michel)

152 Donnez la signification de ces sigles et abréviations.

S.V.P.	T.G.V.	S.N.C.F.	E.D.F.	H.L.M.	P.J.
adv.	M.	etc.	syn.	N.-E.	c.-à-d.

153 Voici une petite annonce ; retrouvez la signification des abréviations.

À vendre pavillon meulière, constr. mod., bon état, 4 pièces princ., entrée, cuis., s. de b., gar., ch. cent., gd jardin, jolie vue, 6 min. gare, banl. St Lazare.

(R. IKOR, *Le Fils d'Avrom*, Albin Michel)

154 Placez les points ordinaires et les points d'exclamation qui conviennent.

« Je t'ai fait venir ici pour te marier – Mais je n'ai pas mon habit noir – Ça ne fait rien ; tu te marieras, c'est l'essentiel » (M. JACOB) — Oh là là J'ai bien eu du malheur de tomber de cette échelle (J. ROMAINS) — Ah, c'est ainsi Aux armes Vive Bougrelas, par la grâce de Dieu, roi de Pologne et de Lituanie (A. JARRY)

155 Placez les points ordinaires et les points d'interrogation.

L'officier retira la carte de l'appareil de lecture et consulta les autres documents
— Votre nom
— Silésius Jonathan Silésius Vous venez de le lire
— But de votre voyage
— Tourisme
— Combien de temps comptez-vous rester sur Uma
— Je ne fais qu'y passer

(P.-M. BEAUDE)

156 Placez les points d'exclamation et les points d'interrogation qui conviennent.

Ces deux modèles sont magnifiques Je ne sais pas quelle voiture choisir — Oh que vous étiez grands au milieu des mêlées, soldats (V. HUGO) — Quel est ce vieillard blanc, aveugle et sans appui (A. CHÉNIER) — Que de livres et vous les avez tous lus, monsieur Bonnard (A. FRANCE) — Ah quelle était jolie la petite chèvre de M. Seguin (A. DAUDET) — Quel bruit fait-on là-haut est-ce mon voleur qui y est (MOLIÈRE) — Quel plaisir a-t-il eu depuis qu'il est au monde (LA FONTAINE) — Laissez-le Laissez-le C'est un vaurien, un cœur de pierre Est-ce qu'il est digne des inquiétudes que nous avons traversées à cause de lui (R. MARTIN DU GARD) — Je m'arrête Le faon s'est-il sauvé Marcel ne risque-t-il pas de se mettre à aboyer en approchant De faire fuir le petit animal dans la nuit Je ne sais pas quelle est la meilleure stratégie (R. JUDENNE) — Ce que nous étions serrés sur cette plate-forme d'autobus Et ce que ce garçon pouvait avoir l'air bête et ridicule (R. QUENEAU)

157 Vocabulaire à retenir

essentiel — officiel — démentiel — sensoriel — artificiel — torrentiel
la mêlée, emmêler, démêler, entremêler, un méli-mélo

Grammaire **53**

La virgule

RÈGLE

La virgule marque une petite pause dans la lecture.
Elle sert à séparer, dans une phrase, les éléments semblables,
c'est-à-dire de même nature ou de même fonction, qui ne sont pas
unis par l'une des conjonctions de coordination *et, ou, ni.*

1. Les sujets d'un même verbe :
> *Les musiciens, les chanteurs, les photographes, le public applaudissaient.*

2. Les épithètes d'un même nom, les attributs d'un même nom
ou d'un même pronom :
> *L'homme était petit, trapu, rouge et un peu ventru.* (MAUPASSANT)
> *Il s'éleva une plainte longue, courroucée, pathétique...*

3. Les compléments d'un verbe, d'un nom, d'un adjectif :
> *Julie se pencha vers le champignon. Il avait la couleur des feuilles mortes,
> l'odeur de la mousse humide et l'aspect d'une petite boule ronde.*
> *Placé au centre de la table, le vase était plein de magnifiques marguerites,
> de dahlias multicolores, de fiers glaïeuls.*

4. Les verbes ayant le même sujet :
> *Le joueur se saisit du ballon au milieu du terrain, s'avança de quelques
> mètres, évita un adversaire, en surprit un second et tira au but.*

5. Les propositions de même nature, plutôt courtes :
> *Dehors, le vent soufflait, les girouettes tournaient, la pluie fouettait les
> murs, les volets claquaient.* (ERCKMANN-CHATRIAN)

6. Les mots mis en apostrophe ou en apposition :
> *Enfants, vous êtes l'aube et mon âme est la plaine.* (V. HUGO)
> *Au bruit de la porte, une femme, Sophie, la servante, venait de sortir de la
> cuisine.* (É. ZOLA)

7. Les propositions intercalées ou incises :
> *Pierre, annonça son ami, ne viendra pas ce soir.*
> *Mes amis, je l'avoue, je suis très touché de votre attention.*

EXERCICES

158 Placez les virgules comme il convient.

Ce ragoût mériterait un peu de sel du poivre une feuille de laurier et un brin de
thym. — Sans attendre les voyageurs prirent l'autobus d'assaut. — Avec son
amie Rachel Florian n'hésite pas à parcourir des kilomètres dans la forêt à camper au milieu des clairières à goûter le silence de la nuit. — L'artisan propose
de repeindre les portes les fenêtres et les murs.

159 Placez les virgules comme il convient.

Les chevaux se cabrent creusent l'arène secouent leur crinière frappent de leur bouche écumante leur poitrine enflammée. (CHATEAUBRIAND) — Tarascon sort de ses murs le sac au dos le fusil sur l'épaule avec un tremblement de chiens de furets de trompes de cors de chasse. (A. DAUDET) — C'était Brusco le disciple et le compagnon des bandits annonçant sans doute l'arrivée de son maître. (P. MÉRIMÉE) — Quand elle ne les vit plus elle tomba par terre évanouie. (M. DURAS) — René sarclait ratissait bêchait brouettait tondait plantait coupait taillait ouvrait les jets d'eau le soir. (PH. SOLLERS)

160 Placez les virgules comme il convient.

Ravie d'apprendre la nouvelle madame Calvet nous prévint aussitôt. — Avant chaque départ le marin préparait les voiles les écoutes la barre le pied de mât et l'ancre. — À dix-huit heures un vendredi rien ne bouge ; la place de la Concorde ressemble à un immense cimetière de voitures. — Harold Pardet pousse avec un peu d'appréhension la porte du cabinet médical. — Je sais aussi dit Candide qu'il nous faut cultiver notre jardin. (VOLTAIRE) — M. de Larombardière vice-président à la cour était un grand vieillard de soixante-quinze ans. (É. ZOLA) — Je n'avais pas peur mais je sentais une inquiétude étrange une angoisse profonde animale. (M. PAGNOL) — On ne voyait pas la mer on l'entendait on la sentait. (G. FLAUBERT)

161 Placez les virgules comme il convient.

Il rampait à plat ventre galopait à quatre pattes prenait son panier aux dents se tordait glissait ondulait serpentait d'un mort à l'autre et vidait la giberne ou la cartouchière comme un singe ouvre une noix.
De la barricade dont il était encore assez près on n'osait lui crier de revenir de peur d'appeler l'attention sur lui.
Sur un cadavre qui était un caporal il trouva une poire à poudre.
— Pour la soif dit-il en la mettant dans sa poche.
À force d'aller en avant il parvint au point où le brouillard de la fusillade devenait transparent.
(V. HUGO, *Les Misérables*)

162 Placez les virgules comme il convient.

Entre nous entre gosses nous avions une discipline. Elle était rigoureuse elle nous régissait nous nous y soumettions. Schborn par exemple était rigoureusement obéi. Il ne tolérait pas qu'on discutât un de ses ordres. Le pouvoir lui appartenait étant le plus fort. J'étais le seul à pouvoir juger avec lui de l'opportunité d'une de ses décisions. Les autres nous suivaient tête baissée yeux clos sûrs d'eux-mêmes et de nous. (L. CALAFERTE, *Requiem des innocents*, Julliard.)

163 Vocabulaire à retenir

l'ancre marine – l'encre rouge — la cour de l'école – le cours d'anglais
le pouce – une pousse de bambou — le cor de chasse – le corps humain

La virgule (suite)

RÈGLE

1. On ne sépare pas les pronoms relatifs **qui** et **que** de leur antécédent, sauf quand la proposition subordonnée peut être supprimée sans modifier le sens de la phrase :

> Des pigeons *qui* picoraient le pain *qu'*un promeneur leur avait jeté prirent leur vol. (A. GIDE)
>
> J'espérais *que* ce cadeau, que nous avions choisi avec le plus grand soin, vous plairait.

2. Une proposition subordonnée complément d'objet n'est jamais précédée d'une virgule :

> On dirait *que* la plaine, inondée depuis une semaine, ressemble à un immense lac.

3. Lorsque dans une succession d'éléments semblables, les conjonctions de coordination **et**, **ou**, **ni** sont utilisées plusieurs fois, il faut séparer ces éléments semblables par une virgule :

> *Et* les valises, *et* les sacs de sport, *et* les cartons, attendant leurs propriétaires, tournaient sur le tapis mécanique.
>
> Sur ce chemin de l'océan, on n'aperçoit *ni* arbres, *ni* villages, *ni* tours, *ni* clochers, *ni* tombeau. (CHATEAUBRIAND)

EXERCICES

164 **Placez les virgules comme il convient.**

Je savais que nous étions venues là pour une chose qui s'appelait la mer. (P. LOTI) — La maison que j'habite dans la ville indigène n'a pas de fenêtres sur le dehors. (J. et J. THARAUD) — Monsieur puisque vous le voulez je vous dirai franchement qu'on se moque de vous. (MOLIÈRE) — En apercevant le matériel de guerre du Tarasconnais le petit monsieur qui s'était assis en face parut excessivement surpris. (A. DAUDET) — Rien ni les fondrières ni les marécages ni les forêts sans chemin ni les rivières sans gué ne purent enrayer l'impulsion de ces foules en marche. (J.-K. HUYSMANS) — Les taureaux de Camargue qu'on menait courir mugissaient. (A. DAUDET) — La lune qui s'est levée nous montre partout des pavots et des pâquerettes. (P. LOTI) — Ni franchise ni confiance ni tendresse réciproques ne les unissent. (É. BADINTER)

165 Vocabulaire à retenir

habiter, l'habitation, l'habitat, l'habitant, cohabiter, la cohabitation
le gué — le défilé — le degré — le canapé — le cliché — le député
le blessé — le marché — le résumé

Le point-virgule, les points de suspension

RÈGLE

1. Le point-virgule marque une pause moyenne dans la lecture.
Dans une phrase, le point-virgule sert à séparer :
• des propositions liées plus ou moins étroitement par le sens :
  Un écureuil a écorché les hautes branches du bouleau ; une odeur de miel vient de descendre. (J. GIONO)
• les parties semblables ou les propositions d'une certaine longueur
dont les éléments sont déjà séparés par des virgules :
  Je me trouvais triste entre les rideaux de mon lit ; je voulais me lever, sortir ; je voulais surtout voir ma mère, ma mère à tout prix. (P. LOTI)

2. Les points de suspension indiquent que la phrase est inachevée.
Ils marquent une interruption causée par l'émotion, la surprise, l'hésitation
ou un arrêt voulu, dans le développement de la pensée pour mettre
en relief certains éléments de la phrase :
  Un jour, je partirai là-bas... J'y ai des cousins...

EXERCICES

166 **Mettez les virgules et les points-virgules comme il convient.**
Des ours enivrés de raisins chancellent sur les branches des ormeaux des caribous se baignent dans un lac des écureuils noirs se jouent dans l'épaisseur des feuillages des oiseaux moqueurs des colombes de Virginie de la grosseur d'un passereau descendent sur les gazons rougis par les fraises des perroquets verts à tête jaune des piverts empourprés des cardinaux de feu grimpent en circulant au haut des cyprès des colibris étincellent sur le jasmin des Florides des serpents-oiseleurs sifflent suspendus aux dômes des bois. (CHATEAUBRIAND, *Atala*)

167 **Mettez la ponctuation qui convient.**
Par un mauvais chemin la voiture a longé des dunes de sable puis s'est arrêtée sur un talus au-dessus de la plage
Que c'est bon de déplier les jambes engourdies de courir sur le sable doux voilà tout le monde en maillot de bain Miette ne court pas elle marche avec de petits pas un peu raides et Line et Lou sont pleins d'attentions pour elle
(C. MEFFRE, *Les Vacances de Line et Lou*, Éd. G3)

168 **Vocabulaire à retenir**
le cyprès — le progrès — l'excès — le décès — le succès
le talus — l'obus — l'abus — le refus

Les deux points, les guillemets, le tiret, les parenthèses

RÈGLE

1. Les deux points annoncent
- les paroles de quelqu'un :
  Zadig disait : « Je suis donc enfin heureux ! » (VOLTAIRE)
- une énumération :
  Tout cela était beau : le paysage, le fort, le brouillard, les parfums subtils...
- une explication, une justification :
  Excusez mes lenteurs : c'est tout un art que j'expose. (A. FRANCE)

2. Les guillemets s'emploient pour encadrer
- une citation, les paroles de quelqu'un, une conversation :
  Ce jour-là était un très beau jour de « l'extrême hiver printanier », comme dit le poète Paul Fort. (G. DUHAMEL)
  L'ami cria : « Je suis là ! C'est moi ! » (J. ROMAINS)
- une expression ou un terme qu'on veut mettre en valeur :
  Malgré la mise en garde de mes amis, j'entrai dans les flancs de la péniche échouée là depuis des années et que tout le monde appelait « l'Épave ».

3. Le tiret marque le changement d'interlocuteur :
  « Reste-t-il du pain d'hier ? dit-il à Nanon.
  — Pas une miette, monsieur. » (BALZAC)

Remarque : le tiret sert aussi à détacher un élément de la phrase pour le mettre en valeur, à renforcer une virgule :
  Scier, coller, visser, poncer est une occupation — un plaisir — qui permet à beaucoup de citadins d'oublier les tracas quotidiens.

4. Les parenthèses servent à isoler une idée, une réflexion qui pourraient être supprimées sans modifier le sens de la phrase :
  Pour faire un bon facteur (il y a facteur et facteur, c'est comme dans tout), il faut savoir des choses. (M. AYMÉ)

EXERCICES

169 **Placez les deux points et les virgules, s'il y a lieu.**
J'observais les véhicules les poids lourds les camionnettes de livraison les taxis les voitures particulières. — Toute la famille est réunie le grand-père assis dans son fauteuil le père la mère les enfants impatients d'ouvrir leurs cadeaux et même le chat Câlin. — La fusée s'enflamma tournoya illumina une plaine et s'y éteignit c'était la mer. (A. DE SAINT-EXUPÉRY) — Un seul bruit maintenant arrivait à ses oreilles la voix du perroquet. (G. FLAUBERT)

170 Placez les guillemets et les autres signes de ponctuation.

Puis tout à coup on entendit les premières notes très légères s'évader du piano comme autant de pétales portés par la brise — Justin fourra dans sa poche d'un geste tragi-comique sa casquette de collégien et dit l'air faussement accablé C'est bien j'obéis (G. Duhamel) — Quand il n'y a personne pour les entendre les troubler les distraire Cécile et Laurent se racontent leurs inventions (G. Duhamel) — Pasteur définit la recherche scientifique et dit à ses élèves et à ses disciples N'avancez jamais rien qui ne puisse être prouvé d'une façon simple et décisive (Vallery-Radot) — Négrel dit entre ses dents Le diable m'emporte si j'en reconnais un seul D'où sortent-ils donc ces bandits-là (É. Zola)

171 Placez les guillemets et les autres signes de ponctuation.

Sous les arcades qui font une ceinture prodigieuse à la place peu de lumières À peine trois ou quatre boutiques Le commissaire Maigret vit une famille qui mangeait dans l'une d'elles encombrée de couronnes mortuaires en perles Il essaya de lire les numéros au-dessus des portes mais à peine avait-il dépassé la boutique aux couronnes qu'une petite personne sortit de l'ombre C'est à vous que je viens de téléphoner Il devait y avoir longtemps qu'elle guettait

G. Simenon, *L'Ombre chinoise*, Les Presses de la Cité.

172 Placez les tirets et les autres signes de ponctuation.

Radegonde avança à grands pas sonores et se planta au milieu du salon droite immobile muette les mains jointes sur son tablier Ma mère lui demanda si elle savait coudre elle répondit oui madame faire la cuisine oui madame repasser oui madame faire une pièce à fond oui madame raccommoder le linge oui madame
Ma bonne mère lui aurait demandé si elle savait fondre des canons construire des cathédrales composer des poèmes gouverner des peuples elle aurait encore répondu oui madame

(A. France, *Le Petit Pierre*)

173 Placez les parenthèses et les autres signes de ponctuation.

De toutes les habitations où j'ai demeuré et j'en ai eu de charmantes aucune ne m'a rendu si véritablement heureux et ne m'a laissé de si tendres regrets que l'île Saint-Pierre au milieu du lac de Bienne (J.-J. Rousseau) — Je me rappelai qu'un beau jour de ma vingtième année il y a de cela près d'un demi-siècle je me promenais dans ce même jardin du Luxembourg (A. France) — Bien qu'il fût garde mobile dans le civil si on peut dire c'était un homme d'assez bonne compagnie (J. Perret) — Elle s'aperçut tout à coup avec horreur que ma jolie tête frisée le premier qualificatif est de moi avait disparu (P. Wentz)

174 Vocabulaire à retenir

tournoyer — noyer — renvoyer — broyer — apitoyer — envoyer — convoyer
quatre — vingt — neuf — sept — huit — six — dix — trois — cinq

La majuscule

RÈGLE

On met toujours une majuscule

1. au premier mot d'une phrase :
L'orage menace. Un vent violent se lève.

2. au nom propre et au mot pris comme nom propre :
Buffon, Voltaire, la Loire, le ballon d'Alsace, la mer Rouge.
Le vainqueur de la course du tiercé, Gazello, n'a que trois ans.

3. au nom ou au titre d'une œuvre artistique ou littéraire, d'un journal, d'un magazine :
Le tableau le plus connu du peintre Léonard de Vinci est la Joconde.
L'Aiglon est un drame en vers d'Edmond Rostand.
L'Auto a été le premier journal sportif, L'Équipe lui a succédé.

4. à *monsieur, madame, mademoiselle* quand ils sont employés dans des formules de politesse :
Veuillez agréer, Monsieur, mes salutations distinguées.

5. au nom, précédé de *monsieur* ou de *madame*, qui marque un titre, quand on s'adresse à celui qui porte ce titre :
Nous vous assurons, Monsieur le Ministre, de notre entier dévouement.

6. au nom qui marque la nationalité :
Les Français ont l'esprit inventif.

7. à certains termes historiques ou géographiques :
la Grande Armée, la Renaissance, les Gémeaux.

8. au nom de bateaux, d'avions, de rues, d'édifices... :
La Belle-Rose, la Croix-du-Sud, le Concorde, la rue des Lions, le Panthéon.

9. au premier mot d'un vers en poésie classique :
Demain, dès l'aube, à l'heure où blanchit la campagne,
Je partirai. Vois-tu, je sais que tu m'attends. (V. HUGO)

Remarque : les poètes mettent parfois une majuscule aux noms de choses personnifiées : *Sois sage, ô ma Douleur, et tiens-toi plus tranquille.* (BAUDELAIRE)

EXERCICES

175 Dans ces expressions, placez les majuscules, s'il y a lieu.

la grande armée
une grande armée
le cap gris-nez
le nez du clown

la banque de france
un billet de banque
l'aube radieuse
l'aube et la marne

le tigre du zoo
le tigre et l'euphrate
rendre la monnaie
l'hôtel de la monnaie

le roi-soleil	la rudesse de l'hiver	chauffage à l'électricité
le soleil du matin	le bonhomme hiver	la fée électricité

176 Placez les majuscules comme il convient.

le tour de france a connu de grands vainqueurs : louison bobet, fausto coppi, jacques anquetil, eddy merckx, bernard thévenet, laurent fignon, greg lemond, miguel indurain. — le pont-neuf fut construit sous henri IV. — la guadeloupe est formée de deux îles : grande-terre et basse-terre séparées par un étroit bras de mer, la rivière salée. — depuis 1945, les français ont élu comme présidents de la république : vincent auriol, rené coty, charles de gaulle, georges pompidou, valéry giscard d'estaing, françois mitterrand et jacques chirac. — monsieur le ministre de l'agriculture et madame la ministre de l'environnement ont inauguré l'exposition : ils étaient accompagnés de monsieur le préfet, de madame le député et de monsieur le maire.

177 Placez les majuscules comme il convient.

tout sommeillait. elle alla soulever le coin d'un rideau et vit par la fenêtre, à travers les arbres noirs du quai, sous un jour blême, la seine traîner ses moires jaunes. le bateau passa, l'« hirondelle », débouchant d'une arche du pont de l'alma et portant d'humbles voyageurs vers grenelle et billancourt. elle le suivit du regard, puis elle laissa retomber le rideau et, s'étant assise, elle prit un livre jeté sur la table, à portée de sa main. sur la couverture de toile paille brillait ce titre d'or : *yseult la blonde*, par vivian bell. c'était un recueil de vers français composés par une anglaise et imprimés à londres.

(A. France, *Le Lys rouge*)

178 Placez les majuscules comme il convient.

la fronde, guerre civile qui eut lieu sous la minorité de louis XIV, eut pour cause la politique de mazarin. le nom de cette guerre a pour origine le jeu de la fronde auquel s'amusaient les enfants à l'époque. — les principaux architectes de la renaissance française sont : pierre nepveu, pierre lescot, philibert delorme. — le printemps marque la renaissance de la nature. — jean valjean, javert, fantine, cosette, marius sont les principaux personnages du célèbre roman de victor hugo, *les misérables*. — des misérables sans abri imploraient la pitié.

179 Donnez le nom de cinq écrivains du XVIIe siècle, du XVIIIe siècle, du XIXe siècle, du XXe siècle.

180 Donnez le nom de cinq villes de France, de cinq pays européens et de cinq chaînes de montagne dans le monde.

181 Vocabulaire à retenir

Rome — Genève — Bruxelles — Londres — Madrid — Lisbonne — Berlin
la Seine — la Garonne — la Loire — le Rhône — le Rhin — la Saône

Nom propre de nationalité
Nom commun
ou adjectif qualificatif

RÈGLE

1. Le nom qui marque la nationalité ou qui désigne les habitants d'un lieu est un nom propre et prend une majuscule :

Les Français et les Italiens sont des Latins.

2. Le nom qui désigne une langue, un produit d'origine et l'adjectif qualificatif s'écrivent sans majuscule.

Le français et l'italien sont des langues latines.
Les vins français et les vins italiens sont renommés. (adjectifs)
Je bois du bourgogne. (produit d'origine)
Je bois du vin de Bourgogne. (nom de province : nom propre)

EXERCICES

182 **Faites l'exercice sur le modèle.**

Ex. : Paris → Les Parisiens, les rues parisiennes, les magasins parisiens.

L'Angleterre	Le Périgord	Londres	Lyon	Rome
L'Amérique	L'Alsace	Marseille	Lille	Nice
La Russie	La Gascogne	Bruxelles	Nancy	Pau

183 **Donnez le nom des habitants de ces villes.**

Besançon	Avignon	La Rochelle	Limoges	Brest
Cahors	Bayonne	Tours	Saint-Étienne	Narbonne

184 **Remplacez les noms entre parenthèses par les mots qui conviennent.**

Forbin a le dessein de monter jusque dans l'extrême Nord afin d'enlever les flottes (d'Angleterre, de Hollande, de Hambourg). (R. Vercel) — Le paon se promène à une allure de prince (de l'Inde). (J. Renard) — Guys, dit l'(habitant de l'Irlande), je pense que vous comprenez l'(langue de l'Angleterre). (G. Arnaud) — Une phrase lui vint aux lèvres. C'était du (langue de Roumanie), Gérard ne comprit pas. (G. Arnaud) — Le (Beaujolais) comprend une série de montagnes entièrement tapissées de vignobles. (G. Chevalier)

185 Vocabulaire à retenir

l'Italie — l'Allemagne — l'Espagne — la Suisse — la Belgique — l'Angleterre
la Bourgogne — l'Alsace — la Bretagne — la Provence — l'Auvergne

Révision

186 Remplacez chaque trait par un signe de ponctuation.

| Je voulais vous demander | reprit-elle enfin | mais je ne sais pas comment le dire | |
Certainement | elle faisait appel à tout son courage | comme je faisais appel au mien pour l'écouter | Mais comment eussé-je pu prévoir la question qui la tourmentait |
| Est-ce que les enfants d'un aveugle naissent aveugles nécessairement | |
Je ne sais qui de nous deux cette conversation oppressait davantage | mais à présent | il fallait continuer |
| Non | Gertrude | lui dis-je | à moins de cas très spéciaux | Il n'y a même aucune raison pour qu'ils le soient | |

(A. GIDE, *La Symphonie pastorale*, Gallimard)

187 Remplacez chaque trait par un signe de ponctuation.

Veuillez prendre	dans ce volume de La Fontaine	la fable	*Le Chêne et le Roseau*		L'élève commença
Le chêne un jour	dit au roseau
Très bien	monsieur	vous ne savez pas lire
Je le crois	monsieur	reprit l'élève	puisque je viens réclamer vos conseils	mais je ne comprends pas comment sur un seul vers
Veuillez recommencer	
Il recommença
Le chêne un jour	dit au roseau
J'avais bien vu que vous ne saviez pas lire
Mais
Mais	reprit M. Samson avec flegme	est-ce que l'adverbe se joint au substantif au lieu de se joindre au verbe	est-ce qu'il y a des chênes qui s'appellent un jour	non	et bien	alors	pourquoi lisez-vous	le chêne un jour	dit au roseau	lisez donc	le chêne	virgule	un jour dit au roseau	
C'est pourtant vrai	s'écria le jeune homme stupéfait
Si vrai	reprit son maître avec la même tranquillité	que je viens de vous apprendre une des règles les plus importantes de la lecture à haute voix	l'art de la ponctuation
Comment	monsieur	on ponctue en lisant
Eh sans doute	tel silence indique un point	tel demi-silence une virgule	tel accent un point d'interrogation	et une partie de la clarté	de l'intérêt même du récit	dépend de cette habile distribution des virgules et des points	que le lecteur indique sans les nommer	et que l'auditeur entend sans qu'on les lui nomme	

(E. LEGOUVÉ, *L'Art de la lecture*, Hachette Littératures)

188 Donnez la signification de ces abréviations.

env.	apr.	J.O.	É.-U.	C.E.	R.F.
réf.	art.	hab.	étym.	F.F.F.	Mt
D.O.M.	T.O.M.	O.N.U.	av. J.-C.	S.-E.	Mme

Le féminin des noms

RÈGLE

On forme généralement le féminin des noms en ajoutant un e au masculin :
un apprenti, une apprenti e ; un Français, une Français e.

Cas particuliers

1. Les noms terminés par - **er** font leur féminin en - **ère** :
le caissier, la caissi ère ; le boucher, la bouch ère.

2. Certains noms doublent la consonne finale :
le paysan, la paysan ne ; le chat, la chat te.

3. Certains noms changent la consonne finale :
le loup, la lou ve ; l'époux, l'épou se ; un heureux, une heureu se.

4. Les noms terminés par - **eur** font généralement leur féminin en - **euse** :
le nageur, la nag euse ; le menteur, la ment euse.
Remarque : de nombreux noms en - **teur** font leur féminin en - **trice** :
l'inspecteur, l'inspec trice.

5. Certains noms en - **e** font leur féminin en - **esse** :
le prince, la princ esse.

6. Certains noms de professions n'ont pas de féminin particulier.
Le féminin peut être marqué par le mot *femme* suivi du nom de profession :
une femme peintre, une femme ingénieur, une femme écrivain.
Remarque : aujourd'hui, on a tendance à marquer le féminin
par le déterminant : *une peintre, une ingénieur.*

7. Certains noms d'animaux ne marquent que l'espèce ;
pour préciser le sexe, on ajoute le mot *mâle* ou *femelle.*
un bouvreuil mâle, un bouvreuil femelle.
une belette mâle, une belette femelle.

8. Dans certains cas, deux noms distincts sont utilisés pour désigner
l'homme et la femme, le mâle et la femelle :
le mari, la femme ; le cheval, la jument.

---

noms différents au masculin et au féminin					
le gendre	la bru	le bouc	la chèvre	l'oncle	la tante
le parrain	la marraine	le cerf	la biche	le sanglier	la laie
le bélier	la brebis	le jars	l'oie	le taureau	la vache

EXERCICES
Utilisez votre dictionnaire

189 Donnez le féminin de ces noms.

un cousin   un ours   un orphelin   un employé   un marié
un candidat   un bourgeois un figurant   un marchand   un fiancé

un voisin	un châtelain	un étudiant	un habitué	un concurrent
un ami	un Lorrain	un Flamand	un Américain	un Auvergnat

190 Donnez le féminin de ces noms.

un cavalier	un fermier	un laitier	un pâtissier	un teinturier
un couturier	un financier	un héritier	un passager	un bachelier
un prisonnier	un écolier	un berger	un étranger	un romancier
un cuisinier	un hôtelier	un écuyer	un messager	un conseiller

191 Donnez le féminin de ces noms.

un chien	un gardien	un collégien	un technicien	un pharmacien
un chat	un champion	un musicien	un patron	un espion
un poulet	un tragédien	un citoyen	un paysan	un lycéen
un Breton	un Vendéen	un Tyrolien	un Parisien	un Coréen

192 Donnez le féminin de ces noms.

un tricheur	un pêcheur	un voyageur	un voleur	un chanteur
un patineur	un coiffeur	un basketteur	un nageur	un plongeur
un trotteur	un danseur	un visiteur	un skieur	un masseur

193 Donnez le féminin de ces noms.

un empereur	un lecteur	un rédacteur	un éditeur	un médiateur
un éducateur	un traducteur	un opérateur	un moniteur	un correcteur
un spectateur	un acteur	un électeur	un instigateur	un instituteur

194 Donnez le féminin de ces noms.

un duc	un chanoine	un pécheur	un traître	un ogre
un âne	un prophète	un prince	un diable	un comte
un tigre	un mulâtre	un poète	un maître	un hôte

195 Donnez le féminin de ces noms.

un Andalou	un Turc	un neveu	un dieu	un jouvenceau
un chameau	un Grec	un canard	un jaloux	un ambitieux
un fugitif	un héros	un époux	un sportif	un religieux
un poulain	un roi	un agneau	un veuf	un jumeau

196 Donnez le nom féminin correspondant à ces noms.

un dindon	un loup	un lévrier	un lièvre	un sanglier
un chevreau	un jars	un merle	un singe	un mouton
un cerf	un porc	un mulet	un coq	un faisan

197 Vocabulaire à retenir

un voisin, une voisine — un musicien, une musicienne — un cuisinier,
une cuisinière — un chanteur, une chanteuse — un moniteur, une monitrice

40e leçon

Noms féminins sur le genre desquels on hésite

noms féminins			
une acné	une apothéose	une épigramme	une octave
une agrafe	une argile	une épitaphe	une omoplate
une alcôve	une artère	une épître	une orbite
une algèbre	une atmosphère	une équivoque	une paroi
des alluvions	une attache	une gaufre	une primeur
une amnistie	une autoroute	une idole	une primevère
une amorce	une azalée	une idylle	une réglisse
une anagramme	une chrysalide	des immondices	une sentinelle
une ancre	une dynamo	une impasse	une stalactite
une anse	une ébène	une mandibule	une stalagmite
une antichambre	une ecchymose	une molécule	une stèle
une antilope	une échappatoire	une nacre	une vésicule
une apostrophe	une éphéméride	une oasis	une vis

EXERCICES

198 Cherchez dans un dictionnaire le sens des noms ci-dessus qui ne vous sont pas familiers.

199 Accordez les adjectifs après avoir mis les noms au pluriel.

autoroute (chargé)   agrafe (doré)   azalée (blanc)   dynamo (usé)
anse (tressé)   paroi (abrupt)   antilope (léger)   oasis (perdu)
ancre (rouillé)   ébène (dur)   amnistie (général)   épître (long)

200 Écrivez les noms au pluriel, puis employez-les avec un adjectif.

gaufre   artère   anicroche   ecchymose   impasse
primeur   primevère   omoplate   mandibule   stalagmite

201 Accordez les adjectifs entre parenthèses.

Les vedettes de cinéma sont souvent des idoles (poursuivi) par des milliers d'admirateurs. — M. Pennec ne parvient pas à ôter ces vis (rouillé). — L'orbite de l'œil est très (grand) et (bordé) de brun chez le putois rayé. (Buffon) — On n'entendait que le bruit confus d'innombrables poules picorant les immondices (desséché) des rues. (P. Loti) — On pouvait, à travers l'atmosphère (embrumé), apercevoir déjà quelques points lumineux dans le ciel. (R. Frison-Roche)

202 Vocabulaire à retenir

une oasis — une octave — une paroi — une primeur — une vis
une molécule — une anagramme — une amnésie — une autoroute

Noms masculins
sur le genre desquels on hésite

noms masculins			
un abîme	un artifice	un équinoxe	un ivoire
un ail	un astérisque	un esclandre	un mausolée
un alcool	un autographe	un exode	un obélisque
un amalgame	un automate	un globule	un opercule
un ambre	un automne	un haltère	un opuscule
un amiante	un chrysanthème	un hémisphère	un ovule
un anathème	un éclair	un horoscope	un pétale
un antidote	un edelweiss	un hospice	un pétiole
un antipode	un élastique	un hymne	un planisphère
un antre	un éloge	un incendie	un pore
un aphte	un emblème	un indice	un poulpe
un apogée	un emplâtre	un insigne	un rail
un appendice	un en-tête	un interclasse	un sépale
un arcane	un épiderme	un intermède	un tentacule
un armistice	un épilogue	un interstice	un termite
un arôme	un épisode	un intervalle	un tubercule

EXERCICES

203 Cherchez dans un dictionnaire le sens des noms ci-dessus
qui ne vous sont pas familiers.

204 Accordez les adjectifs entre parenthèses.
des éloges (mérité), (flatteur), (émouvant), (sincère)
des armistices (partiel), (restreint), (général)
des chrysanthèmes (échevelé), (frisé), (recroquevillé), (épanoui)
des automnes (doux), (pluvieux), (ensoleillé), (clair)
des antres (profond), (noir), (obscur), (abandonné)
des effluves (printanier), (chaud), (embaumé), (délicieux)
des épilogues (heureux), (inattendu), (imprévu), (long), (réconfortant)

205 Écrivez les noms au pluriel et employez-les avec un adjectif.

alvéole	indice	mausolée	éclair	abîme	tentacule
intervalle	globule	incendie	ivoire	sépale	pétale
épisode	rail	hymne	arôme	obélisque	interstice

206 Vocabulaire à retenir

un amalgame — un appendice — un armistice — un astérisque — un insigne
un pétale — un planisphère — un rail — un termite — un tubercule

Le pluriel des noms

RÈGLE

On forme généralement le pluriel des noms en ajoutant un **s** au singulier :
le chien, les chiens ; un escargot, des escargots.

Cas particuliers

1. Les noms en **-au, -eau, -eu** prennent un **x** au pluriel :
le tuyau, les tuyaux ; le seau, les seaux ; le feu, les feux.
sauf quatre noms qui prennent un **s** :
les bleus, les pneus, les landaus, les sarraus.

2. Les noms en **-ou** prennent un **s** au pluriel :
le trou, les trous ; le verrou, les verrous.
sauf sept noms qui prennent un **x** :
*les bijoux, les cailloux, les choux, les genoux, les hiboux, les joujoux,
les poux.*

3. Les noms en **-ail** prennent un **s** au pluriel :
le détail, les détails ; le chandail, les chandails.
sauf sept noms qui changent **-ail** en **-aux** (sans e) :
*les baux, les coraux, les émaux, les soupiraux, les travaux, les vantaux,
les vitraux.*

4. Les noms en **-al** font leur pluriel en **-aux** (sans e) :
le cheval, les chevaux ; le mal, les maux.
Plusieurs noms font exception :
les bals, les carnavals, les chacals, les festivals, les récitals, les régals...
Remarque : *un idéal → des idéals* ou *des idéaux.*

5. Les noms terminés par **s, x** ou **z** au singulier ne changent pas au pluriel :
le lis, les lis ; le silex, les silex ; le nez, les nez.

EXERCICES

207 **Écrivez ces noms au pluriel.**

un arsenal	un préau	un autorail	un sou	un chou	un étau
un récital	un détail	un biniou	un bal	un manteau	un fléau
un soupirail	un coucou	un écrou	un bail	un corail	un adieu
un fardeau	un hôpital	un journal	un rail	un portail	un hibou

208 **Écrivez ces noms au pluriel.**

le tuyau	la toux	le flux	le taux	le poids	le verrou
le réseau	la faux	le thorax	le choix	le talus	le caillou
le boyau	la voix	l'index	l'essieu	le riz	le remous
l'acajou	le prix	l'époux	l'idéal	le vœu	le noyau

209 Écrivez ces noms au singulier.

des animaux	des vaisseaux	des monceaux	des blaireaux	des cerceaux
des cardinaux	des escabeaux	des quintaux	des soupiraux	des travaux
des tournois	des cliquetis	des relais	des coutelas	des velours
des hautbois	des apprentis	des délais	des villas	des discours
des parcours	des fourmis	des pardessus	des propos	des champs
des tambours	des permis	des tissus	des micros	des temps

210 Écrivez les noms entre parenthèses au pluriel.

Pour éloigner les (moineau), M. Armengaud place des (épouvantail) au pied de ses cerisiers. — Notre catalogue vous propose de nombreux modèles de (portail). — Savez-vous quel est le plus lourd des (métal) ? — On lui enseignera sur place à connaître les (caillou), le jardin, les (champ). (M. Druon) — Les (cheval), inquiets, bougeaient leurs (oreille). Une vapeur rose sortait de leurs (naseau). (H. Troyat) — Des reflets de lumière font briller la surface des (canal). (Th. Gautier) — La vitrine à droite contient des (journal) illustrés, des (bocal) de sucrerie. (J. Romains)

211 Écrivez les noms entre parenthèses au pluriel.

Les côtes forestières de la Guyane, ses (acajou), ses (manguier) bleuissent à l'horizon. (R. Vercel) — L'île dresse ses palmiers royaux et ses (bambou). (R. Vercel) — De nombreux icebergs brillent comme des (bijou), resplendissent comme des (joyau). (J.-L. Faure) — Par les (trou) de ses grosses chaussures à (clou), ses orteils passaient. (É. Moselly) — Les (pneu) commençaient à mordre sur le sol ferme. (G. Arnaud) — De gros (pieu) enfoncés dans le sable protègent les murs contre la houle. (Chateaubriand) — À l'usine, les (ordinateur) sont le cerveau de (robot) qui déchargent l'homme des (travail) les plus pénibles ou les plus dangereux. (M. Nora) — Les (chacal) s'éparpillèrent dans la nature. (Frison-Roche)

212 Écrivez les noms entre parenthèses au pluriel.

Les spéléologues se faufilent dans d'étroits (boyau) où même un chat ne passerait pas. — Il faut prendre une décision rapide ; aux grands (mal), les grands remèdes, comme l'on dit ! — Connaissez-vous les (spécialité) de M. Dufoux le célèbre pâtissier ? Les (chou) à la crème vanillée et les (gâteau) au chocolat noir. — Les (silex) du chemin jetaient des étincelles. (É. Moselly) — Le soleil dessinait des (fleur) sur le feuillage rigide des (houx). (Rémy de Gourmont) — Un geste de la main aux (camarade), puis Saint-Exupéry met les (gaz). (R. Delange) — Voyant les (canal) déborder, les hommes se mettaient à monter les meubles dans les étages. (B. Clavel)

213 Vocabulaire à retenir

le poids, la pesée, peser, le pesage, la pesanteur, le contrepoids
le remous — le trou — le bambou — le voyou — le clou — le kangourou

Le pluriel des noms composés

RÈGLE

1. Dans les noms composés, seuls le nom et l'adjectif peuvent se mettre au pluriel, si le sens le permet :

> *des wagons-citernes, des arcs-boutants, des rouges-gorges.*

2. Lorsque le nom composé est formé de deux noms, unis par une préposition, en général, seul le premier nom s'accorde :

> *des pattes-d'oie, des gueules-de-loup, des arcs-en-ciel.*

Quelquefois la préposition n'est pas exprimée :

> *des timbres-poste* (c'est-à-dire pour la poste).

Cas particuliers

1. Quand le premier élément d'un nom composé n'est pas un mot qui peut s'employer seul, cet élément reste invariable :

> *un électro-aimant, des électro-aimants.*

2. Avec **grand**

Dans certaines expressions, l'usage voulait que l'adjectif *grand* reste invariable au féminin, au singulier comme au pluriel (*grand-mère, grand-rue, grand-place*, etc.). Aujourd'hui, on écrit indifféremment :

> *des grand-mères, des grands-mères*
> *des grand-tantes, des grands-tantes.*

3. Avec **garde**

Le mot *garde* s'accorde quand il désigne une personne et qu'il a le sens de « gardien » :

> *des gardes-malades ; des gardes-chasses.*

Si *garde* est le verbe, il reste invariable :

> *des garde-manger, des garde-meubles.*

4. Le sens s'oppose à l'accord de certains noms composés :

> *des pot-au-feu* (morceaux de viande à mettre *au pot*).
> *des pur-sang* (chevaux qui ont *le sang pur*).

5. Quelquefois le nom composé est formé d'un verbe et d'un complément. Ce complément peut

• rester invariable :

> *des abat-jour, des chasse-neige.*

• prendre la marque du pluriel :

> *des couvre-lits, des tire-bouchons.*

• être toujours au pluriel :

> *un compte-gouttes, un porte-bagages.*

6. Certains noms composés peuvent avoir deux orthographes :

> *des essuie-main* ou *des essuie-mains.*

pluriel particulier de quelques noms composés

des à-coups	des en-têtes	des lauriers-roses
des à-côtés	des fac-similés	des sauf-conduits
des après-dîners	des faire-part	des sous-sols
des après-midi	des haut-parleurs	des tragi-comédies
des bains-marie	des laissez-passer	des trois-mâts
des terre-pleins	des marteaux-piqueurs	des volte-face

noms composés invariables

un brise-glace	un cure-dents	un porte-monnaie
un brise-lames	un emporte-pièce	un presse-papiers
un brûle-parfum	un garde-boue	un rabat-joie
un cache-pot	un gratte-ciel	un remue-ménage
un casse-croûte	un grille-pain	un sèche-cheveux
un casse-noisettes	un pare-feu	un serre-livres
un chasse-mouches	un pèse-lettres	un serre-tête
un coupe-gorge	un porte-avions	un souffre-douleur
un coupe-légumes	un porte-bagages	un tourne-disques
un coupe-ongles	un porte-bonheur	un trouble-fête
un croque-monsieur	un porte-clés	un vide-ordures

EXERCICES

Utilisez votre dictionnaire

214 **Indiquez, entre parenthèses, la nature des mots qui forment le nom composé et écrivez le pluriel.**

Ex. : un coffre-fort (nom-adjectif) → des coffres-forts.

un chou-fleur	un laissez-passer	un garde-côte
un chien-loup	un homme-grenouille	un micro-ordinateur
une belle-sœur	un garde-meubles	une arrière-boutique
un avant-goût	un franc-tireur	un pince-sans-rire
un remonte-pente	une basse-cour	un coupe-circuit

215 **Écrivez ces noms composés au pluriel.**

un passe-montagne	un court-circuit	un boute-en-train
un bain-marie	un vol-au-vent	un aide-mémoire
un chauffe-bain	une longue-vue	une avant-garde
un monte-charge	un après-midi	un tête-à-tête
un pique-nique	un lave-vaisselle	un passe-droit

216 **Écrivez ces noms composés au pluriel.**

une carte-réponse	un Anglo-Saxon	un pied-de-mouton
une rond-point	un Indo-Européen	un passe-temps
un haut-parleur	une eau-de-vie	un chef-lieu
un pur-sang	un Gallo-Romain	un rez-de-chaussée
un moyen-courrier	un presse-citron	un bateau-mouche

217 **Écrivez ces noms composés au pluriel.**

une avant-scène   un électro-choc   un croc-en-jambe
un grand-duc   un arc-en-ciel   un papier-filtre
un garde-fou   un trait d'union   un arrière-grand-père
un libre-service   une arrière-grand-mère   une broncho-pneumonie

218 **Justifiez l'orthographe de ces noms composés.**

Ex. : des cache-col → *cache* est un verbe, donc invariable et il n'y a qu'un col.

des porte-bonheur   des abat-jour   des coupe-circuit
un porte-bouteilles   un chasse-mouches   des monte-en-l'air
un pare-chocs   de la mort-aux-rats   des pique-feu
un lance-torpilles   des taille-crayons   des chausse-pieds
des pèse-lettres   des cure-dents   des faux-nez

219 **Écrivez correctement les noms composés entre parenthèses.**

Début mars, les premiers (perce-neige) font leur apparition. — En mer du Nord, les (plate-forme) de forage sont nombreuses. — Les silures sont souvent appelés des (poisson-chat). — Les (petit-four) du buffet furent rapidement engloutis par des invités affamés. — Dorénavant, l'installation des (appui-tête) est obligatoire dans toutes les voitures. — Aux (rond-point) inondés de lumière, les bruyères roses fleurissaient. (A. Daudet) — Les routes, les belles routes sont les (chef-d'œuvre) de nos pères. (A. France) — Des gargouilles, au pied des (arc-boutant), déversaient les eaux des toitures. (É. Zola) — On interprète ses changements d'opinion et ses (volte-face) par des ambitions déçues. (P. Audiat) — Des (laurier-rose) poussaient entre de beaux blocs de granit rose. (Frison-Roche)

220 **Écrivez correctement les noms composés entre parenthèses.**

Les (chêne-liège) des collines varoises ont été les premières victimes des incendies de forêt. — Autrefois, les barbiers rasaient les hommes avec des sabres ressemblant à de véritables (coupe-chou). — Les (sourd-muet) portent de petits appareils miniaturisés qui leur permettent d'entendre la plupart des sons et surtout de comprendre les paroles. — Les (rhino-pharyngite) sont des maladies fréquentes dans les grandes métropoles urbaines. — La plupart des (gratte-ciel) new-yorkais ont été construits dans la presqu'île de Manhattan. — D'habitude, maman était très gaie. Nous passions des (après-midi) à jouer ensemble. (A. Lichtenberger) — Une voix anglaise, renforcée par plusieurs (haut-parleur) dirigés vers le ciel, retentissait sur tout le terrain. (J. Kessel) — Des (cerf-volant) bourdonnaient au crépuscule. (A. Theuriet) — Le ciel rit et les (rouge-gorge) chantent dans l'aubépine en fleur. (V. Hugo)

221 **Vocabulaire à retenir**

des gratte-ciel — des pur-sang — des porte-bonheur — des porte-bouteilles — des après-midi — des coffres-forts — des choux-fleurs
des micro-ordinateurs — des chefs-lieux — des ronds-points

Le pluriel des noms propres

RÈGLE

1. Les noms propres prennent la marque du pluriel, s'ils désignent
- des peuples, des pays, des noms géographiques :
  les Grecs, les Indes, les Canaries, les Alpes.
- certaines familles royales, princières ou illustres :
  les Bourbons, les Guises, les Condés.
- des personnages pris comme modèles, comme types :
  Les Pasteurs, les Curies, les Schweitzers sont rares.

2. Les noms propres de familles non illustres peuvent rester invariables ou s'accorder ; les deux écritures sont tolérées, mais l'usage maintient presque toujours le singulier :
les Duval, les Thibault, les Pasquier, les Thénardier.

3. Les noms propres qui comportent un article singulier ne prennent pas la marque du pluriel :
les Le Nôtre, les La Fontaine.

4. Les noms propres qui désignent des œuvres artistiques ou littéraires, peuvent prendre indifféremment la marque du pluriel ou non :
des Renoir ou des Renoirs, des Picasso ou des Picassos.

5. Les noms propres désignant des machines, des automobiles, des avions, des produits ne prennent pas la marque du pluriel :
des Renault, des Concorde, des Martini, des Waterman.

EXERCICES

222 Écrivez correctement les noms propres entre parenthèses.
Les (Ferrari) et les (Peugeot) ne participent pas au Grand prix d'Allemagne. — Dans le *Journal* des (Goncourt) se mêlent des portraits incisifs et des croquis amusants de la vie parisienne. — Les premiers titres des (Rougon-Macquart) ne rencontrèrent que peu de succès, il fallut attendre la parution de *Germinal*. — Savez-vous quel est le romancier russe qui a écrit *Les Frères* (Karamazov) ? — Je crois que la personne assise à côté des frères (Renoult), c'est madame Poisson. (R. Martin du Gard) — Les (Maure) sont nomades et se déplacent facilement d'un millier de kilomètres. (A. de Saint-Exupéry) — Moi aussi, j'en ai des (Cézanne). Et des (Monet) donc ! (G. Duhamel) — Les (Rousselet), précédés de Louisa, avaient envahi la salle à manger. (T. Monnier)

223 Vocabulaire à retenir
des Renault — des Peugeot — des Grecs — des Allemands
les Alpes — les Pyrénées — les Indes — les Antilles — les Yvelines

▶ 45ᵉ leçon

Le pluriel des noms d'origine étrangère

RÈGLE

Les noms empruntés à une langue étrangère ou qui ont gardé leur forme latine peuvent :

1. prendre un s au pluriel s'ils sont francisés par l'usage :
des agendas, des alibis, des référendums, des bungalows, des duos.

2. avoir deux pluriels, le pluriel étranger et le pluriel français :

un maximum	*des maxima* ou *des maximums*
un rugbyman	*des rugbymen* ou *des rugbymans*
un match	*des matchs* ou *des matches*
un scénario	*des scenarii* ou *des scénarios.*

3. garder leur pluriel étranger :
des confetti, des desiderata, des hippies.
On écrit aussi : *des confettis, des desideratas, des hippys…*

4. rester invariables :

un intérim	un veto	un credo	un forum
des intérim	des veto	des credo	des forum

EXERCICES

224 **Recopiez ces noms au singulier et mettez-les au pluriel.**

bifteck	album	matador	visa	tramway	référendum
almanach	credo	match	square	barman	minimum

225 **Écrivez les noms entre parenthèses au pluriel.**

Dans les années 70, les (hippy) manifestaient contre la guerre du Vietnam. — Les (requiem) accompagnent les enterrements d'hommes illustres. — Les fenêtres des (bungalow) donnent toutes sur la baie. — Il vient lui rendre visite chaque jour, sauf les (week-end). — Les rats venaient mourir isolément dans les (hall) administratifs, dans les préaux des écoles. (A. CAMUS) — Des stations de pompage aspirent les pétroles liquides et les refoulent dans des (pipe-line). (F. PAITRE) — Nous nous mîmes à galoper comme des (cow-boy) en poussant des cris aigus. (J. ROUCH) — Un chemin de fer aérien court au-dessus des quais, des (dock) et des entrepôts. (B. DE JOUVENEL)

---

226 **Vocabulaire à retenir**

un match — le rugby — le football — un bungalow — un cow-boy
un scénario — un duo — un minimum — un référendum

Quelques noms toujours au pluriel

noms masculins		noms féminins	
les agissements	les environs	les ambages	les fiançailles
les agrès	les fastes	les annales	les funérailles
aux aguets	les gravats	les archives	les mœurs
les alentours	les honoraires	les arrhes	les obsèques
les confins	les pénates	les calendes	les pierreries
les décombres	les pourparlers	les catacombes	les représailles
les dépens	les préparatifs	les doléances	les semailles
les fonts baptismaux	les vivres	les entrailles	les ténèbres

EXERCICES

227 Cherchez dans un dictionnaire le sens des noms ci-dessus qui ne vous sont pas familiers.

228 Utilisez un dictionnaire pour expliquer le sens de ces expressions.
parler sans ambages — renvoyer aux calendes grecques — regagner ses pénates — rester aux aguets — vivre aux dépens de quelqu'un.

229 Donnez un complément à ces noms.
Ex. : les agrès du gymnase.

les entrailles	les semailles	les affres	les fastes
aux confins	les honoraires	les archives	les mânes
les immondices	les intempéries	les armoiries	les annales

230 Écrivez correctement les mots entre parenthèses.
Les premiers chrétiens se réunissaient dans des catacombes (obscur). — Des pourparlers (secret) ont eu lieu entre ces deux pays. — Les obsèques se sont (déroulé) dans la plus stricte intimité. — À gauche, le long du mur de clôture, il y avait un champ de (décombre), tout hérissé de ronces. (É. Zola) — Point d'(ambage), de circonlocutions. Hé quoi ? vous vous emportez au lieu de vous expliquer. (Molière) — Guillaumet marche sans arrêt pendant cinq jours et quatre nuits, escalade des pentes abruptes, les pieds gelés, sans (vivre). (R. Delange) — Les ténèbres étaient (profond). Je ne voyais pas devant moi. (Maupassant) — Les idées n'existent que par les hommes ; mais, c'est là le pathétique : elles vivent (au) dépens d'eux. (A. Gide)

231 Vocabulaire à retenir
les entrailles — les fiançailles — les funérailles — les représailles
les semailles — les alentours — les environs — les pourparlers

Nombre du nom sans article

RÈGLE

Quand un nom, sans article, précédé d'une des prépositions *à, de, en* est complément d'un autre mot, il faut étudier le sens pour savoir si ce nom doit être au singulier ou au pluriel.

1. Il faut le singulier si le nom donne l'idée d'un être, d'un objet, d'une matière… :
des crayons à papier ; des poignées de main ; des bracelets en or.

2. Il faut le pluriel si le nom donne l'idée de plusieurs êtres, de plusieurs objets :
une paire de chaussettes ; un fruit à pépins ; un vase de fleurs.

Remarques

1. L'expression *de… en…* est suivie du singulier :
d'arbre en arbre ; de fleur en fleur.

2. Quelques expressions s'écrivent toujours au pluriel :
en loques, en guenilles, en haillons, en lambeaux.

EXERCICES

232 **Écrivez un complément pluriel et un complément singulier.**
Ex. : un sac de billes, un sac de farine.
un champ… un panier… un tas… un vase… une soupe… un patin…

233 **Trouvez six expressions formées sur** de… en… **et employez chacune d'elles dans une phrase.** *Ex.* : Il progresse de jour en jour.

234 **Écrivez correctement les mots entre parenthèses.**

un gardien de (nuit)	une route en (zigzag)	un château en (ruine)
un gardien de (but)	un chemin en (lacet)	un château de (carte)
un collier de (perle)	des brosses à (dent)	un battement d'(aile)
un collier de (nacre)	des brosses à (cheveu)	des bottes en (caoutchouc)

235 **Écrivez correctement les mots entre parenthèses.**
Les supporters défilent derrière un drapeau à (bande verte et jaune). — Le pêcheur n'oublie pas sa provision de (ver de terre) et d'(asticot). — Un prunier de (mirabelle) étendait ses fines branches au-dessus de l'escalier. (R. Boylesve) — Il portait habituellement un ample pardessus à gros (bouton). (Van der Meersch)

236 Vocabulaire à retenir
la file, la filature, défiler, le filament, le filon
le champ, champêtre, le champagne — le collier

Nombre du nom sans article (suite)

> **RÈGLE**
>
> Les noms précédés de *sans, ni, pas de, point de, plus de* peuvent,
> selon le sens, s'écrire au singulier ou au pluriel.
> Il suffit le plus souvent de poser la question « S'il y en avait ? » :
>
> *Il n'y avait là ni vaste étendue, ni fleurs rares, ni fruits précieux.* (LAMARTINE)
>
> (S'il y en avait ? Il y aurait **une** étendue, **des** fleurs, **des** fruits.)
>
> *Les arbres étaient sans feuilles, la terre sans verdure.* (F. PÉCAUT)
>
> (S'il y en avait ? Il y aurait **des** feuilles, **de la** verdure.)

EXERCICES

237 Écrivez correctement les noms entre parenthèses.

un jour sans (soleil)	une région sans (eau)	un jardin sans (fleur)
un vêtement sans (bouton)	une rue sans (ombre)	un travail sans (soin)
une pièce sans (chauffage)	un bois sans (oiseau)	une année sans (fruit)
une nuit sans (lune)	un repas sans (viande)	une classe sans (maître)
un ciel sans (étoile)	un lac sans (poisson)	une fenêtre sans (vitre)
un désert sans (arbre)	une vis sans (fin)	un régime sans (sel)

238 Écrivez correctement les noms entre parenthèses.

Trois heures de cours sans (pause), c'est long ! — La suprême élégance, c'était de travailler sans (masque) et sans (gant). (MAETERLINCK) — Pas de (chemin de fer), pas même de (diligence), ni (télégraphe), ni (bureau de poste), ni (médecin), ni (gendarme), un coin de terre oubliée. (J. RENARD) — Rien n'y fit, ni (cravache), ni (cri), ni (appel), campée sur ses quatre membres, la bête opposa une force d'inertie totale. (FRISON-ROCHE)

239 Écrivez correctement les noms entre parenthèses.

Sans (extincteur), l'incendie aurait vite pris. — Il paraît qu'un jour nous nous installerons dans des voitures sans (volant) et qui se piloteront sans (peine). — Il n'y avait plus ni (route), ni (sentier), ni (rivière), ni (démarcation) d'aucune sorte. (TH. GAUTIER) — Ici plus de (chemin), plus de (ville), plus de (monarchie), plus de (république), plus d'(homme). (CHATEAUBRIAND) — Je n'ai rien mis au bout de la ficelle : ni (hameçon), ni (épingle). (J. RENARD) — Tu en auras tous les six mois près de deux cents francs d'intérêts, sans (impôt), ni (réparation), ni (grêle), ni (gelée), ni (marée). (BALZAC)

> **240** **Vocabulaire à retenir**
>
> la diligence — l'évidence — la prudence — l'exigence — l'audience
> la monarchie — la géographie — l'anarchie — la biologie — l'écologie

Remarques sur le genre et le nombre de quelques noms

RÈGLE

1. Pour certains noms, l'usage admet les deux genres :
un ou *une après-midi, un* ou *une alvéole, un* ou *une enzyme*…

2. gens est un nom pluriel, masculin ou féminin.
• Il est féminin pour l'adjectif qui le précède immédiatement :
les vieilles gens ; de telles gens.
• Il est masculin dans tous les autres cas :
Très émus, tous les gens assemblés pleuraient.

3. gentilhomme et bonhomme ont pour pluriel
gentilshommes et *bonshommes.*

4. témoin reste invariable dans l'expression *prendre à témoin* :
Les professeurs pouvaient prendre les élèves à témoin.

5. L'expression **en personne** est invariable :
Les responsables en personne se sont déplacés pour l'inauguration.

6. les aïeuls, les aïeules désignent les grands-parents (grands-pères et grands-mères) ; **les aïeux** est un pluriel employé dans le sens de « ancêtres ».

7. On écrit **les ciels** quand il s'agit de coloration, de peinture, de climat :
Ce peintre peint des ciels magnifiques.
On écrit **les cieux** quand on parle de la voûte céleste :
Je contemple les cieux étoilés.

EXERCICES

241 **Écrivez correctement les mots entre parenthèses.**

Après avoir fait d'immenses (bonhomme) de neige, les enfants les bombardent de boules de neige. — Le joueur, injustement sanctionné par l'arbitre, prend les spectateurs à (témoin). — Tous les membres de la famille royale d'Angleterre ont assisté en (personne) au défilé. — Mes (aïeul) se sont installés dans cette région après la Première Guerre mondiale. — Ah ! mes (aïeul), quelle belle finale nous avons vécue ! — (Quel) sont ces gens ? — Des (gentilhomme) se font corsaires par vengeance. (R. Vercel) — Tous les événements où les abeilles se mêlent sont liés aux (ciel) purs, à la fête des fleurs. (Maeterlinck)

242 Vocabulaire à retenir

le comité — le congé — le pré — le curé — l'aîné — le café

243 **Donnez le féminin de ces noms.**

lévrier	âne	hôte	duc	sanglier	poète
singe	porc	acteur	auditeur	vendeur	bœuf
exilé	fils	neveu	aviateur	caissier	renard

244 **Employez ces noms avec un adjectif qualificatif.**

incendie	rail	vis	épilogue	emblème	arôme
idole	oasis	anse	armistice	primevère	ancre
artère	antre	paroi	termite	tubercule	épisode

245 **Complétez avec l'article qui convient.**

Le mécanicien réussit à réparer le moteur par … habile artifice. — Il n'y a rien de plus vrai qu'… horoscope, affirme la voyante. — Lucas a … écharde dans le pouce qui le fait souffrir. — Sur la place du village, … stèle s'élève à la mémoire de Benoît Raclet, bienfaiteur des viticulteurs. — Il y avait sur la table … écritoire, en bois de rose. (LAMARTINE) — … myrte et le laurier croissent en pleine terre comme en Grèce. (CHATEAUBRIAND) — Les fontaines répandaient une odeur semblable à celle … girofle et de la cannelle. (VOLTAIRE) — Toutes les fleurs, tous les fruits étaient représentés ; ce sont les figues, les pêches, les poires aussi bien que … réglisse et les genêts d'Espagne. (BALZAC)

246 **Écrivez correctement les noms entre parenthèses.**

Coralie, les (cheveu) au vent, franchit une à une les portes de slalom. — De nos jours, il est très difficile de maîtriser les (flux) migratoires parce que les (moyen) de communication sont d'accès aisé. — L'odeur appétissante des (gâteau) parfume l'air, s'échappe des (soupirail). (J. GONTARD) — On entendait gémir les (essieu) dans le chemin creux. (ERCKMANN-CHATRIAN) — Les (éclair) s'ouvraient et se fermaient comme des (ciseau) de feu. (H. BOSCO) — Avec mes (herbier), mes (papillon) et mes (caillou), je n'avais pas place pour un lit. (G. SAND) — Débloquer les (écrou) demandait de la force. (G. ARNAUD)

247 **Écrivez correctement les noms entre parenthèses.**

Disposés tout autour du stade, les (haut-parleur) amplifiaient les chants. — En hiver, seuls les (brise-glace) peuvent accéder aux ports de la mer Blanche. — Ces garnements sont de véritables (casse-cou) ; ils prennent des risques insensés. — Ne me posez plus de problèmes de ce type, ce sont des (casse-tête) insolubles. — On passait d'agréables (après-midi) dans une jolie maison. (JAUBERT)

248 **Écrivez correctement les noms entre parenthèses.**

Le joueur de boules porte une magnifique casquette à (soufflet). — On ne peut se rendre au refuge que par un étroit chemin en (lacet). — Sonné de coups de (poing), le boxeur s'écroule sur le ring ; son adversaire lève les bras en (signe) de victoire. — On peut aimer porter une cravate rayée avec une chemise à (carreau) ; c'est une affaire de (goût). — Les moulins à (vent) produisaient de l'énergie à bon compte. — On montait par des chemins en (zigzag). (P. LOTI)

Le féminin
des adjectifs qualificatifs

RÈGLE

On forme généralement le féminin des adjectifs qualificatifs en ajoutant un **e** muet au masculin. Les adjectifs masculins en -e ne changent pas au féminin.
un cœur loyal, une âme loyale ; un ami fidèle, une amie fidèle.

Cas particuliers

1. Les adjectifs terminés par **-er** font leur féminin en **-ère** :
printanier, printanière ; cher, chère.

2. Certains adjectifs doublent la consonne finale :
bas, basse ; pâlot, pâlotte ; aérien, aérienne ;
net, nette ; gentil, gentille ; annuel, annuelle.

3. Certains adjectifs modifient la consonne finale :
hâtif, hâtive ; précieux, précieuse ; doux, douce ;
faux, fausse ; grec, grecque ; long, longue ;
public, publique ; turc, turque ; frais, fraîche ;
bénin, bénigne ; malin, maligne ; blanc, blanche.

4. Les adjectifs terminés par **-eur** font généralement leur féminin en **-euse** :
rieur, rieuse ; trompeur, trompeuse.

Remarques :
• Certains adjectifs en **-eur** font leur féminin en **-eure**, d'autres en **-esse** :
majeur, majeure ; vengeur, vengeresse.
• Un certain nombre d'adjectifs en **-teur** font leur féminin en **-trice** :
créateur, créatrice.

5. Les adjectifs en **-et** doublent généralement le **t** :
fluet, fluette ; rondelet, rondelette ; violet, violette.
Mais : *(in)complet, concret, désuet, (in)discret, inquiet, replet, secret* font **-ète** avec un seul **t** : *complet, complète ; concret, concrète.*

6. Quelques féminins particuliers :
aigu, aiguë ; hébreu, hébraïque ; mou (mol), molle ;
favori, favorite ; vieux (vieil), vieille ; beau (bel), belle ;
andalou, andalouse ; coi, coite ; rigolo, rigolote.

EXERCICES

249 **Écrivez le féminin de ces adjectifs.**

ailé	pointu	joli	rêveur	laid	vieillot
inné	poli	majeur	poltron	songeur	bref
long	varié	fourbu	uni	naïf	grec

250 Écrivez le féminin de ces adjectifs.

fier	ancien	muet	aigrelet	exigu	aigu
entier	breton	prêt	discret	parfait	confus
amer	épais	inquiet	concret	traître	plaintif
cher	gascon	fluet	secret	peureux	craintif

251 Employez ces adjectifs avec un nom masculin, puis avec un nom féminin.

bouffi	acéré	furtif	puéril	désuet	évocateur
inouï	nacré	rétif	annuel	cruel	libérateur
favori	ras	serein	violet	roux	quotidien

252 Écrivez des phrases dans lesquelles vous emploierez ces mots, au féminin singulier, d'abord comme noms, puis comme adjectifs.

blanc	curieux	blond	voisin	coquet	débutant
grand	familier	petit	ambitieux	convaincu	absent

253 Écrivez correctement les adjectifs entre parenthèses.

Damien attend avec impatience son émission (favori). — Il faut se garder des conclusions (hâtif) qui ne reposent pas sur une analyse (concret) de la situation. — La tumeur (malin) devra être opérée. — À l'approche des fêtes de Noël, M. Courieu se lance dans de (coûteux) dépenses. — Les (meilleur) places sont prises d'assaut par les spectateurs (fortuné). — On marche au milieu d'une inondation de lumière (bleu, léger, poussiéreux). (A. Daudet) — À la muraille est accrochée une (vieux) peinture (turc). (A. Daudet) — Que je le voulusse ou non, les populations (oriental) de l'empire me traitaient en dieu. (M. Yourcenar) — La pièce (contigu), qui devait servir de salle à manger les jours de fête, avait un fort beau buffet. (P. de Coulevain)

254 Écrivez correctement les adjectifs entre parenthèses.

(Inquiet), la chatte guette le retour de ses chatons. — Écrire avec un porte-plume, c'est une pratique quelque peu (désuet) aujourd'hui. — La civilisation (grec) a rayonné sur tout le bassin méditerranéen. — Une cachette (secret) dans la montagne (rocailleux) permit à la (fier) Sévillane et à sa jument (andalou) de se reposer sous une ombre (frais) après une (long) et (harassant) chevauchée. — L'enfant lisait d'une voix (net) et bien (timbré). (É. Moselly) — Je répondis de manière (ambigu) que je pensais justement demander un long congé. (G. Duhamel) — Il promenait son regard sur cette colline (pierreux). (P.-J. Hélias) — Karélina, pétrifiée, (muet), la regardait venir. (Van der Meersch) — Ils chantaient tous, d'une voix (aigu), un hymne à la divinité de Carthage. (G. Flaubert)

---

255 Vocabulaire à retenir

complet — inquiet — discret — désuet — replet — muet — secret
actif — hâtif — furtif — naïf — rétif — natif — nocif

Les adjectifs qualificatifs en -ique, -oire, -ile

RÈGLE

Au masculin, les adjectifs qualificatifs terminés par les sons
- [ik] s'écrivent **-ique**, sauf *public* :
  un spectacle magnifique.
- [waʀ] s'écrivent **-oire**, sauf *noir* :
  un exercice préparatoire.
- [il] s'écrivent **-ile**, sauf *civil, puéril, subtil, vil, viril, volatil* :
  un exercice facile.

Attention, on écrit *tranquille* avec deux **l**.

EXERCICES

Utilisez votre dictionnaire

256 **Employez ces adjectifs avec des noms masculins puis féminins.**
Ex. : un exercice facile ; une épreuve facile.

rustique	artistique	préparatoire	gracile	civil
gothique	exotique	prophétique	futile	subtil

257 **Employez ces adjectifs avec des noms masculins puis féminins.**

hostile	illusoire	tranquille	débile	vexatoire
puéril	juvénile	emphatique	noir	modique

258 **Complétez ces adjectifs.**
En signe de deuil, on portait un brassard noi... . — Les tentures noi... absorbent la chaleur du soleil. — Nous avions, en outre, le sentiment, peut-être hallucinatoi..., d'entendre, vers l'orient, la respiration tapageuse de Paris. (G. Duhamel) — Roussard le lièvre s'aplatissait, immobi..., les oreilles rabattues. (L. Pergaud) — Un platane luisait comme un monstre aquati... . (G. Duhamel)

259 **Complétez ces adjectifs.**
L'avocat développe une argumentation subti... pour défendre son client. — Chaque coup de hache n'enlève qu'un éclat dérisoi... . (H. Fauconnier) — Au moindre courant obli..., l'embarcation est prise d'un mouvement giratoi... . (Constantin-Weyer) — La baleine respire en surface, lançant dans l'atmosphère son panache de vapeur caractéristi... . (J.-Y. Cousteau)

260 **Vocabulaire à retenir**
futile — utile — agile — facile — docile — gracile — débile
civil — puéril — subtil — vil — viril — volatil — tranquille

Les adjectifs qualificatifs en -al, -el, -eil

RÈGLE

Au féminin, les adjectifs qualificatifs terminés
- par **-al** s'écrivent **-ale** (un seul **l**) :
  le drapeau national, la route nationale.
- par **-el** ou **-eil** s'écrivent **-elle**, **-eille** (deux **l**) :
  un monde réel, une situation réelle ; un fruit vermeil, une pêche vermeille.

Remarque : *pâle, mâle, sale, ovale, fidèle, parallèle, frêle, grêle* se terminent par un **e** au masculin.

EXERCICES

261 Employez les adjectifs entre parenthèses avec les noms.
Ex. : (lacrymal) → le canal lacrymal, la glande lacrymale.
(initial) le poids, la vitesse   (frêle) un corps, une fleur
(infernal) un bruit, une ruse   (mâle) un visage, une allure
(torrentiel) un débit, une pluie   (spirituel) un mot, une repartie
(grêle) un bras, une branche   (fatal) un destin, une issue

262 Employez ces adjectifs avec des noms masculins, puis féminins.
estival   loyal   familial   solennel   universel   confidentiel
jovial   idéal   social   artificiel   essentiel   industriel

263 Complétez, s'il y a lieu, les adjectifs.
M. Le Goff entretient la maison paternel... . — Simon porte une cravate jaune pâl... . — On peut tracer un segment parallèl... à un autre segment avec seulement un compas et une règle. — La nuit tropical... n'est jamais tout à fait obscure. (G. Arnaud) — Cette vieil... route est celle que j'aime le plus. (P. Loti)

264 Complétez, s'il y a lieu, les adjectifs.
Les parcs (naturel régional) sont réalisés à l'initiative des collectivités (local).
— Les montagnes paraissaient baignées dans une lumière (irréel). (J.-L. Faure) —
Sa poitrine lui semblait dilatée, (pareil) à la voile que gonfle le grand vent du large. (R. Escholier) — Une grosse pluie (vertical), pesante, acharnée, s'abattait sur le jardin. (G. Duhamel)

265 Vocabulaire à retenir
initial — infernal — familial — loyal — estival — jovial — banal — glacial
cruel — spirituel — manuel — usuel — visuel — actuel — mutuel

Le pluriel
des adjectifs qualificatifs

RÈGLE

On forme généralement le pluriel des adjectifs qualificatifs en ajoutant
un **s** au singulier :
> *un fil fin, des fils fins ; la noix verte, les noix vertes.*

Cas particuliers

1. Les adjectifs en **-eau** font leur pluriel en **-x** :
> *le beau fruit, les beaux fruits.*

2. Les adjectifs en **-al** font le plus souvent leur pluriel en **-aux** :
> *un record mondial, des records mondiaux.*

Remarques :

• *bancal, fatal, final, natal, naval* font leur pluriel en **-s** :
> *des meubles bancals, des points finals.*

• *banal* a un pluriel en *-aux*, dans les termes de féodalité :
> *des fours, des moulins, des pressoirs banaux.*

Dans les autres cas, au sens de « sans originalité », son pluriel est en **-s** :
> *des propos, des compliments banals.*

3. Les adjectifs terminés par **s** ou **x** au singulier ne changent pas au pluriel :
> *le chemin gris et poudreux, les chemins gris et poudreux.*

4. *bleu* a un pluriel en **-s** :
> *des cols bleus, des jupes bleues.*

EXERCICES

266 **Écrivez au pluriel.**

un château féodal	un coteau provençal	un point douloureux
un palais épiscopal	un geste gracieux	un combat confus
un vin nouveau	un cheveu roux	un journal régional
un détail banal	une note aiguë	un chantier naval

267 **Écrivez au singulier.**

les rayons diffus	les sentiments affectueux	les vieux journaux
les buissons touffus	les sauts périlleux	les esprits jaloux
les mets savoureux	les caramels mous	les chevaux ombrageux
les cris joyeux	les bruits continus	les propos malheureux

268 Vocabulaire à retenir

douloureux — frileux — glorieux — joyeux — malheureux — affectueux

Les adjectifs composés

RÈGLE

1. Les adjectifs composés s'accordent quand ils sont formés de deux adjectifs :
une parole aigre-douce, des paroles aigres-douces
un enfant sourd-muet, une fillette sourde-muette.

2. Si l'un des termes de l'adjectif composé est un mot invariable ou un adjectif pris adverbialement, ce terme reste invariable :
des huiles extra-pures ; des insectes nouveau-nés ;
les accords franco-italiens ; les villes franc-comtoises.

Remarque

Avec l'expression *avoir l'air*, l'adjectif peut s'accorder avec *air* ou avec le sujet de *avoir l'air*, lorsqu'il s'agit de personnes. Les deux accords sont valables :
La fillette a l'air doux (ou douce).
Ils ont l'air gentil (ou gentils).
S'il s'agit de choses, l'accord se fait avec le sujet :
La voiture a l'air neuve.
Quand l'adjectif se rapporte à *un air*, il reste au masculin :
La fillette a un air doux.

EXERCICES

269 **Écrivez correctement les adjectifs entre parenthèses.**

des mots (sous-entendu)
des échanges culturels (franco-belge)
des temples (franc-maçon)
des rayons (infra-rouge)
des députés (social-démocrate)
des haricots (extra-fin)
des signes (avant-coureur)
des prépositions (sous-entendu)
des avions (long-courrier)
des attitudes (tragi-comique)
des chiennes (mort-né)
les (avant-dernier) rangs
des activités (post-scolaire)
des cuirs (extra-souple)

270 **Écrivez correctement les adjectifs entre parenthèses.**

Je n'ai pas pris ces chaises chez le brocanteur : elles avaient l'air (fragile). — Les enfants (nouveau-né) qui ont une santé fragile sont placés dans des couveuses stériles. — Personne ne croyait à ses explications (pseudo-scientifique) — Les palais (extrême-oriental) sont d'un luxe raffiné. — Il braquait sur moi un énorme appareil à rayons (ultra-violet). (H. TROYAT)

271 **Vocabulaire à retenir**

expliquer, l'explication, explicable, explicite, inexplicable, explicitement
stérile, la stérilisation, la stérilité, un stérilisateur, stériliser

Le participe passé employé comme adjectif

RÈGLE

1. Les verbes ont un participe passé qui, le plus souvent, peut se comporter comme un adjectif qualificatif :

un œillet fané → un œillet blanc
une rose fanée → une rose blanche.

2. On peut trouver la dernière lettre d'un participe passé
• en le mettant au féminin :

un homme assis → une femme assise
• ou en cherchant à quel groupe appartient le verbe.

3. Le participe passé est en
• -é   pour le 1ᵉʳ groupe :

l'œillet fané, la rose fanée
• -i   pour le 2ᵉ groupe et quelques verbes du 3ᵉ groupe :

le travail fini, la tâche finie
le potage servi, la soupe servie
• -u, -s, -t   pour les autres verbes du 3ᵉ groupe :

le livre rendu, la monnaie rendue
le résumé appris, la leçon apprise
le lampion éteint, la lampe éteinte.

Exceptions : un corps dissous, une matière dissoute
un coupable absous, une accusée absoute.

EXERCICES

272 Employez le participe passé de chacun de ces verbes avec un nom masculin singulier puis avec un nom féminin singulier.

terminer	rougir	vendre	permettre	résoudre	dissoudre
signer	ternir	rompre	attendre	admettre	comprendre
broder	noircir	rabattre	recevoir	promettre	obtenir

273 Faites l'exercice selon le modèle.

Ex. : livrer un colis → un colis livré.

marquer un but	seller des chevaux	omettre un détail
nettoyer une salle	choisir une cravate	remettre une lettre
hacher du persil	savoir une leçon	atteindre le sommet
verrouiller une porte	battre une équipe	peindre une étagère
charger des camions	réussir des exercices	ouvrir les bras
garnir une table	polir des casseroles	éteindre les lumières

274 Employez le participe passé de chacun de ces verbes avec un nom masculin singulier puis avec un nom féminin singulier.

relire	coudre	atteindre	couvrir	instruire	garantir
maudire	mourir	disjoindre	endurer	surprendre	réjouir
distraire	naître	repeindre	asseoir	transmettre	repasser
tendre	apprendre	franchir	démolir	éclore	boire

275 Écrivez le participe passé des verbes entre parenthèses.

Ces apprentis, (former) au contact des meilleurs cuisiniers, deviendront de célèbres chefs. — Le joueur d'échecs ne réfléchit pas assez et le voilà (prendre) au piège de son adversaire. — Une berceuse de Mozart retentit, (jouer) au piano. (C. Rihoit) — Voilà que je découvrais au long des allées un homme bien (éveiller), de plus en plus confiant, (animer, épanouir), par la grâce d'une passion pour les arbres et les fleurs. (J. Cressot) — L'homme, (enserrer) dans son étroite cabine, (sangler), (ligoter) et prisonnier de sa machine, éprouve un indicible sentiment d'exaltation. (R. Delange)

276 Écrivez le participe passé des verbes entre parenthèses.

On se souviendra toujours des poésies (apprendre) au collège. — La digue, (battre) sans merci par la tempête, résiste ; les bateaux sont à l'abri. — Les appels de détresse, (capter) par la station de Narvik, permettront de sauver les marins islandais. — Des citadins, (décevoir) par la vie urbaine, recherchent des maisons (isoler) dans les villages (perdre) de l'Aveyron. — Le monde entier apprécie les fromages (produire) en France. — Sur la table carrée, je vis un cahier (couvrir) d'un parchemin (jaunir). (A. Theuriet) — La grand-mère entrouvre les tiroirs d'une commode d'autrefois, une commode pleine de bibelots étranges : un sou (percer) comme tous les sous (percer), une crécelle, un citron sec et (noircir, ceindre) d'une faveur (déteindre), un petit papier (remplir) de cailloux. (G. Duhamel) — L'homme s'ennuie du plaisir (recevoir) et préfère de bien loin le plaisir (conquérir). (Alain)

277 Écrivez le participe passé des verbes entre parenthèses.

Un vagabond. — Une casquette à visière de cuir, (rabattre), cachait en partie son visage (brûler) par le soleil et par le hâle. Sa chemise de grosse toile jaune, (rattacher) au col par une petite ancre d'argent, laissait voir sa poitrine velue. Il avait une cravate (tordre), un pantalon de coutil bleu, (user) et (râper), blanc à un genou, (trouer) à l'autre, une vieille blouse grise en haillons (rapiécer) d'un morceau de drap vert, à la main un énorme bâton noueux, les pieds sans bas dans des souliers (ferrer), la tête (tondre) et la barbe longue.

(V. Hugo, *Les Misérables*)

278 Vocabulaire à retenir

un bibelot — un lot — un grelot — un escargot — un haricot — un entrepôt
un chef — un récif — un tarif — un canif — un motif — le relief

L'adjectif qualificatif et le participe passé épithètes ou attributs

---

RÈGLE

L'adjectif qualificatif et le participe passé épithètes ou attributs s'accordent en genre et en nombre avec le nom ou le pronom auquel ils se rapportent.

La petite rue est barrée.
Nous étions contents d'apprendre la nouvelle.

Pour trouver ce nom ou ce pronom, il faut poser avant l'adjectif qualificatif ou le participe passé, la question : « Qui est-ce qui est, était, a été... ? »

qui est-ce qui		
est petit ?	*la rue* (fém. sing.)	donc *petite*
est barré ?	*la rue* (fém. sing.)	donc *barrée*
était content ?	*nous* (masc. plur.)	donc *contents*

Remarques

1. *nous* et *vous* marquent le singulier quand ils désignent une seule personne. Dans ce cas l'adjectif qualificatif ou le participe passé qui s'y rapportent restent au singulier :

Selon que vous serez puissant ou misérable,
Les jugements de cour vous rendront blanc ou noir. (LA FONTAINE)

2. L'attribut se rapporte généralement au sujet du verbe, mais il peut se rapporter quelquefois au complément d'objet :

Les pâtes sont préparées avec passion par les cuisiniers italiens,
celui qui aime en manger les trouve délicieuses.

EXERCICES

279 **Conjuguez au présent et au passé composé de l'indicatif.**
être fier de son travail — être distrait — être harassé de fatigue.

280 **Accordez les adjectifs et les participes passés.**
Le tracteur emprunte d'(étroit) chemins (forestier), heureusement (désert) en cette saison (hivernal). — Les joueurs de rugby se battent comme des chiffonniers ; des gestes aussi (brutal) sont (indigne). — La musicienne est (exigeant) pour elle-même, elle reste des heures (entier) à travailler les morceaux les plus (difficile). — Les pneus (gonflé), la chaîne (graissé), le guidon (relevé), la selle bien (réglé), Laurent peut entreprendre l'escalade du col des Aravis. — La (petit) ville avait encore ses vieilles portes (ogival). (P. LOTI) — Mes livres (empilé) sous la poussière sont (terne) et (froid) comme des poissons (mort). (F. CAVANNA)

281 **Accordez les adjectifs et les participes passés.**

Des vapeurs (brûlant) s'échappent du radiateur ; surtout n'y touchez pas. — Les messages (enregistré) sur le répondeur seront (écouté) en fin de journée. — Les accidents d'avion sont peu (fréquent) mais ils sont (catastrophique). — (Forgé) au long de dizaines d'années d'aventures (périlleux), les convictions de M. Burg sont (clair) ; il y a de par le monde des gens (merveilleux) qui se dévouent pour le bien de l'humanité. — Les expéditions (spatial) sont désormais (habituel) ; les charges (transporté) sont de plus en plus (important). — Parmi les joncs (plié) en deux par le cours de l'eau, il y avait des bateaux (amarré), (chargé) de planches, et de vieux chalands (échoué) dans la vase. (E. FROMENTIN)

282 **Accordez les adjectifs et les participes passés.**

Le salaire de la femme qui travaille est dans beaucoup de métiers (inférieur) à celui des hommes ; ses tâches sont moins (spécialisé) et partant moins bien (payé) que celles d'un ouvrier (qualifié). (S. DE BEAUVOIR) — Depuis quelques années, les langues (étranger) sont (étudié) dès l'école primaire. — Dès le signal donné, il est impossible de voir autre chose sur la pelouse que des dos (courbé), des jambes (raidi), des mains (tendu) et (crispé) ; quand le ballon est lancé, une bousculade (effréné) se produit. (J. HURET)

283 **Écrivez les verbes entre parenthèses au participe passé en faisant les accords nécessaires.**

La plage était (joncher) de poissons (mourir), de coquillages (briser) et d'algues noires (rejeter) par les flots. (M. TOURNIER) — Des milliers de prunes d'Agen, (étaler) dans des claies, (surchauffer) au soleil, (rider), (cuire) et (recuire) embaumaient tout le grenier. (P. LOTI) — Des employés (énerver, bousculer), circulaient à toute vitesse d'une pièce à l'autre, et les portes mobiles (monter) sur ressorts rebondissaient. (G. ARNAUD)

284 **Accordez les adjectifs et les participes passés.**

Pierre-Édouard se disait fier d'appartenir à une commune qui allait posséder une automobile. Presque tous les habitants du bourg se retrouvèrent ce soir-là, (groupé) sur la grand-place dès qu'un gamin, (expédié) en éclaireur, arriva en courant et prévint qu'il avait entendu la (fou) machine alors qu'elle attaquait la (dernier) côte. (CL. MICHELET) — D'abord, il ne vit que des murailles (gris) (percé) de (petit) ouvertures (sombre). (P.-J. HÉLIAS) — Les tulipes sont (abreuvé), bien (éclairé), bien (nourri). Et pourtant chaque année les fleurs (exilé) sont plus (frêle). (G. DUHAMEL) — Une machine soufflante arrivait, tirant de vieux wagons que je trouvais (splendide). (E. DABIT) — Des aventures de ce genre nous rendaient (circonspect). (L. MASSÉ)

285 Vocabulaire à retenir

le respect — l'aspect — le suspect — succinct — distinct — l'instinct
le bourg, le bourgeois, la bourgade, le bourgmestre, le faubourg

Les accords particuliers de l'adjectif qualificatif ou du participe passé

RÈGLE

1. Deux singuliers valent un pluriel :
Laure et Cathy sont bronzées.

2. Lorsqu'un adjectif qualificatif ou un participe passé est employé avec des noms des deux genres, on l'accorde au masculin pluriel :
La campanule et le myosotis sont bleus.
Il rend visite à son oncle et à sa tante maternels.

EXERCICES

286 **Accordez les adjectifs et participes passés entre parenthèses.**

le sac et le panier (rempli) — la branche et le rameau (cassé) — l'automobile et le camion (arrêté) — le dossier et la facture (examiné) — la laine et le fil (blanc) — le lierre et le liseron (grimpant) — les résumés et les fables (étudié) — les clous et les aiguilles (pointu) — la nappe et la serviette (blanchi) — La cabane et le hangar sont (démoli). — La pêche et le raisin sont (mûr). — Les prunes et les poires ont été (cueilli). — Le mur et la vieille bâtisse seront (abattu).

287 **Accordez les participes passés entre parenthèses.**

On se place suivant les sympathies, mais toujours hommes et femmes (intercalé). (J. DE PESQUIDOUX) — Dans le pupitre étaient (entassé) papiers de cours et notes (personnel) : poèmes, pensées, fragments d'essais (mélangé) dans un désordre inextricable. (R. DELANGE) — Toutes les tendresses, tous les souvenirs, toutes les raisons de vivre sont là bien (étalé) à trente-cinq mille pieds sous les yeux, bien (éclairé) par le soleil. (A. DE SAINT-EXUPÉRY)

288 **Accordez les participes passés entre parenthèses.**

Ce réfrigérateur et cette machine à laver ont été (acheté) à crédit. — Les jeunes gens et les jeunes filles sont (logé) à la même enseigne ; ils dorment tous dans des dortoirs ou des chambres (glacé). — Ses grimaces, ses gestes sont comme (paralysé) par une incompréhensible lenteur. (G. ARNAUD) — Des hommes et des femmes (accroupi) dans les vignes coupaient des grappes de raisin. (É. ZOLA)

---

289 **Vocabulaire à retenir**

le hangar — le bazar — le radar — l'oscar — le bar — le dollar
le réfrigérateur — le moteur — le radiateur — l'accélérateur

L'adjectif qualificatif et le participe passé éloignés du nom

---

RÈGLE

Quelle que soit leur place dans la phrase, l'adjectif qualificatif et le participe passé épithètes s'accordent en genre et en nombre avec le nom auquel ils se rapportent :

> *Éclairées par de puissants spots, les sculptures prennent un relief saisissant.*

Remarque : l'adjectif ainsi éloigné du nom, mis en valeur, est en apposition : *éclairées*, apposition à *sculptures*.

EXERCICES

290 **Accordez les adjectifs et participes passés entre parenthèses.**

(Encensé) par tous les critiques, cette pièce de théâtre connaît un grand succès. — (Fouillé) de fond en comble, les galeries ont livré leur secret : de splendides peintures rupestres. — Les piétons, (pareil) à une colonie de fourmis, s'acheminent vers la gare Saint-Lazare. — Totalement (innocenté) par un témoin, les suspects sont immédiatement (relâché). — (Rassemblé) au bord du bassin, les supporters encouragent les nageurs. — (Abandonné) par des maîtres indignes, les chiots sont (recueilli) par des amis des bêtes. — Très (méfiant), très (difficile) à attraper, les papillons se posaient un instant sur les graines (parfumé) des muscats puis se sauvaient. (P. LOTI) — (Accroupi) au pied du cheval, les deux enfants nettoyèrent délicatement la plaie. (R. GUILLOT)

291 **Accordez les adjectifs et participes passés entre parenthèses.**

(Gorgé) de sève, les bourgeons éclatent dès les premières chaleurs. — (Récompensé) pour leur courage, les sauveteurs demeurent (modeste), ils remercient la chance. — L'équipe de Mont-de-Marsan, maintenant (qualifié) pour la finale du championnat, s'entraîne tous les jours. — (Acheminé) par avion, les lettres seront (distribué) en fin de semaine. — Très (écarté) les unes des autres, les gouttes éclataient en taches violettes. (M. PAGNOL) — (Culbuté), (vaincu), la baleinière chavire. (C. FARRÈRE) — (Soutenu) entre elles par leurs ailes sèches étendues, les sauterelles volaient en masse. (A. DAUDET) — Ils ont l'air paisibles et doux, (fixé) dans la terre noire par des racines solides. (J.M.G. LE CLÉZIO)

---

292 Vocabulaire à retenir

s'accroupir — s'accouder — s'accrocher — s'accuser — s'accoupler
encenser, l'encens, l'encensoir

▶ 59ᵉ leçon

Le participe passé épithète en -é ou l'infinitif en -er ?

RÈGLE

Il ne faut pas confondre le participe passé épithète en **-é** avec l'infinitif en **-er**.
On reconnaît l'infinitif en **-er** à ce qu'il peut être remplacé par l'infinitif d'un verbe du 2ᵉ ou du 3ᵉ groupe comme *finir, vendre, faire,* etc. :

  Elle va acheter (vendre) du pain.

Dans le cas contraire, c'est le participe passé épithète en **-é** :

  Le pain acheté (vendu) est frais.

Remarque : le participe passé épithète a la valeur d'un adjectif qualificatif.

EXERCICES

293 **Complétez par** -é (-ée, -és, -ées) **ou** -er.
Justifiez la terminaison -er **en écrivant entre parenthèses l'infinitif d'un verbe du 2ᵉ ou du 3ᵉ groupe de sens approché.**

On entend remu... la souris effray... — Je regarde les étoiles scintill... dans le ciel éclair... par la lune. — M. Lantier doit répar... sa scie électrique nouvellement achet... . — La voiture coinc... dans l'embouteillage a de la peine à avanc... . — Pierre est oblig... de recompt... les opérations mal pos... . — Vous aimez à feuillet... votre livre préfér... . — Le naufragé désespér... s'apprête à tir... une fusée de détresse.

294 **Complétez par** -é (-ée, -és, -ées) **ou** -er.
Justifiez la terminaison -é (-ée, -és, -ées) **en écrivant un adjectif qualificatif ou le participe passé d'un verbe du 2ᵉ ou du 3ᵉ groupe de sens approché.**

Le gardien de but n'a pas arrêt... le penalty. — De la fenêtre, je regardais pass... le livreur courb... sous le poids d'un énorme colis. — Le chat reste allong..., occup... à guett... sa proie. — Le chien vient léch... la main de son maître allong... sur le divan. — Dimitri va dépli... le message espér... depuis des jours. — Avant de plong... dans l'eau glac..., il faut se mouill... la nuque. — Le client press... fait claqu... la portière du taxi.

295 **Ajoutez un complément et faites la transformation selon le modèle.**

Ex. : annuler → annuler des réservations, des réservations annulées.

imposer	hacher	flamber	tailler	agiter	grouper
traquer	gagner	éplucher	signer	ranger	fourrer
canaliser	dévaster	dompter	classer	modifier	énerver
craqueler	éliminer	décoder	irriguer	coller	fixer

296 **Complétez par** -é, -er **ou** -ez.

Chant… en chœur, chant… gaiement, soyez joyeux. — Chant… est un délassement. — Chant… en cadence, ce refrain est entraînant. — Cultiv…, distingu…, ce jeune homme est d'une compagnie agréable. — Cultiv… des fleurs est un passe-temps reposant. — Cultiv… votre jardin comme Candide. — Travers… par une route nationale, le village a perdu sa tranquillité. — Travers… la rue et faites attention. — Travers… le torrent sans mouill… son pantalon est pratiquement impossible. — Pour photographi… l'activité des fourmis, vous utilis… un téléobjectif et vous essay… de march… silencieusement.

297 **Complétez comme il convient.**

Sous le fer, promen… d'une main soigneuse, on voyait grésill… la petite flamme blanche de la soudure. (É. Zola) — Je restais longtemps là ne me lassant pas de regard…, d'admir…, de respir… l'air tiède de ce printemps, de me gris… de cette lumière oubli…, de ce soleil retrouv… . (P. Loti) — Le Tarasconnais poudreux, harass…, vit de loin étincel… dans la verdure les premières terrasses d'Alger. (A. Daudet) — Un homme encapuchonn…, que je voyais rôd… depuis un moment autour de notre feu, s'approcha de nous craintivement. (A. Daudet)

298 **Complétez comme il convient.**

Les journaux recommandaient des produits pour hât… la croissance de la barbe, de jeunes médecins qui venaient de pass… leurs examens portaient des barbes majestueuses et chargeaient leur nez de lunettes à montures dor…, même si leur vue était parfaite, et cela pour donn… à leurs patients l'impression qu'ils avaient de « l'expérience ». (S. Zweig) — Les gamins regardaient le ciel sillonn… d'éclairs, trou… d'étoiles. (H. Bachelin) — Pleur… sa mère, c'est pleur… son enfance. (A. Cohen)

299 **Complétez comme il convient.**

Les ressources renouvelables, celles que nous tirons du monde vivant, sont gaspill… avec une prodigalité déconcertante, ce qui est grave, car cela peut provoqu… l'extermination de la race humaine elle-même : l'homme peut se pass… de tout, sauf de mang… . (J. Dorst) — J'aime New York. J'ai appris à l'aim… . Je me suis habitu… à ses ensembles massifs, à ses grandes perspectives. (J.-P. Sartre) — Tous les arbres sont en bataille contre le soleil et on les voit s'étir…, hauss… leurs feuillages comme un bouclier et cach… la lumière. (J. Giono) — Neil Armstrong eut l'insigne honneur d'être le premier homme à foul… le sol lunaire. (A. Icart) — Nous étions accoud… à notre balcon, écoutant les grillons chant… . (P. Loti)

300 Vocabulaire à retenir

le refrain — le pain — le grain — le regain — le gain — le train
le châtelain — le terrain — un poulain — un parrain — l'entrain
harasser — habituer — hacher — habiller — haïr — hanter — hasarder

Le participe passé épithète en -i ou le verbe conjugué en -it ?

RÈGLE

Il ne faut pas confondre le participe passé épithète en **-i** (qui a la valeur d'un adjectif qualificatif) avec le verbe conjugué en **-it**.

• Lorsqu'on peut mettre l'imparfait à la place du mot, il s'agit du verbe ; il faut alors écrire la terminaison **-it** :

Le maçon démolit (démolissait) le vieux mur.

• Sinon, c'est le participe passé épithète en **-i** (qui peut s'accorder) :

Le manoir démoli (abattu) livre ses secrets.

EXERCICES

301 Complétez par le participe passé épithète en -i ou le verbe en -it. Justifiez la terminaison du verbe conjugué en écrivant l'imparfait entre parenthèses.

S'il n'est pas au frais, le beurre ranc.... — Le lard ranc... n'est plus consommable. — Ce boulanger nous fourn... un excellent pain de campagne. — Ce caniche a le poil bien fourn.... — Le bouquet embell... la maison. — Le village embell... par le printemps accueille les touristes. — La sécheresse tar... les ruisseaux. — Le torrent tar... est encombré de rochers.

302 Complétez ces débuts de phrases.

L'élève puni ...	Le malade guéri ...	Un pronom réfléchi ...
Le surveillant punit ...	Le médecin guérit ...	L'ingénieur réfléchit ...

303 Complétez par le participe passé en -i ou le verbe en -it.

Quand la voiture franch... les remparts de la ville, j'aperçois enfin ma mère. (P. Loti) — La rivière ainsi franch..., nous laissions tout de suite la grand-route. (P. Loti) — Quand on donne un coup sur la rampe, une longue vibration la sais.... (G. Duhamel) — La récréation terminée, le père Genevoix, suiv... des élèves, rentra dans la salle d'étude. (R. Delange) — Son parrain le taquine toujours, mais Poil de Carotte, avert..., ne se fâche plus. (J. Renard)

304 Employez dans des phrases le participe passé épithète en -i des verbes **durcir**, éblouir, choisir, **puis ces mêmes verbes conjugués en -it.**

305 Vocabulaire à retenir

garnir, garni — finir, fini — fournir, fourni — engloutir, englouti
élargir, élargi — réfléchir, réfléchi — trahir, trahi

Le participe passé épithète en -is ou le verbe conjugué en -it ?

RÈGLE

Il ne faut pas confondre le participe passé épithète en **-is** (qui a la valeur d'un adjectif qualificatif) avec le verbe conjugué en **-it**.

• Lorsqu'on peut mettre l'imparfait à la place du mot, il s'agit du verbe : il faut alors écrire la terminaison **-it** :

> L'oiseau pr**it** (prenait) son vol.

• Sinon, c'est le participe passé épithète en **-is** (qui peut s'accorder) :

> Damien a le nez pr**is** (la gorge prise).

EXERCICES

306 Complétez par le participe passé épithète en -is ou le verbe en -it. Justifiez la terminaison du verbe conjugué en écrivant l'imparfait entre parenthèses.

L'appareil ém… quelques sons et s'arrêta. — Le son ém… par le cristal est pur. — Je vous apporte le livre prom… — Mon père prom… de nous emmener au théâtre. — Le candidat adm… à l'examen fête sa réussite. — Jean adm… son erreur et rectifia le résultat. — La standardiste transm… un message. — Nous écoutons un discours retransm… à la radio.

307 Complétez par le participe passé épithète en -is ou le verbe en -it. Justifiez la terminaison du verbe conjugué en écrivant l'imparfait entre parenthèses.

Le voleur, surpr… la main dans le sac, ne peut pas nier. — Un matin, mon frère, revenu subitement dans la pièce, surpr… mon secret. (SANTELLI) — Le fer s'allonge, s'allonge encore, toujours repr… et toujours rejeté par la mâchoire d'acier. (MAUPASSANT) — Il se trouva bientôt pr… dans un tourbillon de bruits, d'odeurs et de couleurs qui le rempl… de joie. (R. ESCUDIÉ) — Le marteau, manié avec force et délicatesse, obéissait comme un démon soumi… . (G. DUHAMEL) — Mon savoir était petit, mais heureusement acqu… . (A. FRANCE)

308 Employez dans des phrases le participe passé épithète en -is des verbes **asseoir** et **surprendre**, puis ces mêmes verbes conjugués en -it.

309 Vocabulaire à retenir

remettre, remis — surprendre, surpris — conquérir, conquis
émettre, émis — transmettre, transmis — asseoir, assis — admettre, admis

Le participe passé épithète en -t ou le verbe conjugué en -t ?

RÈGLE

Il ne faut pas confondre le participe passé épithète en - **t** (qui a la valeur d'un adjectif qualificatif) avec le verbe conjugué en - **t**

• Lorsqu'on peut mettre l'imparfait à la place du mot, il s'agit du verbe ; il faut alors écrire la terminaison - **t** :

> Le feu détrui t (détruisait) la cabane.

• Dans le cas contraire, c'est le participe passé épithète en - **t** qui s'accorde en genre et en nombre :

> Les murs détrui ts (les tours détruites) tombent.

EXERCICES

310 Complétez par la terminaison qui convient en faisant les accords nécessaires.

Les murs endui ... de ce revêtement protégeront mieux du froid. — L'éleveur endui ... de chaux les murs de l'étable. — Le détective suivait discrètement l'automobile condui ... par le suspect. — Ma sœur condui ... avec prudence. — L'aviateur maudi ... la brume. — Le tracteur s'est engagé dans de maudi ... chemins. — Avant la projection, le technicien étein ... toutes les lumières. — La voiture circulait tous feux étein .... — Le juge instrui ... une affaire. — Les affaires instrui ... par ce juge sont bien engagées.

311 Complétez par la terminaison qui convient en faisant les accords nécessaires.

Ce tailleur est bien coupé : on le dirait fai ... pour Sidonie. — M. Jordi fai ... ses courses le lundi. — Les jeunes gens instrui ... participent aux tournois de scrabble. — Les mâts alignés, les cordages grêles font une toile d'araignée qui cein ... l'horizon. (H. TAINE) — Je saluai comme d'anciennes connaissances deux dieux à tête d'épervier inscri ... de profil sur une pierre. (P. LOTI) — L'épervier décri ... d'abord des ronds sur le village. (J. RENARD)

312 Employez dans des phrases le participe passé épithète en -t des verbes joindre et construire, puis ces mêmes verbes conjugués en -t.

313 Vocabulaire à retenir

traduire, traduit — conduire, conduit — réduire, réduit — produire, produit
rejoindre, rejoint — interdire, interdit — peindre, peint

Le participe passé épithète en -u ou le verbe conjugué en -ut ?

> **RÈGLE**
>
> Il ne faut pas confondre le participe passé épithète en **-u** (qui a la valeur d'un adjectif qualificatif) avec le verbe conjugué en **-ut**.
> * Lorsqu'on peut mettre l'imparfait à la place du mot, il s'agit du verbe ; il faut alors écrire la terminaison **-ut** :
>   Karim l*ut (lisait)* un livre.
> * Dans le cas contraire, c'est le participe passé épithète en **-u** :
>   L'article l*u (écrit)* est intéressant.
>
> **Remarques**
>
> **1.** Les participes passés *dû, redû, mû, crû* (du verbe *croître*), *recrû* (du verbe *recroître*) ne prennent un accent circonflexe qu'au masculin singulier :
>   en port d*û,* la somme d*ue,* les gages d*us.*
>
> **2.** Les participes passés *cru* (du verbe *croire*), *recru* (« harassé »), *accru* (du verbe *accroître*), *décru* (du verbe *décroître*), *ému* (du verbe *émouvoir*) s'écrivent sans accent circonflexe sur le **u**.

EXERCICES

314 Complétez par le participe passé épithète en -u **ou le verbe en** -ut. **Justifiez la terminaison** -ut **du verbe conjugué en écrivant l'imparfait entre parenthèses.**

Le petit voilier dispar… à l'horizon ; Alain Robert était parti pour un tour du monde sans escale. — Quand l'actrice par…, les photographes se précipitèrent. — Il restait à calculer la distance parcour… par la Terre en une année. — Les marchandises vend… en soldes ne seront pas reprises ni échangées. — Il d… s'arrêter pour reprendre son souffle. — Appar… à la fin des années 60, la télé-informatique est la première forme de la télématique, mot qui désigne l'ensemble des produits iss… du mariage de l'informatique et des télécommunications. (H. Nora) — Je vais doucement parce que je sais qu'à allure moyenne, un accident même d… à un autre est rarement sérieux. (G. Guignard)

315 Employez dans des phrases le participe passé épithète en -u **des verbes** courir **et** secourir, **puis ces mêmes verbes conjugués en** -ut.

316 Vocabulaire à retenir

connaître, connu — vivre, vécu — vendre, vendu — tondre, tondu
boire, bu — recevoir, reçu — élire, élu — vaincre, vaincu

Le participe présent et l'adjectif verbal

RÈGLE

1. Le participe présent est une forme verbale qui marque une action et qui peut avoir un complément d'objet ou un complément circonstanciel. Il est invariable :

> *On entend les hurlements des admirateurs appelant leur idole.*
> *On entend les hurlements du public appelant son idole.*

2. L'adjectif verbal marque l'état, la qualité. Il a la valeur d'un véritable qualificatif. Il est variable :

> *Des talents naissants apparaissent sur les bancs de l'école.*
> *Des vocations naissantes apparaissent sur les bancs de l'école.*

Remarques

1. Le plus souvent, le participe présent et l'adjectif verbal ont la même terminaison : -ant. Pour éviter la confusion, il faut d'abord se rapporter au sens de la phrase.
On peut aussi remplacer le nom masculin qui accompagne le mot en -*ant* par un nom féminin, mais il faut toujours lire la phrase en entier :

> *Vous cocherez la case correspondant à votre choix.*
> *Vous cocherez la case correspondante.*

2. Lorsque la forme verbale en -ant est précédée de **en**, on l'appelle *gérondif*. Le gérondif est invariable :

> *La dentellière manie ses fuseaux en les croisant les uns sur les autres.*

3. L'adjectif verbal peut avoir une orthographe différente de celle du participe présent :

> *Son avis différant du mien, nous n'avons pas pu nous mettre d'accord.*
> *Ils se mettront d'accord, même s'ils ont des avis différents sur la question.*

participe présent en -guant	adjectif en -gant	participe présent en -quant	adjectif ou nom en -cant
extravaguant	extravagant	fabriquant	le fabricant
fatiguant	fatigant	convainquant	convaincant
intriguant	intrigant	provoquant	provocant

participe présent en -ant	adjectif ou nom en -ent	participe présent en -ant	adjectif ou nom en -ent
adhérant	adhérent	excellant	excellent
affluant	l'affluent	expédiant	expédient
coïncidant	coïncident	influant	influent
confluant	le confluent	négligeant	négligent

participe présent en -ant	adjectif ou nom en -ent	participe présent en -ant	adjectif ou nom en -ent
convergeant	convergent	précédant	précédent
différant	différent	présidant	le président
divergeant	divergent	violant	violent
équivalant	équivalent	émergeant	émergent

EXERCICES

317 Faites l'exercice selon le modèle.

Ex. : sauver → sauvant, en sauvant, en les sauvant.

plier	cacher	choisir	servir	vendre	plaindre
tendre	voir	respirer	rejoindre	garnir	conduire

318 Employez l'adjectif verbal dérivé de ces verbes avec un nom masculin, puis avec un nom féminin.

Ex. : glisser → un escalier glissant, une descente glissante.

trancher	supplier	bondir	resplendir	rire	charmer
plaire	prévenir	saisir	surprendre	suffire	ravir

319 Écrivez le participe présent ou l'adjectif verbal des verbes entre parenthèses. Justifiez l'accord des adjectifs verbaux en écrivant une expression au féminin entre parenthèses.

Ex. : un liquide (bouillir) → un liquide bouillant (une boisson bouillante).
Les bateaux de pêche (rompre) leurs amarres se sont brisés sur les rochers. — Les torrents (bondir) bouillonnent lorsque les neiges fondent. — Les torrents (bondir) sur les cailloux font jaillir de l'écume. — Les malades (refuser) toute nourriture s'affaiblissent. — Des éclairs (éblouir) illuminent le ciel. — L'enfant a des propos (amuser) — Les clients ne peuvent pas résister aux prix (allécher). — C'est en (allécher) les badauds que le camelot parvient à vendre ses appareils révolutionnaires !

320 Remplacez les verbes entre parenthèses par le participe présent ou l'adjectif verbal, que vous accorderez si nécessaire.

Seules les vendeuses de beignets attirent autour de leurs feux quelques clients poussiéreux qui achètent et mangent en (grelotter) les beignets (brûler) qu'elles leur servent dans du vieux papier froissé. (I. Oumarou) — Les mains (trembler), (claquer) des dents, emporté par sa terrible liberté, il revint en dix minutes à la Permanence. (A. Malraux) — On pouvait voir les trois hommes (tenir) leur charge à pleins bras, courir en (tituber) le long de la voie. (B. Clavel)

321 Vocabulaire à retenir

en se fatiguant, un travail fatigant — en adhérant, un adhérent — en négligeant, un gardien négligent — en provoquant, un vêtement provocant

Les adjectifs qualificatifs de couleur

RÈGLE

1. Les adjectifs qualificatifs de couleur s'accordent quand il n'y a qu'un seul adjectif pour désigner la couleur :
> *des tissus beiges, des pommes vertes.*

2. Quand la couleur est exprimée par deux adjectifs, il n'y a pas d'accord.
> *des tissus rouge sombre.*

3. Les noms utilisés comme adjectifs et exprimant par image la couleur restent invariables :
> *des tissus cerise, ocre, marron, carmin, grenat.*

Remarques

1. *mauve, écarlate, fauve, rose, pourpre* qui sont assimilés à de véritables adjectifs s'accordent : *des tissus mauves, roses.*

2. On dit : *une chevelure châtain* ou *châtaine.*

EXERCICES

322 **Écrivez correctement les adjectifs de couleur.**

(orange) des reflets, des toiles
(ocre) des velours, des laines
(blond cendré) des cheveux
(châtain clair) des chevelures
(écarlate) des roses

(marron) des yeux, des écharpes
(crème) des papiers, des dentelles
(gris foncé) des tailleurs
(rouge sang) des dahlias
(bleu marine) des chandails

323 **Employez avec un nom les diminutifs en -âtre de ces adjectifs.**
rouge — rose — noir — gris — brun — jaune — vert — bleu — roux — blanc.

324 **Écrivez correctement les adjectifs de couleur en parenthèses.**
Les soldats défilent dans de superbes uniformes (bleu horizon). — Les consuls romains portaient des tuniques (pourpre). — La jacinthe a des épis (bleu violet). — La jument (bai cerise) s'en allait au pas. (A. Cahuet) — Sur la table étaient rangés des gants prêts pour la vente. Il y en avait de toutes les couleurs, des (noir) et des (blanc), des (noisette), des (chocolat), des (rose), des (bleu pâle), des (mauve), des (vert pistache), des (grenadine) et des (rouge solferino). (H. Lavedan) — Des papillons posés repliaient leurs ailes (fauve). (É. Zola)

325 Vocabulaire à retenir
écarlate — fauve — rose — marron — châtain — roux — pourpre

Les adjectifs numéraux

RÈGLE

1. Les adjectifs numéraux cardinaux sont invariables, sauf **vingt** et
cent quand ils indiquent des vingtaines et des centaines entières :
  *quatre-vingt**s** an**s**, quatre-vingt-un an**s** ; deux cent**s** pas, deux cent un pas.*

2. mille, adjectif numéral, est invariable :
  *dix mille franc**s**.*
Mais *millier, million, milliard* qui sont des noms, prennent un **s** au pluriel :
  *des millier**s**, des million**s** d'étoile**s**.*

3. Dans les dates, il n'y a pas d'accord pour **cent** ou pour **vingt**.
On écrit **mille** ou **mil** (plus rare aujourd'hui) :
  l'an mille neuf cent ou *l'an mil neuf cent.*

4. *Le mille* (mesure des distances utilisée en navigation maritime
et aérienne, 1852 m) est un nom commun et prend un **s** au pluriel :
  *Nous avons déjà parcouru neuf cents mille**s**.*

Attention, il ne faut pas confondre ce nom avec *le mile*
(unité de mesure anglo-saxonne, 1609 m).

5. Les adjectifs numéraux ordinaux sont variables :
  *les premier**s** hommes ; les cinq dixième**s**.*

6. Les adjectifs numéraux cardinaux employés comme des adjectifs
ordinaux sont invariables :
  La page neuf cent (= la page neuf centième).

7. Il faut mettre le trait d'union entre les unités et les dizaines,
sauf si elles sont unies par *et* :
  dix-huit ; cent vingt-six ; cinq cent vingt et un.

EXERCICES

326 **Écrivez ces nombres en lettres et faites les suivre d'un nom.**
Ex. : 24 → vingt-quatre ans.
20 — 35 — 80 — 83 — 180 — 186 — 203 — 300 — 580 — 2000.

327 **Écrivez en lettres les nombres donnés en chiffres.**
Je fais les (100) pas dans le jardin. — L'araignée empoignait de ses (8) pattes
le bord de la tasse et buvait jusqu'à satiété. (Colette). — Le chat se roulait alors
avec des tortillements de serpent, les (4) pattes en l'air. (P. Loti). — Les (9) coups
de l'angélus tintèrent dans le clocher. (A. Theuriet). — Pendant (20) minutes, nos
(12) chameaux ont aspiré le liquide. (Frison-Roche). — L'Annapurna est le premier gravi des (14) sommets qui dépassent (8 000) mètres. (L. Devies)

328 **Écrivez en lettres les nombres donnés en chiffres.**

Ali Baba a découvert le secret de la caverne des (40) voleurs. — L'haltérophile soulève sans aucun effort apparent une barre de (70) kilos. — Après une heure de discussion, M. Carbonneau obtient une réduction de (85) francs sur ses achats. — Gaudissart s'embarque pour aller pêcher (600 000) francs, en des mers glacées, au pays des Iroquois. (Balzac) — Le lendemain, c'est un convoi de (80) voiles qui apparaît. (R. Vercel) — Le notaire posa ses besicles. « J'ai fait le compte, dit-il, ça peut aller bon an, mal an, dans les (350) pistoles, je dis, se reprit-il, dans les (3 500) francs. » (A. Cahuet) — Saint-Exupéry entreprit de joindre Rio Gallegos à Punta Arenas… (300) kilomètres séparaient les deux villes. (R. Delange)

329 **Écrivez les mots entre parenthèses comme il convient.**

Malgré les (mille) bruits de la rue, Odin savoure le plaisir de se plonger au sein de cette ruche active. — Il y a quelques années, la sidérurgie lorraine a licencié des (millier) de travailleurs ; la région en a beaucoup souffert. — Dix jours plus tard, c'est un trois-mâts sortant de Calcutta avec six (mille) balles de riz que Surcouf enlève. (R. Vercel) — Des mouches luisantes par (milliard) de (million) font des arabesques. (Michelet) — La pluie crible l'étang de ses (millier) de piqûres. (E. Herriot) — La radio ronronne. C'est le poste de Las Piedras qui émet dans un rayon de trois cents (mille). (G. Arnaud) — Le premier soir, je me suis endormi à (mille mille) de toute terre habitée. (A. de Saint-Exupéry)

330 **Écrivez les dates en lettres.**

Création de l'Académie française par Richelieu en 1635. — Victoire de Valmy et proclamation de la Iʳᵉ République en 1792. — Naissance de Victor Hugo en 1802. — Découverte du vaccin contre la rage par Pasteur en 1885. — Un homme, Neil Armstrong, foule pour la première fois le sol lunaire en 1969.

331 **Écrivez en lettres les nombres donnés en chiffres.**

Cette rue a 80 numéros. — J'habite au numéro 80. — Cet arbre est âgé de 500 ans. — En l'an 500, les Mérovingiens régnaient sur notre pays. — La ligne TGV reliant Paris à Marseille est longue de 800 kilomètres. — Un accident s'est produit au kilomètre 800. — Vous trouverez les tableaux de conjugaison des verbes particuliers aux pages 248 à 259.

332 **Accordez, s'il y a lieu, les mots entre parenthèses.**

les (premier) bourgeons — les (première), les (deuxième), les (troisième) classes — des (second) rôles — les (second) places — deux (dixième) de millimètre de différence — les trois (quart) du litre.

333 Vocabulaire à retenir

dix — onze — douze — treize — quatorze — quinze — seize — vingt — trente — quarante — cinquante — soixante — cent — mille

334 Écrivez au pluriel.

un style concis	un tapis moelleux	un geste amical
un feu joyeux	un homme loyal	un air résolu
un vêtement bleu	un coup fatal	un accord final
un escabeau bancal	un prince hindou	un pays natal

335 Accordez les adjectifs et participes passés entre parenthèses.

La navigation (fluvial) n'est pas possible sur cette rivière. — Cette (vieil) armoire appartenait à l'arrière-grand-père de Clément ; elle a de la valeur. — La Castafiore chante les notes les plus (aigu) que l'on puisse imaginer, au grand dam du capitaine Haddock. — Les châteaux (féodal) étaient entourés de profonds fossés ou situés au sommet de pitons (escarpé). — La chambre mortuaire est tendue de rideaux (noir). — Michel porte des lunettes (noir). — Tu nous as fait une peur (bleu) en voulant escalader la falaise à mains (nu). — Des feuilles (mort, recroquevillé, brûlé) par les (dernier) coups de soleil, glissaient sur le sol (pareil) à des oiseaux (blessé). (É. MOSELLY)

336 Accordez les participes passés entre parenthèses.

Quelques rayons, (venu) de très loin, jettent encore une poussière d'or sur les arêtes (glacé). (G. GIGNOUX) — Les visages étaient (mouillé) de sueur comme s'il avait plu. (G. ARNAUD) — Les pains (saupoudré) de farine reposaient, chacun dans sa corbeille ronde. (A. THEURIET) — Les écorces des peupliers luisent, (amolli) par la montée de la sève. (E. POUVILLON) — La terre (surchauffé, crevassé) ressemble à un immense carrelage de cuisine. (FRISON-ROCHE) — Ce soir-là, les cadeaux des deux familles, (enveloppé, ficelé, étiqueté), étaient (réuni) sur les tables. (P. LOTI) — Les oies sauvages passaient toujours, les pattes (collé) au ventre, (soutenu) par le vent. (H. DE MONTHERLANT)

337 Accordez les adjectifs et participes passés entre parenthèses.

Les chalets qu'on pensait (abandonné) sont en fait (occupé) par des bûcherons. — La tuberculose que les médecins croyaient (vaincu) continue malheureusement à faire des ravages dans les pays pauvres. — (Nerveux, irrésolu), les flammes voltigent à la surface de la houille. (G. DUHAMEL) — Le hêtre rit, le sapin pleure. Parfois on les trouve (mêlé). (MICHELET)

338 Complétez avec la terminaison de l'infinitif ou celle du participe passé.

Rome se perpétuait dans la moindre petite ville où les magistrats s'efforcent de vérifi... les poids des marchands, de nettoy... et d'éclair... les rues, de s'oppos... au désordre, à l'incurie, à la peur, à l'injustice, de réinterprét... raisonnablement les lois. (M. YOURCENAR) — Il allait être midi, l'heure où les oiseaux épuis... de fatigue et accabl... de chaleur aiment à folâtr... au bord de l'eau. (F. FABRE) — Un informaticien, c'est une personne qui fait march... des ordinateurs et des ordinateurs ce sont des machines très compliqu... qui font vite et bien des choses très ennuyeuses. (F. CLÉMENT)

339 Complétez par le participe passé épithète en -i ou par le verbe en -it. Justifiez la terminaison du verbe conjugué en écrivant l'imparfait entre parenthèses.

Le soleil brille dans le ciel éclairc… . — Ce détail éclairc… l'énoncé du problème. — Le dahlia flétr… a perdu ses belles couleurs. — Le gel flétr… les dernières fleurs. — Le jardin rafraîch… par la pluie rev… . — La brise rafraîch… l'atmosphère. — L'automobiliste, éblou… par les phares, perd le contrôle de son véhicule. — Le savant éblou… l'assistance par l'étendue de ses connaissances. — L'élève étourd… n'a pas fait l'exercice demandé : il en a fait un autre. — Peu à peu, nous nous habituons au grand air qui nous étourd… . — Les ombres glissent sur les flancs noirc… de sapins. (Lamartine) — Quand le vieux cerf entrouvrait les yeux, son regard encore endorm… retrouvait la sérénité du sous-bois. (M. Genevoix) — Un tourbillon de vapeur blanche envah… le hangar noir. (É. Zola)

340 Complétez par le participe passé épithète en -i ou par le verbe en -it.

Le lion a dévoré la jeune gazelle, il s'endort, assouv… . — M. Hurel prépare une pintade farc… ; la famille devrait se régaler. — Les prospecteurs sont satisfaits ; le pétrole jaill… à flots. — L'homme sent une piqûre dans le globe des yeux, un poids alourd… son cerveau. (E. Peisson) — Tout son être v… en son regard agrand…, aussi mobile que la balle. Autour de lui une admiration anxieuse grand… . (J. de Pesquidoux) — Le village indien enfou… dans la forêt vierge, dans l'ombre humide, sent la vase et le musc. (B. Cendrars)

341 Accordez les adjectifs et participes passés entre parenthèses.

(Suivi) d'une kyrielle d'enfants (avide) d'obtenir des casquettes et des sacs de sport, la caravane publicitaire se fraie difficilement un chemin sur la route du col de l'Aubisque. — (Effrayé) par la foule, la petite fille serrait fortement la main de sa mère. — (Seul) quelques candidats ont su répondre à la question. — Atala était couchée sur un gazon ; ses pieds, sa tête, ses épaules étaient (découvert). (Chateaubriand) — Le bonheur (pressenti, effleuré) et jamais complètement (accompli), n'est-ce pas justement ça le meilleur du bonheur ? (F. Cavanna) — Il appelait les poètes de la Renaissance à son aide pour faire sentir à ses hôtes la grâce et la douceur (angevin). (P. Audiat) — C'était une foule, une cohue d'hommes et de bêtes (mélangé). (Maupassant)

342 Accordez les adjectifs et participes passés entre parenthèses.

(Chargé) de tous les bruits de la plus grande ville de Chine, des ondes (grondant) se perdaient là comme, au fond d'un puits, des sons (venu) des profondeurs de la terre. (A. Malraux) — (Dépouillé) de leur écorce, les tiges semblaient très blanches. (É. Moselly) — Je crois que nous sommes ici quelques-uns qui goûterions les vers (dit) par vous. (A. Gide) — (Couché) dans un refuge au milieu des neiges, (empilé) avec d'autres touristes, nous n'avons pas fermé l'œil de la nuit. (A. Gide)

Révision

343 Écrivez les mots entre parenthèses comme il convient.

L'eau était (bleu), calme, pas un souffle de vent : il n'y avait aucun risque de bourrasque. — Les drapeaux à parements (vert et or) s'agitent au passage du cortège présidentiel. — La figure (cramoisi), M. Delafaye se laisse aller à sa colère. — À l'entrée de la cour se dressait un pigeonnier de briques (rose). (P. Gamarra) — Des frissons faisaient trembler les grappes (mauve) des glycines. (F. Carco) — Ses yeux (bleu très pâle) faisaient penser aux eaux incolores des étangs gelés en hiver. (R. Vincent) — Le canard avait la tête et le col (bleu), le jabot couleur de (rouille) et les ailes rayées (bleu et blanc). (M. Aymé) — Les hautes cheminées dominent les toits (orange) et les toits (bleu ardoise). (A. Maurois) — La casquette de drap (noir), toute garnie de gros galons (grenat), cachaient les jolies boucles de ses cheveux (blond). (A. France)

344 S'il y a lieu, accordez les mots entre parenthèses.

D'(imposant) poids lourds stationnent à l'entrée de l'autoroute. — L'expérimentation a donné des résultats (satisfaisant), on va pouvoir commercialiser le vaccin. — En (sortant) du supermarché, les clients cherchent leur voiture dans l'immense parking. — À part les dessins animés, les films (intéressant) les jeunes enfants sont peu nombreux. — Les disques des Ombres (enregistrant) un succès considérable, leur imprésario décide de programmer une tournée mondiale. — Un grand coq aux plumes (flambant) les suivait. (É. Zola) — Les ors, les émaux, les pierres fines (tintant) à chacun de ses mouvements lui faisaient une cuirasse (éclatant) et sonore. (R. Burnand) — L'appareil était happé par des courants (descendant). (R. Delange) — Parfois sur les aciers (tranchant) un coquelicot reste attaché. (E. Morel)

345 Accordez les adjectifs et participes passés entre parenthèses.

À l'approche des fêtes de fin d'année, les rues (piétonne) sont (envahi) par des milliers de personnes (venu) faire leurs achats. — Les ouvriers (spécialisé) dans le nettoyage des façades d'immeubles essuient les baies (vitré) de la tour Horizon. — Les accords (commercial) (franco-roumain) ne sont pas (respecté) ; les douaniers taxent toujours les marchandises (importé). — Les restaurateurs font (gris) mine ; craignant le mauvais temps, les touristes quittent la région et les terrasses des cafés restent (désert). — (Distribué) gratuitement, les journaux de petites annonces proposent parfois des affaires (intéressant).

346 Écrivez les nombres en lettres.

(4 300) mètres : Bernis est seul. Il regarde ce monde cannelé à la façon d'une Europe d'atlas. (A. de Saint-Exupéry) — Sur les (5) prochaines bornes, la piste est complètement défoncée. (G. Arnaud) — Sur les (5) heures, nos (4) poules revinrent des terres. (E. Le Roy) — L'abeille fait (24) km à l'heure. Dans le même temps, la mésange en fait (33), le requin (42), la girafe (51), le zèbre (74), le cygne (88), l'antilope (96), le guépard (112), l'hirondelle (126), l'aigle (193), le faucon (322), le martinet (350). Le record est détenu par la frégate qui fait (417) km à l'heure. (D'après F. Lane)

.

Grammaire 105

L'adverbe

RÈGLE

L'adverbe est toujours invariable :

> *Ils se déplacèrent furtivement.*
> *Ils revinrent de la fête tous ensemble.*

Remarques

1. Beaucoup d'adverbes ont la terminaison -**ment**.
Il ne faut pas les confondre avec les noms en -*ment*, variables :

> *Les hurlements du chien déchiraient tristement la nuit.*

2. L'adjectif qualificatif peut être pris adverbialement ;
dans ce cas, il est invariable :

> *Les consommateurs parlaient fort ; on n'entendait pas le guitariste.*
> fort : emploi adverbial, donc invariable.

> *Les petites lionnes sont assez fortes pour chasser seules.*
> fortes : adjectif, donc variable.

3. *Ensemble, debout, pêle-mêle* sont invariables :

> *Les spectateurs sont debout et applaudissent les vainqueurs.*
> *Les petites madeleines s'échappaient pêle-mêle de la boîte métallique.*

4. L'adverbe terminé par le son [amɑ̃] formé avec l'adjectif s'écrit
• -**emment** si l'adjectif est en -*ent* :

> *décent* → *décemment.*

• -**amment** si l'adjectif est en -*ant* :

> *vaillant* → *vaillamment.*

5. Certains adverbes en -**ument** prennent un accent circonflexe sur le **u**,
d'autres n'en prennent pas :

• *assidûment, continûment, crûment, drûment, dûment, goulûment, indûment, sûrement ;*
• *absolument, éperdument, ingénument, résolument.*

6. On écrit *gaiement* ou *gaîment* (plus rare aujourd'hui).
• *vraiment* n'a qu'une orthographe.

EXERCICES

347 **Écrivez les adverbes formés à partir de ces adjectifs.**

élégant	prudent	violent	récent	bruyant
incessant	conscient	apparent	différent	constant

348 **Écrivez les noms en** -ment **formés à partir de ces verbes.**

rugir	ralentir	scintiller	mouvoir	camper	délasser
glisser	amuser	régler	rallier	orner	enlacer

349 **S'il y a lieu, accordez les mots entre parenthèses.**

Philippe et Xavier prirent peur ; des (craquement) sinistres leur parvinrent de la pièce voisine ; ils allumèrent (immédiatement) leur torche. — Des (ajustement) seront nécessaires pour que les différentes pièces de cette machine s'emboîtent (exactement). — Un vrombissement métallique, strié de (crissement) d'élytres, couvrit le murmure fiévreux du désert. (Frison-Roche) — Le spectacle des vitrines les avait (puissamment) intéressés. (P. Gamarra) — Ses cheveux (sauvagement) crépus se hérissaient sur sa tête. (Th. Gautier) — Ses yeux étaient protégés par des sourcils (pesamment) abaissés sur la paupière. (A. de Vigny) — Les nuages s'étaient (tellement) épaissis qu'il faisait presque nuit. (H. Malot)

350 **S'il y a lieu, accordez les mots entre parenthèses.**

L'appariteur s'essuya les pieds sur un invisible paillasson, se dandina sur place après avoir remonté son pantalon dans un (déhanchement) comique, et après nous avoir gratifiés d'un regard plein de mépris, il se dirigea (hardiment), du pas d'un paysan au tribunal, vers le bureau du professeur d'histoire. (G. Laurendon) — Tous filaient le long de la pente, tantôt (debout), tantôt (plié), tantôt (accroupi). (L. Pergaud) — Notre passé flottait (amicalement) dans les rues (alentour). (F. Groult) — Nous descendions (ensemble), dans la salle à manger où je trouvais toute la famille réunie. (P. Loti) — Une ligne de peupliers (debout) au bord d'un champ ressemble à une bande de frères. (H. Taine) — Les insectes s'élançaient (ensemble) comme pour éprouver leurs ailes. (Chateaubriand) — Le paysage de mes jours semble se composer, comme les régions de montagne, de matériaux divers entassés (pêle-mêle). (M. Yourcenar)

351 **S'il y a lieu, accordez les mots entre parenthèses ; indiquez leur nature.**

Les résultats sont (juste) ; tu peux recopier le problème. — Les musiciens jouent (juste) ; les mélomanes sont enchantés. — Nathalie préfère les vêtements (court). — Les vendeurs tiennent (bon) ; ils ne baisseront pas leurs prix. — Les ordinateurs sont bien moins (cher) depuis quelques années. — Les murs sont trop (haut) et les échafaudages trop (petit) ; jamais on ne pourra peindre au-dessus des fenêtres. — La pluie rend les objets plus (net) dans l'atmosphère plus (limpide). (P. Neveux) — Peut-être vaudrait-il mieux qu'il s'attache désormais à oublier tout (net) ses jeunes années. (P.-J. Hélias) — Nous ne sommes pas aussi (bon) que nous devrions l'être. (G. Sand) — Ses cheveux frisaient (court) comme des toisons de moutons noirs. (A. Cahuet) — Ses yeux décolorés étaient enfoncés (profond) sous les arcades sourcilières. (G. Arnaud) — Les bonnes bêtes allaient (droit) et bien sagement. (R. Bazin)

352 Vocabulaire à retenir

immédiatement — exactement — violemment — différemment simplement — puissamment — constamment — couramment apparemment — prudemment

tout

RÈGLE

tout peut être adjectif, pronom, adverbe ou nom.

1. tout est **adjectif** quand il se rapporte à un nom ou à un pronom.
Il varie en genre et en nombre.

• **tout** a la valeur d'un **adjectif qualificatif**
– quand, au singulier, il a le sens de « entier » ou de « seul » :
  toute la classe ; à toute vitesse ; tout ceci.
  Pour tout ami, Bernali a son chien.

• **tout** est **adjectif indéfini**
– quand, au singulier, il a le sens de « chaque » ou de « n'importe quel » :
  à toute heure, à tout instant, en toute occasion.
– quand il se rapporte à un nom ou à un pronom au pluriel :
  toutes les villes ; à toutes jambes ; tous ceux qui travaillent.

Remarque :
On écrit : *de tout côté* ou *de tous côtés ; en tout sens* ou *en tous sens.*

2. tout est **pronom indéfini** quand il remplace un nom.
Il est alors sujet ou complément :
  Au printemps, tout renaît.
  Les candidates qui se sont présentées ont toutes été admises.
Remarque : au singulier, *tout* pronom est employé seulement au masculin ;
au pluriel, il est employé au masculin ou au féminin.

3. tout est **adverbe**, le plus souvent invariable, quand il est placé
devant un adjectif qualificatif ou un autre adverbe :
  Les enfants ont des vêtements tout neufs (tout = tout à fait).
  La voiture roule tout doucement.
  Les élèves doivent réviser la leçon tout entière.
Remarque : devant un adjectif qualificatif féminin commençant par
une consonne ou par un **h** aspiré, *tout* s'accorde par euphonie :
  La poule toute blanche a les plumes toutes hérissées.

• **tout** est aussi adverbe dans *un pull tout laine ; être tout en larmes…*

4. tout est un **nom** quand il est employé seul et précédé d'un déterminant.
Il ne s'emploie qu'au masculin :
  Prenez le tout.   Des touts harmonieux.

5. tout devant l'adjectif *autre*
• est **adjectif** s'il se rapporte au nom (sens de « n'importe quel ») :
  À toute autre ville, je préfère Paris.   (= à n'importe quelle ville).
• est **adverbe** s'il modifie *autre* (sens de « tout à fait ») :
  Il nous a fait de tout autres propositions.   (tout à fait autres).

EXERCICES

353 Écrivez correctement tout **dans ces expressions.**

(tout) les numéros (tout) mon travail (tout) nos ennuis
(tout) leurs stylos (tout) les abeilles (tout) mes disquettes
(tout) ces billets (tout) ses livres (tout) votre amitié
(tout) leurs papiers (tout) cet attirail (tout) leurs bijoux

354 Écrivez correctement tout **(au sens de « tout à fait »).**

des villas (tout) neuves des pétales (tout) roses
des rues (tout) encombrées des régions (tout) industrialisées
des doigts (tout) gonflés des assiettes (tout) ébréchées
des piquets (tout) droits des yeux (tout) rieurs
des arbres (tout) dépouillés des joueuses (tout) harassées
des routes (tout) poudreuses des herbes (tout) humides
des filles (tout) heureuses des paroles (tout) hésitantes

355 Accordez tout **s'il y a lieu et indiquez la nature de ce mot dans chacune des phrases.**

Il préfère l'été à (tout) autre saison. — M. Gardette préfère le jeu de dames à (tout) autre jeu. — De (tout) les travaux que mon père exécutait dans l'atelier, il n'y en avait point qui me passionnât davantage que celui de l'or. (C. LAYE) — La main était engagée jusqu'au poignet dans le moule fermé […] la main (tout) entière venait d'être broyée. (R. VAILLAND) — Il fallait traîner avec soi des cahiers, des livres, mes journées de plein air en étaient (tout) assombries. (P. LOTI) — Les chameaux étaient superbes, il y en avait de (tout) tailles, de (tout) âges, de (tout) races. (FRISON-ROCHE)

356 Accordez tout **s'il y a lieu.**

Je préfère un concert des Abeilles à (tout) autre spectacle musical. — Les résultats sont (tout) à fait conformes aux prévisions ; les objectifs de production seront (tout) atteints. — Les ordinateurs sont (tout) neufs ; il suffit d'effectuer les branchements pour que (tout) fonctionne. — Lorsque l'omelette qu'on me faisait fut en état de m'être servie, je m'assis (tout) seul à une table. (LESAGE) — (Tout) les arbres ont perdu (tout) leurs feuilles. (J. RENARD) — Les gens ne semblaient guère s'intéresser aux récits du soldat. Leurs préoccupations étaient (tout) autres. (J. PEYRÉ) — (Tout) les embruns, (tout) les rafales venaient rebondir sur la colline. (L.-F. CÉLINE) — J'ouvrais mes narines (tout) grandes. La forêt était (tout) embaumée d'une odeur de vanille. (A. THEURIET) — (Tout) les routes conduisant vers les contrées de soleil s'animaient. (B. CLAVEL)

357 Vocabulaire à retenir

le stylo — le métro — la photo — le cacao — le lasso — la vidéo
l'attirail, attirer — l'attroupement — attendrir — attendre — attentif

même

RÈGLE

même peut être adjectif, adverbe ou pronom.

1. même est **adjectif** variable, quand il se rapporte à un nom
(dans ce cas il a le plus souvent le sens de « pareil, semblable »)
ou à un pronom dans les expressions comme *nous-mêmes, ceux-là mêmes* :
> *Ils ont les mêmes goûts.*
> *Nous pousserons ces caddies nous-mêmes.*

2. même est **adverbe**, invariable, quand il modifie un verbe, un adjectif
ou quand il est placé devant le nom précédé de l'article :
> *Les vrais collectionneurs achètent même les tableaux de peintres inconnus.*
> *Les magasins, même les plus fréquentés, sont fermés.*
> *Même les invités durent faire la queue pour entrer.*

3. même est **pronom**, quand il est précédé de l'article
et quand il remplace un nom :
> *Cette robe me plaît, j'achèterai la même.*
> *Ces versions sont intéressantes, procurez-vous les mêmes.*

Remarques

1. *nous-même(s)* et *vous-même(s)* s'écrivent avec ou sans s, selon que
ces expressions désignent une personne ou plusieurs personnes :
> *Le roi Louis XIV disait, en parlant de lui : « Nous étudierons cette affaire nous-même. »*
> *Marie et moi avons fait nous-mêmes toutes les démarches.*
> *Monsieur, avez-vous, vous-même, vérifié ce travail ?*
> *Mes enfants, vous chercherez vous-mêmes une solution.*

2. même placé après un ou plusieurs noms est adverbe ou adjectif
selon le sens que l'on veut lui donner :
> *Les enfants même chantaient.* (= les enfants aussi)
> *Les enfants mêmes chantaient.* (= les enfants eux-mêmes)

EXERCICES

358 **Accordez** même.

Nous avons feuilleté les (même) livres. — Nous conservions (même) les livres
en mauvais état. — (Même) les livres d'enfants nous captivaient. — Les livres,
(même) usagés, furent vendus. — Les livres (même) nous parlaient de notre
enfance. — Nous avons vu les (même) contrées. — (Même) les contrées
polaires ont des habitants. — Les contrées, (même) les plus reculées, ont été
explorées. — Des explorateurs séjournent (même) dans les régions polaires. —
Ses gestes (même) sont paralysés par une incompréhensible lenteur. (G. ARNAUD)

359 Complétez à votre gré en écrivant même comme il convient.

les (même) maisons…   les (même) conseils…   les (même) paroles…
(même) les maisons…   (même) les conseils…   (même) les paroles…
les (même) instruments…   les (même) ruses…   les (même) voyages…
(même) les instruments…   (même) les ruses…   (même) voyager…

360 Accordez même. Donnez deux orthographes, s'il y a lieu.

Nous avons ramassé les (même) coquillages. — (Même) les coquillages nous intéressaient. — Les coquillages (même) nous intéressaient. — Nous ramassions
les coquillages (même) cassés. — Nous ramassions (même) les coquillages.

361 Accordez même, s'il y a lieu.

Dans son regard, je retrouve toute l'expression de la bonté, (même) ses yeux
respirent la bienveillance. — Désormais les praires et les coques sont introuvables, (même) sur les littoraux les moins fréquentés. — Certains disent que la
publicité se nourrit d'elle-(même). — Tous les moteurs d'automobiles polluent,
(même) les mieux réglés. — Avec ce nouveau logiciel pour le dessin, ils pour-
ront exécuter eux-(même) sur l'ordinateur·les travaux les plus compliqués. —
En Alsace, (même) les plus petits·balcons sont fleuris tout au long de l'année.
— Avec les (même) lettres on peut écrire deux mots totalement différents : ce
sont des anagrammes. — J'entends·que l'ensemble des élèves montrent au
maître le (même) visage sévère et uniforme qu'un jeu de dominos. (J. Giraudoux)
— Les oiseaux semblent toujours les (même), ils répètent les (même) appels
familiers. (A. Theuriet) — Tous les changements, (même) les plus souhaités, ont
leur mélancolie. (A. France)

362 Accordez même, s'il y a lieu.

Tous les problèmes, (même) les plus difficiles, peuvent trouver une solution. —
Il faudrait que tous les véhicules automobiles soient équipés de systèmes à
(même) d'éviter la plupart des accidents. — Comment des comédiens, (même)
habiles, auraient-ils pu sauver ce scénario tout en bouts de ficelle ? (F. Pascaud)
— En (même) temps que mes petites jambes, mon esprit s'était éveillé. (P. Loti)
— Toute la population est transformée en ouvriers. Les jeunes élégantes contri-
buent elles-(même) au travail. (Thiers) — Depuis des millénaires, les indigènes
usent des (même) outils, accomplissent les (même) gestes, agitent les (même)
pensées. (M. Herzog) — Les chiens tournent sur eux-(même) comme des fous. (A.
Daudet) — Enfants, c'est en vous-(même) que se trouvent les obstacles que vous
devez surmonter. (Jouffroy)

363 Vocabulaire à retenir

la paralysie — l'asphyxie — le labyrinthe — une nymphe — la symétrie
le cyclone — l'odyssée — l'hypocrisie — la hyène
le véhicule — la silhouette — le brouhaha — appréhender — exhiber
véhément — le souhait — le menhir — l'inhalation

chaque, chacun, maint, nul, tel, tel quel

RÈGLE

1. chaque est un adjectif indéfini qui marque toujours le singulier ;
chacun est un pronom indéfini qui peut se mettre au féminin :

> *Chaque appareil vaut deux cents francs.*
> *Ces réalisations valent deux cents francs chacune.*

2. maint est un adjectif indéfini. Il se met le plus souvent au pluriel,
mais on le trouve également au singulier :

> *maint appareil, maints objets ; maintes fois* (toujours pluriel).

3. nul et **tel** se rapportant à un nom sont adjectifs.
Ils varient en genre et en nombre.

• **nul** est adjectif qualificatif au sens de « sans valeur » :
> *un résultat nul, une somme nulle.*

• **tel** est adjectif qualificatif au sens de « pareil, semblable, si grand... » :
> *De tels savants honorent la patrie.*
> *Il poussa un tel cri qu'il nous fit sursauter.*

• **nul** et **tel** sont adjectifs indéfinis dans les autres cas :
> *On n'entendait nul bruit.*
> *Vous partirez à telle heure.*

4. nul et **tel** sont pronoms indéfinis quand ils sont sujets ou compléments.
Ils s'emploient au singulier :

> *Nul ne peut se vanter de se passer des hommes.* (SULLY-PRUDHOMME)
> *Tel qui rit vendredi, dimanche pleurera.* (RACINE)

5. L'expression **tel quel** s'accorde avec le nom auquel elle se rapporte :
> *Je laisserai l'appartement tel quel, la maison telle quelle.*

Remarque : il ne faut pas confondre **tel quel** avec *tel qu'elle*
que l'on peut remplacer par *tel qu'il* ou *tel que lui* :
> *Elle laissa l'appartement tel qu'elle l'avait trouvé. (tel qu'il l'avait trouvé.)*

EXERCICES

364 **Complétez par** chaque **ou** chacun ; **indiquez leur nature
entre parenthèses.**

Une lumière brille dans ... maison. — Le professeur signalait les erreurs de ...
— Des fleurs égayaient ... fenêtre. — Ces albums valent cent francs ... . — Ces
robes coûtent mille francs ... . — Nous allions ... de notre côté. — ... décorait
l'arbre de Noël. — Une place pour ... chose et ... chose à sa place. — À ...
jour suffit sa peine, disait-on autrefois.

365 **Écrivez correctement les mots entre parenthèses.**

De chaque (tribune), de chaque (rangée) de fauteuils, des cris d'encouragement s'élevaient pour soutenir l'équipe de France. — En chaque (circonstance), il faut garder son sang-froid ; chacun vous en (savoir) gré. — La poussière des routes était devenue trop légère et chaque (souffle) la soulevait (A GIDE).

366 **Écrivez correctement les mots entre parenthèses.**

(tel) père	(tel) lois	les réponses (nul)	(maint) villes
(tel) livres	(nul) appel	les efforts (nul)	(maint) occasion
(tel) ardeur	(nul) envie	(maint) fois	(maint) quartiers

367 **Accordez** tel quel **dans ces expressions.**

une maison trouvée (tel quel)   des appartements loués (tel quel)
des jardins laissés (tel quel)   des robes achetées (tel quel)
un bâtiment vendu (tel quel)   des salles occupées (tel quel)

368 **Écrivez correctement les mots entre parenthèses. Analysez-les.**

(Maint) démarches administratives s'avérèrent au bout du compte inutiles, faute d'avoir rempli avec (maint) précisions les formulaires ad hoc. — Papa pouvait rester de longs mois sans colère, (tel) ces virtuoses qui demeurent toute une saison sans toucher à leur instrument. (Tel) une bulle de savon, la colère s'évanouissait soudain. (G. DUHAMEL) — (Tel) furent les premières paroles qu'il nous adressa. (J. GIRARDIN) — Et les vignes, et les bois, et les sentiers de montagnes, comment se lasser d'un (tel) pays ? (P. LOTI) — (Tel) est pris qui croyait prendre. (LA FONTAINE) — Les enfants entamèrent une (tel) bataille de boules de neige que Raoul dut élever la voix pour ramener le calme. (B. CLAVEL) — Je découvre entre elle et moi (maint) traits de ressemblance. (A. GIDE)

369 **Écrivez correctement les mots entre parenthèses. Analysez-les.**

(Tel quel) ces lignes de pêche, mal montées, ne vous permettront pas de prendre un seul poisson. — À Pompéi, beaucoup de villas sont restées (tel quel) ; l'éruption du Vésuve les a figées dans sa gangue de cendres. — Je la retrouve (tel qu'elle) a toujours été. — Les bulletins déchirés ou annotés seront comptés (nul). — (Nul) voix discordante ne s'éleva au sein de l'Assemblée nationale ; tous les députés étaient d'accord avec ce projet de loi. — (Tel quel), cette œuvre apparaît comme celle d'un artiste sincère. — Les objets indifférents sont (nul) à mes yeux. (J.-J. ROUSSEAU) — Insignifiantes histoires. (Tel qu'elle) sont, elles composent cependant pour moi l'image vague d'une enfantine grandeur. (J. GUÉHENNO) — (Nul) n'est prophète en son pays. (Proverbe) — Il n'y avait du reste pas un seul promeneur (nul part). (P. LOTI)

370 **Vocabulaire à retenir**

nul, nulle part, nullement, la nullité, annuler, l'annulation
l'occasion, occasionner — l'occupation, occuper — l'accident, accidenté

71ᵉ leçon

nu, demi, mi, semi

RÈGLE

1. nu et **demi** (adjectifs)
• placés devant le nom sont invariables et s'y joignent par un trait d'union ;
• placés après le nom, s'accordent avec celui-ci (*nu* en genre et en nombre ; *demi*, en genre seulement) :

    nu-pied s   *des demi-heure s, des demi-litre s*
    les pied s nu s   *deux heure s et demi e, deux litre s et demi.*

2. mi et **semi** sont toujours invariables et suivis d'un trait d'union :
    à mi-hauteur, des visite s semi-officielle s.

Remarques :

1. *à nu* et *à demi* sont adverbes, invariables.
On ne met pas de trait d'union après *à demi* placé devant un adjectif :
    la porte à demi fermé e (la porte fermée à demi).
    une épaule à nu.

2. *nu* et *demi* peuvent être employés comme noms :
    Cet artiste peint de beaux nu s.
    L'horloge sonne les demi es.
    Ils ont bu deux demi s.

EXERCICES

371 **Accordez les mots entre parenthèses et placez les traits d'union, s'il y a lieu.**

Des jeunes gens, (demi nu), le torse avantageux, n'hésitaient pas à plonger du haut de la petite falaise sous le regard admiratif des touristes. — La statue, (à demi voilé), laisse deviner ce qu'elle représente : un magnifique torse de femme. — Le volant traça, aux mains du conducteur, deux (demi cercle) précipités. (G. ARNAUD) — À quatre heures (et demi) nous partions directement pour les champs. (P. LOTI) — Il a bien su ce qu'il faisait en se blottissant à (mi côte), mon village. (J. RENARD) — Elle s'était levée (nu jambe) et (nu pied). (MAUPASSANT) — J'avais douze ans (et demi) et j'entrais en troisième. (P. LOTI) — Sur le sable on voyait des traces de pieds (nu). (H. BOSCO) — Ce lambeau laissait voir presque à (nu) une épaule hâlée. (TH. GAUTIER) — La vieille horloge pousse lentement ses aiguilles vers les heures et les (demi). (J. CRESSOT)

---

372 Vocabulaire à retenir

le torse, l'entorse — la course — la bourse — l'inverse — l'adversaire
l'aiguille, l'aiguillage — aigu, aiguiser, l'aiguiseur

Les pronoms relatifs en -el, -elle, -els, -elles

RÈGLE

Pour écrire correctement un pronom relatif en **-el** (*auquel, duquel, lequel*...), il faut rechercher avec soin son antécédent :

> *les collaborateurs sur lesquels nous comptons.*
> les collaborateurs   (masc. plur.)   → *lesquels*
>
> *la situation à laquelle vous faites allusion.*
> la situation   (fém. sing.)   → *laquelle*

EXERCICES

373 Complétez par le pronom relatif en -el qui convient.

On peut avancer que le désir de possession d'une moto est une réponse spécifique et actuelle de la société ultra-mécanisée dans ... nous vivons. (R. LIBERMANN) — Mais le plus navrant de tout, c'était d'entendre des appels anxieux, tristes, disséminés ... rien ne répondait. (A. DAUDET) — La bise sifflait à travers les ruines ... la lune prêtait la physionomie d'un grand spectre. (BALZAC) — Les haies au pied ... abondent la fraise et la violette sont décorées d'aubépine. (CHATEAUBRIAND) — Les silhouettes des objets sur ... glisse la neige se découpent en noir. (TH. GAUTIER) — Elle mit de côté le billet de cinquante francs ... il ne fallait pas toucher. (VAN DER MEERSCH) — Il se mit à descendre le long de la colline en direction des saules au milieu ... l'homme avait plongé. (J. GIONO)

374 Complétez par le pronom relatif en -el qui convient.

Le violon avec ... joue le concertiste a été fabriqué par les Stradivarius, de célèbres luthiers italiens. — Les piquets entre ... slalome ce jeune skieur sont très flexibles et ne risquent pas de le blesser. — Il est possible que la rivière, dans ... tu te baignes, abrite une colonie d'anguilles. — L'avion ... sauteront les parachutistes décrit d'abord une large boucle au-dessus du terrain. — Les romans ... le professeur de français fait allusion devraient vous plaire. — Je crois que le terrain sur ... évolue l'équipe de France n'est pas réglementaire. — Nous ne connaissons pas la personne auprès de ... se trouvent Marjorie et Amandine. — À vous entendre, les sièges sur ... vous êtes assis ne seraient pas très confortables. — Les bouteilles d'oxygène avec ... M. Calmet voulait plonger sont vides.

375 Vocabulaire à retenir

la physique — la physionomie — la physiologie — le phylloxéra
la colline — la colle — la collection, collecter — le collège — le collier

▶ Révision

376 **Complétez par** tout, toute, tous, toutes.

... en fredonnant la dernière chanson du récital de Michel Sardou, les spectateurs quittent la salle des fêtes. — Lorsque la coiffeuse retira le casque chauf-
fant, Caroline fut ... étonnée et ne se reconnut pas avec ses cheveux frisés. —
Avant d'éteindre mon ordinateur, j'ai recopié ... les données de mon travail sur
des disquettes afin d'en assurer la sauvegarde. — Les enfants sont impatients ;
... veulent toucher le Père Noël ; peut-être ne sont-ils pas ... à fait sûrs que ce
soit le vrai ! — ... la médecine vient d'être révolutionnée avec la généralisation
de l'usage des scanographes dans les hôpitaux. — ... les accès à l'autoroute
sont bloqués ; comment les pompiers vont-ils arriver sur les lieux de l'accident ? — La lune ... penchée sur le côté, ... pâle, paraissait défaillante.
(MAUPASSANT) — La campagne ... entière apparut radieuse. (É. MOSELLY)

377 **Accordez les mots entre parenthèses ;**
placez un trait d'union, s'il y a lieu.

La grand-mère fredonne une chanson de sa jeunesse (à demi oublié). — À huit
heures du matin, nous n'étions qu'à (mi pente) ; le sommet ne serait pas atteint
avant midi. — Au commandement du colonel, la troupe effectua un (demi tour)
impressionnant de coordination. — Cette région produit des crémants (demi
sec) d'excellente réputation. — Pas besoin de longues explications, je vous ai
compris à (demi mot). — Une petite fille, (pied nu), en haillons, se crampon-
nait à moi. (P. LOTI) — L'oiseau rapace rase la plaine (nu). (J.-H. FABRE) — Des gar-
çonnets frisés et (nu tête) cherchaient leurs mères du regard. (É. ZOLA) — Elle se
frotta la joue, les paupières (à demi tombé). (J.-L. BORY) — Ces petits dont on
m'avait si longtemps parlé arrivèrent à la (mi septembre). (P. LOTI) — J'allais
ainsi, (à demi suffoqué), quand j'entendis un cri. (G. DUHAMEL) — C'est une traî-
née de verdure (à demi enfoui) dans un repli de terrain. (P. LOTI)

378 **S'il y a lieu, accordez les mots entre parenthèses.**

Ses yeux grands, bruns et très limpides, rarement regardaient (droit). (C. PLISNIER)
— Ce sont des champs de pailles jaunes, tondues (court), que dessèche et dore
le soleil. (P. LOTI) — Ces jours si (long) pour moi lui sembleront trop (court).
(RACINE) — Les hommes de la brousse (clair) avaient été avertis du passage des
lions. (R. GUILLOT) — À l'entrée du four étaient allumées des bûchettes de bouleau qui brûlaient (clair). (A. THEURIET)

379 **Complétez par le pronom relatif en** -el **qui convient.**

Les ouvrages ... vous faites allusion sont aujourd'hui introuvables. — La voiture pour ... le garagiste a commandé des pièces détachées ne sera pas livrée
avant deux semaines. — Les mâts au sommet ... flottent les drapeaux des
nations participant au tournoi de Berlin encadrent l'entrée du stade. — La barrière de péage devant ... s'étire une longue file de voitures est bloquée ; des
ouvriers tentent de la réparer. — Les vêtements avec ... vous vous êtes habillés
ne sont pas adaptés à la température sibérienne de cette matinée. — Parmi tous
ces livres, ... avez-vous finalement choisi d'acheter ?

L'infinitif

RÈGLE

1. L'infinitif est invariable :
Les vieilles pierres parlent à ceux qui savent les entendre.

2. Il ne faut pas confondre l'infinitif en -ir avec la 3ᵉ personne du pluriel du passé simple en -irent. Quand on peut mettre l'imparfait de l'indicatif à la place du mot, il faut écrire la terminaison -irent du passé simple :
On fait cuire des pommes de terre au four.
Les pommes de terre cuirent (cuisaient) lentement à feu doux.

EXERCICES

380 **Complétez les verbes par la terminaison qui convient.**
Le col franchi, on voit disparaît... la forêt d'épicéas. — Parfois les hirondelles volaient si haut que l'œil s'éblouissait à les suivr... . (A. Gide) — Les papillons se sauvaient par-dessus le mur ; je me hissais jusqu'au faîte pour les regard... fui... . (P. Loti) — Il sembla explorer tous ces visages que nous formions dans l'ombre, les mesur..., les reconnaît... . (C. Plisnier) — C'est plaisir de voir ces vieilles murailles ouvri... des yeux étonnés au milieu du lierre. (V. Cherbuliez) — Les fleurs vont éclor..., l'insecte butine. (G. Geoffroy) — Le vacarme de l'eau s'enflait jusqu'à les étourdi... . (M. Genevoix) — Des nuages passent si vite qu'on a juste le temps de les voi... et de les salue... de loin. (H. Bachelin)

381 **Complétez par** -ir(e) **ou** -irent. **Justifiez la terminaison** -irent **du verbe conjugué en écrivant l'imparfait de l'indicatif entre parenthèses.**
Les supermarchés ouvr... leurs portes à huit heures précises ; on était la veille de Noël et chacun voulait rempl... son caddie de victuailles pour le Réveillon. — Pour sort... le piano du salon, il a fallu bouger l'armoire de place. — Les jumeaux sour... à leurs parents encore sous le choc puisque cette double naissance n'était pas prévue ! — Des centaines de lapins pullulaient. Raboliot les voyait bond... par-dessus les touffes. (M. Genevoix) — La panthère étendit violemment ses pattes comme pour les dégourd... . (Balzac) — Les bourgeons des marronniers gross... en quelques jours. (R. Vincent) — Il découvrit des escargots et se mit à les recueill... dans sa casquette. (A. Lafon) — Des bêtes jaill... des buissons. Naoh reconnut qu'elles fuyaient un ennemi considérable. (J.-H. Rosny aîné)

382 Vocabulaire à retenir
le faîte — le maître — reconnaître — apparaître — renaître — connaître
pulluler — la pollution, polluer — le pollen

L'accord du verbe

RÈGLE

1. Le verbe conjugué à un temps simple s'accorde en personne et en nombre avec son sujet :

*Avec un peu de patience, les difficultés s'estomp*ent *et le problème trouv*e *une solution.*

On trouve le sujet en posant la question « Qui est-ce qui ? » :

Qui est-ce qui

s'estompe ?   *les difficultés* (3ᵉ pers. du plur.) donc *s'estomp*ent

trouve ?   *le problème* (3ᵉ pers. du sing.) donc *trouv*e.

2. Deux sujets singuliers valent un sujet pluriel :

*Le violon et le piano se complèt*ent *admirablement.*

Qui est-ce qui

se complète ? *le violon et le piano* (3ᵉ pers. du plur.) donc *se complèt*ent.

EXERCICES

383 Écrivez les verbes entre parenthèses au présent de l'indicatif.

La beauté des paysages et la douceur du climat (attirer) les touristes en Corse. — Les habitants de cet immeuble (proposer) un aménagement des parties communes. — Mme et M. Reynaud (réaliser) leur rêve : découvrir les pyramides d'Égypte. — Dès les premières gouttes de pluie, la place et le jardin public (se vider). — La forêt et la prairie (résonner) de mille chansons. (B. DE SAINT-PIERRE) — Sur la piste monotone, la chaleur (sembler) augmenter. Mais des papillons me (distraire). (F. DE CROISSET)

384 Écrivez les verbes entre parenthèses à l'imparfait de l'indicatif.

Les résultats (tarder) à être publiés ; certains candidats (se ronger) les ongles dans l'attente des décisions du jury. — L'autoroute et la nationale (contourner) la ville. — Le nom de la rue et le numéro de l'immeuble m'(échapper) complètement ; je ne me (souvenir) de rien. — Un fruit des colonies, un oiseau de làbas, un coquillage (devenir), pour moi, tout de suite, des objets presque enchantés. (P. LOTI) — La neige (tomber). Les broussailles qu'elle (couvrir) peu à peu et la ligne sombre du bois (disparaître) derrière le rideau des flocons. (L. HÉMON) — Delphine et Marinette (étudier) leur géographie dans le même livre. (M. AYMÉ)

385 Relevez les groupes sujets des verbes de l'exercice précédent.

386 Vocabulaire à retenir

la forêt — l'intérêt — l'arrêt — le genêt — l'apprêt
distraire — plaire — faire, défaire, refaire, satisfaire

L'inversion du sujet

> **RÈGLE**
>
> Le sujet se trouve parfois après le verbe, mais quelle que soit la construction de la phrase, le verbe s'accorde toujours avec son sujet :
>
> · *Que deviendront ces villes où poussent sans cesse des tours ?*

EXERCICES

387 Écrivez les verbes entre parenthèses au présent de l'indicatif.

À l'entrée du musée (s'aligner) des dizaines de visiteurs qui attendent l'ouverture des portes. — Les feuilles de soins que (traiter) les agents de la Sécurité sociale (permettre) le remboursement des frais médicaux. — Personne ne (savoir) ce que (penser) réellement ces téléspectateurs de l'émission qu'ils (regarder) aujourd'hui. — Les pierres du chemin que (broyer) les roues des chariots, les maigres buissons que (tourmenter) le vent et que (tondre) la dent avide des moutons, étaient plus heureux que lui. (É. Moselly) — Je vais vous dire ce que me (rappeler) tous les ans le ciel agité de l'automne et les feuilles qui jaunissent. (A. France)

388 Écrivez les verbes entre parenthèses à l'imparfait de l'indicatif.

Les papiers que (présenter) les escrocs (être) manifestement falsifiés. — Du fond de la salle des fêtes (s'élever) un brouhaha qui (nuire) à la compréhension du discours du maire. — Les drapeaux que (brandir) le public des supporters en délire (colorer) les tribunes du stade. — Dans l'air transparent où (passer) de grandes lueurs, une légère teinte d'émeraude (souligner) les contours des crêtes (G. Gignoux) — La scène avait plus de solennité que n'en (mériter) les funérailles d'un chat. (Th. Gautier) — J'aimais mon père d'une tendresse de plus en plus intense s'augmentant de l'admiration ébahie que m' (inspirer) son ingéniosité et son adresse. (Th. de Banville)

389 Écrivez les verbes entre parenthèses à l'imparfait de l'indicatif.

Hors des pâtés de maisons basses (surgir) tout à coup quelque gratte-ciel insolent. (H. Troyat) — Je découvris, sur un espace couvert où s' (attarder) des pans de neige, un peuple de petits crocus blancs. (A. Gide) — Le soleil (dorer, empourprer) et (allumer) les tulipes, et, tout autour (tourbillonner) les abeilles, étincelles de ces fleurs de flamme. (V. Hugo)

390 Vocabulaire à retenir

l'émission — la mission — l'omission — la pression — l'agression
le discours, le cours (de français), un recours, le parcours, le concours, le secours

Le sujet tu

RÈGLE

À tous les temps, avec le sujet **tu**, le verbe se termine par **s** :
Si tu poursuis ainsi tes efforts, tu réussiras.
Exceptions : *tu veux, tu peux, tu vaux.*

Présent	Imparfait	Passé simple	Futur simple
tu chantes	tu chantais	tu chantas	tu chanteras
tu finis	tu finissais	tu finis	tu finiras
tu entends	tu entendais	tu entendis	tu entendras

EXERCICES

391 Écrivez les verbes à la 2ᵉ personne du singulier du présent et de l'imparfait de l'indicatif.

plier bagages   cueillir du mimosa   atteindre la cible
tenir la rampe   faire le ménage   pouvoir écouter la radio

392 Écrivez les verbes entre parenthèses au futur simple.

Si son histoire est vraie, tu le (plaindre) ; dans le cas contraire, tu lui (demander) des excuses. — Ces chaises en très bon état, tu les (vendre) à un bon prix. — Lorsqu'ils t'(appeler), tu leur (répondre) immédiatement que tu (être) disponible dès demain. — Tu nous (conduire) au centre de Paris où nous (découvrir) Notre-Dame et le Pont-Neuf.

393 Écrivez les verbes entre parenthèses au présent de l'indicatif, sauf indication particulière.

Oh ! les lilas surtout, vois comme il grandissent ! Leurs fleurs que tu (baiser, imparfait) en passant, l'an dernier, tu ne les (respirer, futur simple), mai revenu, qu'en te haussant sur la pointe des pieds et tu (devoir, futur simple) lever les mains pour abaisser les grappes vers ta bouche… Et les violettes elles-mêmes, écloses par magie dans l'herbe, cette nuit, les (reconnaître)-tu ? Tu (se pencher), et comme moi tu (s'étonner) : ne sont-elles pas, ce printemps-ci, plus bleues ? Non, non, tu (se tromper), l'an dernier, je les ai vues moins obscures, d'un mauve azuré, ne (se souvenir)-tu pas ?… Tu (protester), tu (hocher) la tête… Regarde comme moi, ressusciter et grandir devant toi les printemps de ton enfance…

(Colette, *Les Vrilles de la vigne*, Hachette Littératures)

---

394 Vocabulaire à retenir

le mimosa — le dahlia — le tibia — la villa — l'agenda — le sauna
le lilas — le judas — le repas — le compas — le tracas — le gras

Le sujet on

RÈGLE

on, pronom sujet, peut être remplacé par un autre pronom de
la 3e personne du singulier (*il* ou *elle*) ou par un nom sujet (*l'homme*) :
Devant le grand feu, on oubliait le froid. (G. Droz)
J'ai des mots d'enfant ; on les retient, on me les répète. (J.-P. Sartre)

Remarques

1. L'adjectif qualificatif et le participe passé qui se rapportent à **on**
sont généralement au masculin singulier :
On est toujours plus exigeant avec les autres qu'avec soi-même !

2. Si **on** désigne d'une manière précise une femme ou plusieurs personnes,
l'adjectif qualificatif et le participe passé peuvent être au féminin
ou au pluriel :
On dort entassés dans une niche de terre battue. (P. Loti)

EXERCICES

395 **Écrivez les verbes entre parenthèses au présent
et à l'imparfait de l'indicatif selon le modèle.** *Ex.* : On (dormir)
→ On dort, il dort, l'homme dort. On dormait, il dormait, l'homme dormait
On (étudier) l'itinéraire. — On me (peser) tout habillé. — On leur (fournir)
toutes les explications. — On les (éclairer) à la bougie. — On (pâlir) à la vue du
serpent. — On lui (écrire) avec un peu de retard. — On leur (parler) calmement.

396 **Écrivez les verbes entre parenthèses au présent de l'indicatif.**
On ne (devoir) pas s'appuyer sur cette rampe, elle est trop fragile et on ne
(savoir) jamais ce qui peut arriver. — C'est devenu la mode : on (questionner)
Internet pour un oui ou pour un non. — En France, on (trouver) peu de voitures
possédant une boîte de vitesses automatique. — On ne (voir) pas la mer, on
l'(entendre) ; on la (sentir). (G. Flaubert) — La digestion faite et la sueur essuyée,
on (entrer) dans l'eau jusqu'à mi-jambes et l'on (poursuivre) sous les pierres
bleues des petits poissons qu'on n'(attraper) pas. (J. Vallès)

397 **Écrivez les verbes à la 3e personne du singulier du plus-que-
parfait de l'indicatif ; employez successivement** on, il, elle.
tomber de haut — partir sur-le-champ — arriver au but — envahir le terrain.

398 Vocabulaire à retenir
appuyer — applaudir — appeler — approuver — apprendre — appauvrir
digérer, la digestion, indigeste, digestif, l'indigestion

Le sujet qui

RÈGLE

Le pronom relatif **qui** est de la même personne que son antécédent.
Lorsque le sujet du verbe est **qui**, il faut donc chercher son antécédent :

*J'aidais mon père à réparer mon vélo : c'est moi qui lui pass*ais *les outils.*
(L'antécédent de **qui** est *moi*, 1ʳᵉ pers. du sing., donc *pass*ais).

*Nous entendions les oiseaux qui chant*aient *dès l'aube.*
(l'antécédent de **qui** est *les oiseaux*, 3ᵉ pers. du plur., donc *chant*aient).

Remarque : qui peut être également complément ; il est alors précédé d'une préposition (*à, de, pour*, etc.) :

La personne à qui est destiné ce message ne répond pas.

EXERCICES

399 Conjuguez les verbes entre parenthèses à toutes les personnes du présent de l'indicatif et du passé composé.
C'est lui qui (crier). — C'est lui qui (servir) le poisson pané. — C'est lui qui (se cacher) pour échapper aux regards indiscrets.

400 Écrivez les verbes entre parenthèses au présent de l'indicatif.
Ô malheureux amour, (répondre)-elle, c'est toi qui me (tirer) d'une douce et profonde paix, pour me précipiter dans un abîme de malheurs. (Fénelon) — Je t'adore, Soleil, Toi qui (sécher) les pleurs des moindres graminées. (E. Rostand) — Étoile qui (descendre) sur la verte colline […]. Où t'en vas-tu dans cette nuit immense ? (A. de Musset) — Viens, toi qui l'(ignorer), viens que je te dise tout bas : le parfum du bois de mon pays égale la fraise et la rose. (Colette) — Alors, maman, tu travailles pour l'humanité, toi qui (préparer) un homme. (C.-L. Philippe) — Qui (semer) le vent (récolter) la tempête. (Proverbe)

401 Écrivez les verbes entre parenthèses à l'imparfait de l'indicatif.
La caissière du supermarché (enregistrer) le montant des achats et (remettre) un ticket à chacun des clients ; rares (être) ceux qui (vérifier) leur note. — Bien souvent c'est toi qui (refermer) la porte à la sortie du cours de karaté. — C'est moi qui (représenter) l'ensemble de la classe. — Mon grand-père avait trois chats qu'il (aimer) et qui l'(aimer) aussi pas mal. (P. Arène) — À ceux qui ne (connaître) pas le perroquet, elle en (faire) la description. (G. Flaubert)

402 Vocabulaire à retenir
l'abîme — la cime — le dîner — la digue — le gîte — le gibier
le parfum, parfumer, la parfumerie, un parfumeur

Les accords particuliers

RÈGLE

1. Quand un verbe a pour sujet un pronom tel que *tout, rien, ce,* etc.,
qui reprend plusieurs noms, c'est avec ce pronom qu'il s'accorde :
> *La musique, le théâtre, le cinéma, tout lui plaît.*

2. Quand un verbe a deux sujets singuliers unis par *ou* ou par *ni,* il se met
au pluriel à moins que l'action ne puisse être attribuée qu'à un seul sujet :
> *Ni le plombier ni l'électricien ne viendront me dépanner en ce dimanche.*
> *La poêle ou la casserole suffira pour préparer ce plat.*

3. Quand un verbe a pour sujet un collectif suivi d'un complément,
il peut s'accorder, selon le sens, avec le collectif ou avec le complément :
> *Une armée de soigneurs, de mécanos se démenait autour des coureurs.*
> (on considère que les soigneurs et les mécanos forment une armée et que cette armée
> se démène)
> *Une armée de soigneurs, de mécanos se démenaient autour des coureurs.*
> (l'accent est mis sur *soigneurs* et *mécanos ; une armée* est juste employé au sens de « beaucoup »)

4. Quand les sujets d'un verbe forment une gradation,
c'est avec le dernier que le verbe s'accorde :
> *Un seul mot, un soupir, un coup d'œil nous trahit.* (VOLTAIRE)

5. Quand plusieurs sujets singuliers représentent un seul être
ou un seul objet, le verbe reste au singulier :
> *Comme chaque matin, une mince colonne lilas, une tige de lumière, debout,*
> *divise l'obscurité de la chambre.* (COLETTE)

6. Quand le sujet d'un verbe est un adverbe de quantité comme *beaucoup,*
peu, combien, assez, etc., le verbe se met au pluriel :
> *Beaucoup en ont parlé, mais peu l'ont bien connue.* (VOLTAIRE)

7. Quand le sujet comprend la locution *le peu de,* le verbe est indifféremment
au singulier ou au pluriel :
> *Le peu de cheveux qui reste grisonne allègrement.* (G. DUHAMEL)
> *Le peu de matelots qui restaient essayèrent d'implorer la pitié des révoltés.*
> (MÉRIMÉE)

Remarques

1. Une gradation est une figure de style dans laquelle les mots ou les idées
forment une progression ascendante ou descendante.
Les sujets singuliers disposés en gradation ne s'ajoutent pas,
ils se fondent dans une seule idée, l'accord se fait avec le dernier sujet :
> *Crainte, souci, même le plus léger émoi s'évaporait dans son sourire.* (A. GIDE)

2. Au contraire, plusieurs sujets singuliers ne formant pas gradation
s'ajoutent et veulent le verbe au pluriel :
> *La pluie, le vent, l'orage annoncent une journée exécrable.*

EXERCICES

403 **Écrivez les verbes entre parenthèses au présent de l'indicatif.**
Le vent, la pluie, un écho de pas (effrayer) le jeune faon. — Le grincement d'une serrure, le craquement d'un meuble, tout le (faire) sursauter. — Les difficultés et les échecs, rien ne (rebuter) le savant. — Faire de longues randonnées en montagne, vivre sous la tente, voilà qui (fortifier) — La bourrasque ou la pluie (détériorer) les récoltes. — Ma mère ou ma sœur (prendre) le volant. — Les joueurs et l'arbitre (pénétrer) sur le terrain. — Beaucoup (parler), peu (réfléchir) aux conséquences de leurs actes. — Un camion ou une voiture, je ne distingue pas très bien à cause de la brume, (s'arrêter) au péage. — La plupart des élèves de 3ᵉ (être reçu) au brevet des collèges.

404 **Écrivez les verbes entre parenthèses à l'imparfait de l'indicatif.**
Ni le blé ni la vigne ne (pousser) dans cette région. — Une bonne parole ou un sourire le (réconforter) — Ni Yannick ni Corentin n' (être) au lycée, ce jour-là. — Ni Simon ni Renaud ne (délaisser) leurs devoirs pour regarder la télévision. — Le professeur ou l'élève (installer) le projecteur de diapositives. — La mer ou la montagne lui (plaire) pour passer ses vacances et (convenir) à sa santé. — Mon frère, cet intrépide, cet audacieux, (escalader) les rochers. — Paris, ma bonne ville, (sembler) m'accueillir. — Ni l'hélicoptère, à cause du brouillard, ni la route barrée par une avalanche ne (permettre) d'accéder au village. — La porte des boxes (se relever) dans un fracas métallique. Aussitôt, six grands diables effilés, casaque bleue numérotée et muselière au nez, (s'élancer) sur la piste de sable. (J. Berger)

405 **Écrivez les verbes entre parenthèses au présent de l'indicatif.**
Une foule de revendeurs (solliciter) les clients en vantant la qualité de leurs marchandises. — Certains considèrent que la boxe ou le rugby (être) des sports violents. — Un tas d'ordures (accueillir) les visiteurs à l'entrée du village et certains (s'étonner) qu'ils fassent demi-tour ! — Un vol de corbeaux (glisser), rasant la cime des arbres. (R. Bazin) — Il faut crier pour s'entendre, il y en a qui (commencer) à avoir peur. (A. Daudet) — Sa perte ou son salut (dépendre) de sa réponse. (Racine) — Une troupe de canards sauvages, tous rangés à la file, (traverser) en silence un ciel mélancolique. (Chateaubriand) — La chaleur, le ronronnement sourd des paroles, le pétillement de la flambée, tout (concourir) à créer une atmosphère de bonheur. (E. Rocher) — Pas très loin de la gare, (se trouver) un terrain de football sur lequel, chaque année, le Carnaval (avoir) droit de cité. (D. Fletcher) — Le bruit continu et monotone du ruisseau tout près de sa tête l' (envahir) peu à peu comme un flux de douceur. (J. Gracq)

406 Vocabulaire à retenir
la différence — difficile, la difficulté — difforme — diffuser, la diffusion
commencer — renforcer — prononcer — distancer — financer — devancer

le, la, les, l' devant le verbe

RÈGLE

Quels que soient les mots qui le précèdent immédiatement, le verbe conjugué à un temps simple s'accorde toujours avec son sujet :

Tous ces problèmes, il les connaissait parfaitement.

Le grand air le grisait, les odeurs de fleurs l'enivraient.

Remarque :

• **le, la, les, l'** placés devant le nom sont des articles.

• **le, la, les, l'** placés devant le verbe sont des pronoms personnels, généralement compléments d'objet directs du verbe.

EXERCICES

407 **Écrivez les verbes entre parenthèses au présent de l'indicatif.**

Les astronautes ont rapporté un caillou lunaire ; les savants du monde entier l'(observer). — À cinq minutes de la fin du match, les spectateurs ne (croire) plus à la victoire des Bleus, mais le dernier but les (rassurer). — Les bienfaits du chocolat le (rendre) indispensable à toute alimentation équilibrée, c'est du moins ce que (prétendre) les amateurs de chocolat ! — La verdure a pris, durant la nuit, une vigueur nouvelle ; le jour naissant qui l'(éclairer), les premiers rayons qui la (dorer), la (montrer) couverte d'un brillant réseau de rosée. (J.-J. ROUSSEAU) — Je ne sais pas très bien amuser les enfants, je les (regarder), je les (écouter), je les (aimer), mais je ne sais guère inventer les choses qui les (amuser). (G. DUHAMEL) — Ma chambre est telle que je la (vouloir) : j'y passe une heure ou deux. (A. SARRAZIN)

408 **Écrivez les verbes entre parenthèses à l'imparfait de l'indicatif.**

Les enfants (savoir) que les cadeaux seraient au pied du sapin ; ils les (attendre) avec une impatience grandissante. — Mozart (avoir) du génie : les sonates les plus brillantes, il les (composer) sans effort apparent. — La réforme du championnat de France, les joueurs la (réclamer) depuis bien longtemps. — Les limites imprécises de mon domaine le (rendre) illimité. (J. GUÉHENNO) — Le bois se débarrassait de la neige qui l'(alourdir), les grosses branches la (rejeter) d'un seul coup. (M. AUDOUX) — Les enfants l'(adorer) ; lui ne les (aimer) pas. (STENDHAL) — Ses yeux étaient brouillés et brûlaient ses paupières quand il les (abaisser). (G. ARNAUD)

---

409 Vocabulaire à retenir

l'astre, astral, l'astrologie, l'astronomie, l'astronaute, l'astronautique
l'antiquaire, antique, l'antiquité — la sonate
venger, la vengeance, le vengeur — la revanche

81e leçon

c'est, ce sont, c'était, c'étaient

RÈGLE

Le verbe **être**, précédé de **ce** (**c'**) se met généralement au pluriel s'il est suivi d'un sujet à la 3e personne du pluriel ou d'une énumération :

C'est un vieux disque.   *Ce sont de vieux disques.*
C'était un bon joueur.   *C'étaient de bons joueurs.*
C'est lui, c'est elle.   *Ce sont eux, ce sont elles.*
J'aime trois instruments : ce sont la flûte, le piano et le violon.

Remarque : l'usage admet l'accord au pluriel ou au singulier.

EXERCICES

410 **Complétez par** c'est **ou par** ce sont.

Au petit matin, à la station de métro, ... ne ... que visages fermés et cols de manteau relevés ; chacun pense encore à son lit ! — Jouer une valse de Chopin à huit ans, ... un bel exploit. — Mes semblables, ... ceux qui m'aiment et ne me regardent pas. (A. Malraux) — Ceux qui vivent, ... ceux qui luttent. (V. Hugo)

411 **Complétez par** c'était **ou par** c'étaient.

Il eut beau se dépêcher ; lorsqu'il arriva à la mairie, ... fermé. — Martin regrette *Le temps des jeunes* et *Planète Sourire* : ... ses émissions préférées. — À ceux qui prétendaient que ... de nouvelles chansons, le mélomane fit écouter la *Symphonie du Nouveau Monde* de Dvořák. — Ce que j'aimais dans ces expéditions, ... l'ombre, la fraîcheur, le concert des insectes dans l'éveil du jour, les halètements de l'orage. (G. Duhamel) — Pendant qu'ils erraient au milieu des nuages, une lumière brilla : ... des étoiles qui s'allumaient à l'horizon. (R. Delange) — Ce qu'on apercevait de plus loin, ... un groupe de grands chênes. (E. Fromentin)

412 **Complétez par** ce fut **ou par** ce furent.

Le jour du carnaval, ... les pirates qui se firent le plus remarquer : ils étaient splendides. — L'arbitre refusa un but aux Nîmois, ... un tonnerre de protestations dans le stade. — Quelle audace ! ... un superbe exploit que de faire le tour du monde en ballon sans escale. — La chute du mur de Berlin et la fin de l'URSS, ... des événements marquants de la fin du XXe siècle. — La brume s'abattait, impalpable, sur son dos ; bientôt ... le déluge d'un orage de montagne. (C. Gonnet) — La brise se leva ; ... d'abord, dans le lointain, le chuchotement de la marée montante. (A. Bailly)

413 Vocabulaire à retenir

battre, abattre, combattre, le combattant, la batterie, le battement, la bataille, batailler, le bataillon, batailleur, combatif, la combativité

Le verbe ou le nom ?

RÈGLE

1. Il ne faut pas confondre le **nom** avec une forme homonyme du **verbe**. L'orthographe est presque toujours différente :

Il crie de joie. Je ne supporte pas ses cris.

Quelques exceptions :

un murmure, il murmure ; une voile, il voile ; un incendie, il incendie.

2. Quelques verbes à l'infinitif ont la même orthographe que le nom :

dîner, le dîner ; rire, le rire ; lever, le lever ; savoir, le savoir...

EXERCICES

414 **Écrivez ces verbes aux trois premières personnes du présent de l'indicatif, puis le nom homonyme suivi d'un complément.**

Ex. : filmer → je filme, tu filmes, elle filme ; un film de science-fiction.

geler	exiler	flairer	soutenir	balayer	parcourir
filer	travailler	oublier	réveiller	accueillir	essayer

415 **Complétez ces mots, s'il y a lieu. Écrivez les verbes au temps qui convient.**

Le boxeur défi... son adversaire d'un regard dur. — Ces cités sont bâties le long de la voi... ferrée ; les habitants voi... leurs journées rythmées par le bruit des trains. — Au signal..., les voitures s'élancent pour soixante tours. — La petite lumière rouge signal... une anomalie de fonctionnement. — On montait par des chemins en zigzag..., toute la famille à la file et à pied. (P. Loti) — Un lièvre mal éveillé bondit et zigzag... d'effroi. (J. des Gachons) — Les oiseaux s'éveill... presque tous ensemble et chacun salu... à sa manière le matin. (H. de Monfreid)

416 **Complétez ces mots, s'il y a lieu.**

Stéphanie vol... de ses propres ailes ; elle a trouvé un emploi... . — Le vol... Paris-Rome aura quelques minutes de retard. — Quand on prend son petit déjeun... au lit, il y a souvent des miettes dans les pli... des draps. — Nul ne se souci... d'affronter le lion dans son antre même. (Th. Gautier) — Le flair... subtil de ma mère inquiète découvrait sur nous l'ail sauvage d'un ravin lointain. (Colette) — Tout au long de leur parcour... les routes paraissent tenir conversation avec les champs. (C. Julien) — Les poules s'éveillent, un chien aboi... . (M. Gevers) — Les chiens de la zone sont à leur poste d'aboi... . (L.-F. Céline)

417 **Vocabulaire à retenir**

l'exil, exiler — le gel, geler — l'oubli, oublier — le fil, filer
l'essai, essayer — le balai, balayer — le parcours, parcourir

► Révision

418 Écrivez les verbes entre parenthèses au présent de l'indicatif.

Du sein de la forêt (s'échapper) de doux murmures et (s'exhaler) mille parfums. (B. DE SAINT-PIERRE) — J'y restais presque tout le jour dans cette espèce de stupeur et d'accablement délicieux que (donner) la contemplation de la mer. (A. DAUDET) — Superbe soleil de midi, tu nous (brunir) la face, tu (mûrir) la moisson, tu (être) le père de la vie. (J.-H. FABRE) — Son regard et le son de sa voix (sembler) plutôt angéliques qu'humains. (A. GIDE) — On (entendre) distinctement, dans le silence du soir, le bruit sourd des lames que (traverser) le cri mélancolique du cormoran. (A. FRANCE)

419 Écrivez les verbes entre parenthèses à l'imparfait de l'indicatif.

Mme Lian était une malade fort docile ; ses médicaments, elle les (prendre) avec une régularité exemplaire. — La voie ferrée et la route nationale (se côtoyer) sur une grande distance. (L. MASSÉ) — Une paire de petits yeux bleu clair et un menton carré (annoncer) une volonté inébranlable. (E. ABOUT) — La leçon (se poursuivre) dans un ronronnement assoupi que (troubler) parfois la chute et le roulement d'une bille. (G. DUHAMEL) — Jean levait les bras et les (étendre) comme pour embrasser l'étendue. Les paysans l' (aimer,) ils le (reconnaître) de loin à sa taille élancée. (R. BAZIN)

420 Écrivez les verbes entre parenthèses à l'imparfait de l'indicatif.

Autrefois, pour aller de Marseille à Paris, il (falloir) compter une bonne semaine, mais les voyageurs le (savoir) et ils (occuper) les longues journées à lire, à bavarder, à rêver… — Lorsque les chevaliers (s'affronter) en tournoi, l'assemblée des seigneurs et des demoiselles les (admirer) et (applaudir) à leurs exploits. — Personne ne (se souvenir) du vrai nom de la blanchisseuse, car tout le monde l' (appeler) Colombine en raison de sa robe neigeuse qui la (faire) ressembler à une colombe. (M. TOURNIER) — Ses bras desséchés ne (remplir) plus le bracelet de pierreries qui les (entourer,) (MME DE STAËL) — Ouvrir un tiroir, l'explorer, en retirer un outil, repousser un tiroir, ne (prendre) qu'un instant (G. NAVEL) — Il était pris dans un grand gel où tout (se figer,) (B. CLAVEL) — Une marmotte grasse, flanquée de perdrix blanches et de coqs de bruyère, (tourner) sur une longue broche devant le feu. (V. HUGO)

421 Complétez les verbes comme il convient.

Pour condui …une moto, il faut posséd …un permis spécial. — L'eau avait envahi le terrain de camping, les tentes flottaient sur un fleuve de boue, mais malgré tout, Séverin et Rémi réussi …à nous faire ri …en sortant leur maillot de bain ! — En Californie, au siècle dernier, beaucoup de pionniers s'enrichi … dans le commerce de l'or. — Certains jeunes peintres passent des heures au musée du Louvre à essayer de reprodui …les œuvres les plus célèbres et ainsi acquér …l'habileté nécessaire à l'exercice de leur art. — Les moutons eux-mêmes ressemblaient à de la neige. J'étais obligée de faire attention pour ne pas les perd …de vue. Je réussis à les rassembl …. (M. AUDOUX) — On trouve des fraises dans ces bois, mais il faut savoir les cherch …. (A. FRANCE)

422 Écrivez les verbes entre parenthèses au présent de l'indicatif.

Ces champignons sont appétissants pourtant personne n'(oser) les manger :
« on ne sait jamais », comme (dire) les anciens du village. — Au coup de sif-
flet de l'arbitre, (débuter) les hostilités, pardon, la partie ! — Jessy est fière,
c'est son anniversaire ; elle (contempler) les douze bougies de son gâteau puis
elle les (souffler) en une seule fois. — « Tu (connaître) la femme qui vient de
monter au quatrième ? – D'où (sortir)-tu ? Tu (être) depuis plus d'un an dans cette
boîte, et tu ne (connaître) pas Olga Heller ? Elle habite ici depuis toujours. »
(E. TRIOLET) — Un dégoût, une tristesse l'(envahir). (G. FLAUBERT)

423 Écrivez les verbes entre parenthèses à l'imparfait de l'indicatif.

Nul ne (pouvoir) rester indifférent devant la misère de ces populations touchées
par la famine. — Toutes les fois que Johnny (entrer) en scène, une foule d'admirateurs lui (faire) une ovation sans pareille. — Une remarque, un geste, un
simple hochement de tête, bref, un rien le (mettre) en alerte. — Beaucoup de
gens (parler) du monstre du Loch Ness, mais peu l'(avoir) aperçu. — Tout ce
miroitement, tout ce cliquetis de lumières me (donner) un moment le vertige.
(A. DAUDET) — Rien de triste ou d'attendrissant n'(amollir) ce regard pâle.
(G. FLAUBERT) — Je n'avais jamais vu ces maisons qui (dormir) sous un édredon
de ronces et de troènes au milieu des bois. (H. VINCENOT) — Ces différences
que d'autres n'auraient pas aperçues me (frapper), me (charmer) beaucoup, moi
qui (perdre) mon temps à observer les plus infinies petites choses de la nature.
(P. LOTI) — Au-dessus de la cheminée se (croiser) deux vieux fusils. (H. DE RÉGNIER)
— Les yeux de Frédéric (flâner) d'un bout à l'autre du vaste paysage que
(baigner) la lumière encore indécise du petit jour. (J. MURO)

424 Écrivez les verbes entre parenthèses au futur simple.

Ces dates, tu les (oublier) bien vite. — À tes amis, tu leur (donner) de tes nouvelles. — Ta grand-mère est bien seule, tu lui (écrire) une longue lettre. — Tu
nous (conduire) au centre de Paris où nous (découvrir) Notre-Dame. — Tu me
(dire) quand tu (être) prêt à nous accompagner au centre commercial. — Rêve,
rêve, pauvre homme, ce n'est pas moi qui t'en (empêcher). (A. DAUDET)

425 Écrivez les verbes entre parenthèses au présent de l'indicatif.

Surveille bien le passage des papillons rouges. Tu n'(avoir) qu'à aller dessous
l'arbousier. Tu (rester) un moment sans bouger. Tu (regarder) en l'air, tu (regarder) l'envers des feuilles. Alors, tu les (voir) ; ils sont rouges ; mais ils ont aussi
trois grosses taches noires. Ce ne sont pas des taches, ce sont des bandes, tu
(savoir). Alors, voilà ce que tu (faire) : d'abord, tu (rester) au plaisir de les
regarder. Puis, tu (aller) dans mon bureau, et, à droite de la bibliothèque, dans
le coin, il y a mon filet à papillons. Tu le (prendre). Tu (revenir) dessous l'arbousier. Tu (choisir) avec l'œil un rameau où ils sont trois ou quatre à dormir
sous l'envers des feuilles. Quatre, pas plus. Les autres, il faut les laisser. Tu
(remonter) doucement ton filet et puis tu les (prendre).

(J. GIONO, *L'Eau vive*, Gallimard)

Le participe passé employé avec l'auxiliaire être

RÈGLE

Le participe passé employé avec l'auxiliaire **être** s'accorde en genre et en nombre avec le sujet du verbe :

La rue Royale est barrée.

Qui est-ce qui est *barré* ?	*la rue* (fém. sing.)	donc barrée

Nous étions opposés à toute discussion inutile.

Qui est-ce qui est *opposé* ?	*ou*	*nous* (masc. plur.)	donc opposés
		nous (fém. plur.)	donc opposées

Les absents sont excusés, mais ils ont toujours tort.

Qui est-ce qui est *excusé* ?	*les absents* (masc. plur.)	donc excusés

Remarques

1. L'auxiliaire *être* peut lui-même être conjugué à un temps composé. Le participe passé qui le suit s'accorde toujours avec le sujet :

La nouvelle avait été annoncée par toutes les radios.

2. Le participe passé des verbes qui se conjuguent toujours avec *être* comme *tomber, arriver, partir*, et le participe passé des verbes passifs comme *être aimé, être fini*, forment avec *être* un temps de ces verbes ; l'auxiliaire et le participe passé ne doivent pas être séparés dans l'analyse :

Tout à coup le tonnerre a grondé, la pluie est tombée.

(*est tombée* : passé composé du verbe *tomber* ; voix active)

Les quais étaient envahis par la foule.

(*étaient envahis* : imparfait du verbe *envahir* ; voix passive)

3. En revanche, lorsqu'un participe passé employé avec *être* ne forme pas avec cet auxiliaire une tournure passive, le participe passé a valeur d'adjectif et est attribut du sujet :

Dans le jardin, tous les lilas sont fleuris. (*fleuris* : attribut de *lilas*.)

La distinction est possible quand le participe passé est suivi d'un complément, car on peut mettre la phrase à la voix active :

Les quais étaient envahis par la foule. → *La foule envahissait les quais.*

4. Les verbes pronominaux se conjuguent avec l'auxiliaire *être*, mais l'accord de leur participe passé suit d'autres règles (voir leçon 89).

EXERCICES

426 Conjuguez les verbes aux temps de l'indicatif indiqués :

passé composé	passé simple	futur simple	plus-que-parfait
partir à l'heure	être excité	être saisi	être découragé
aller aux champs	être habillé	être bronzé	être interrogé

427 **Accordez les participes passés des verbes entre parenthèses.**
Nous sommes (attendre) par nos parents à la descente du train. — Les arbres étaient (dépouiller), les rivières étaient (geler), la terre était (durcir). — La neige est (tomber) sur la chaussée ; les voitures qui sont (équiper) de chaînes peuvent circuler, les autres seront (obliger) d'attendre le passage du chasse-neige. — Les citernes ont été (vider) afin d'être (nettoyer). — Les galettes étaient (réussir), elles ont été (déguster) par les invités. — Nous sommes (partir) à l'heure, nous sommes (arriver) à temps à l'aéroport. — L'imprimante a été (livrer) avec le micro-ordinateur. — Les élèves sont (captiver) par leur lecture ; ils sont (transporter) dans un autre monde. — Les pétales de la rose sont (tomber). — D'importantes perturbations météorologiques sont (annoncer) pour le milieu de la semaine prochaine.

428 **Accordez les participes passés des verbes entre parenthèses.**
Nous n'avons pas été (créer) pour le bureau, pour l'usine, pour le métro, pour l'autobus. (J. Giono) — D'un seul coup, nous fûmes (soulever, entraîner, rouler). (G. Duhamel) — Étaient-ils (trahir) momentanément par leurs jambes ou (clouer) sur leur lit par un mauvais rhume ? (P.-J. Hélias) — En un instant, les promeneurs furent (envelopper) par l'ouragan, (affoler) par les éclairs, (assourdir) par le tonnerre, (tremper) des pieds à la tête. (R. Rolland)

429 **Accordez les participes passés entre parenthèses.**
Les jeunes enfants n'ont pas été (intéressé) par ce jeu aux règles trop compliquées. — Les pierres ont été tellement (écorné, usé, morcelé) par le temps, qu'elles sont entièrement (disjoint). (Lamartine) — Les haricots et les pois étaient (rasé) au pied, les salades (tranché, haché). Les menues branches, les fruits étaient (coupé) comme avec des couteaux. La récolte était (perdu). (É. Zola) — La poule blanche parut si (contrarié) que les deux petites en furent (peiné). (M. Aymé) — Nous sommes (arrivé) en nage chez Céleste. (A. Camus)

430 **Accordez les participes passés entre parenthèses.**
Dans ce quartier, toutes les portes étaient (fermé) et les persiennes (clos). (A. Camus) — Une belle alouette huppée était (arrivé) d'un vol au bord de la mare. (J.-H. Fabre) — Les groseilles sont (pressé) et le jus se met à bouillir dans les bassines. (G. Franay) — L'été incendiait la plaine. Tout était (brûlé). (P. Neveux) — Sur le seuil de cette savane, un seul arbre s'élevait. Dans son ombre, la tête (tourné) de mon côté, un lion était (couché) sur le flanc. (J. Kessel) — Ce fut une des rares affaires qui eût pu être (résolu) sur plans et documents, par déduction et par les méthodes de police scientifiques. (G. Simenon) — Le feu est (passé) par la, le feu qui a (couvé) sous la fumée âcre et basse des fougères. (B. Cendrars)

431 Vocabulaire à retenir
la descente — la science — la piscine — la discipline — l'escalier
fasciner — un fascicule — acquiescer — un adolescent — le plébiscite

▶ 84e leçon

Le participe passé employé avec l'auxiliaire avoir

RÈGLE

Le participe passé employé avec l'auxiliaire **avoir** ne s'accorde jamais avec le sujet du verbe :

Nous avons *attendu longtemps.*
La voiture a *ralenti.*

EXERCICES

432 **Conjuguez les verbes au passé composé et au plus-que-parfait de l'indicatif.**

cacher sa tristesse   dépasser la mesure   appeler Police-secours

433 **Accordez, s'il y a lieu, les participes passés entre parenthèses.**

Nous avons (sorti) notre argent.   Nous sommes (sorti) malgré le froid.
Vous avez (perdu) votre temps.   Vous êtes (perdu) dans les couloirs.
Elles ont (passé) un bon moment.   Elles sont (passé) nous voir.
Nous avons (descendu) l'escalier.   Nous sommes (descendu) à la cave.
Vous avez (égaré) vos clés.   Vous êtes (égaré) en forêt.

434 **Écrivez les participes passés des verbes entre parenthèses.**

Avec Alcide, nous étions (arriver) à bien nous entendre. On essayait ensemble de pêcher des poissons-scies. (L.-F. CÉLINE) — La brise avait encore (fraîchir) ; le premier, Sturmer frissonna. (G. ARNAUD) — Les biches avaient (bondir) et (disparaître) dans le taillis. Les pies ont (finir) de jacasser. Les hirondelles et les martinets ont (conclure) la trêve de la chaleur. (H. DUCLOS)

435 **Écrivez les participes passés des verbes entre parenthèses.**

Assis sur ma roche, au bord du ruisseau bouillonnant et limpide, j'ai (mesurer) le temps qui s'était écoulé depuis mon départ. (A. HÉBERT) — Le seul fait d'être (dépasser) rend M. Charnelet d'une humeur exécrable. (P. DANINOS) — La nuit a (égrener) ses secondes une à une. (G. ARNAUD) — La pluie a (tisser) un voile d'argent entre le ciel et la terre (M. TINAYRE) — Nous avons (trouver) de la paille fraîche sur quoi nous avons tous (coucher) (MME DE SÉVIGNÉ) — Les pêcheurs avaient tous (veiller) et (attraper) plus de mille morues. (P. LOTI)

---

436 **Vocabulaire à retenir**

la trêve — la bête — la quête — l'arête — le chêne — la guêpe — la pêche
attraper, le rattrapage, un attrape-nigaud, une attrape — la trappe

---

132 **Grammaire**

Le participe passé employé avec l'auxiliaire avoir (suite)

RÈGLE

1. Le participe passé employé avec l'auxiliaire **avoir** ne s'accorde jamais avec le sujet du verbe :

> *Les dinosaures ont mystérieusement disparu.*
> *Les clients ont longtemps hésité avant de se décider.*

2. Il s'accorde en genre et en nombre avec le complément d'objet direct, quand celui-ci est placé avant le participe :

> *La secrétaire a saisi les lettres, puis elle **les** a imprimées.*
> *Les rêves **qu'**on a caressés dans son enfance sont les plus tenaces.*
> *On **nous** a appelés pendant notre absence.*

Pour trouver le complément d'objet direct, il faut poser la question « qui ? » ou « quoi ? » :

> *Les dinosaures ont disparu* — qui ? quoi ? — Pas de COD, donc pas d'accord
> *Les clients ont hésité* — qui ? quoi ? — Pas de COD, donc pas d'accord.
>
> *La secrétaire a saisi* — quoi ? *les lettres*
> le COD est placé après le participe, donc pas d'accord.
>
> *elle a imprimé* — quoi ? **les** (mis pour *les lettres*)
> le COD est placé avant le participe, donc accord (fém. plur.) : imprim**ées**.
>
> *on a caressé* — quoi ? **qu'** (mis pour *les rêves*)
> le COD est placé avant le participe, donc accord. (masc. plur.) : caress**és**.
>
> *on a appelé* — qui ? **nous**
> le COD est placé avant le participe, donc accord ; (masc. plur. ou fém. plur.) : appelé(**e**)**s**.

Remarque

Le complément d'objet direct se trouve placé avant le participe

- quand il s'agit d'un pronom personnel ou d'un pronom relatif :
  > *Elles les a imprimées. Les rêves qu'on a caressés.*

- quand dans une proposition interrogative ou exclamative, la question ou l'exclamation porte sur le complément d'objet direct :
  > *Quelles personnes avez-vous rencontrées ?*

EXERCICES

437 **Écrivez les participes passés des verbes entre parenthèses.**

Les disques que vous avez (acheter) me plaisent beaucoup. — La voiture qu'a (réparer) le mécanicien est comme neuve. — Nous avons (courir), nous avons (chanter), nous avons (passer) une bonne journée. — Je vous rends les documents que vous m'aviez (prêter).

438 Écrivez les participes passés des verbes entre parenthèses.
Des cris ont (retentir), qui nous ont (effrayer). — Nous avons (déguster) la galette que Géraldine nous avait (préparer). — Nos camarades nous ont (écrire), nous leur avons (répondre). — Cette nouvelle nous a (rassurer), elle nous a (apporter) un grand réconfort. — Les émissions nous ont (plaire) ; nous ne regrettons pas notre soirée. — Malgré le mauvais temps, ils nous avaient (attendre). — Nous avons (suivre) les instructions de montage à la lettre et il n'y a pas (avoir) de problèmes ; l'appareil fonctionne. — Du haut de la montagne, nous avons (découvrir) un panorama qui nous a (émerveiller). — Les passereaux, qui nous avaient (égayer) tout l'été, ont (fuir) dès les premiers froids.

439 Écrivez les participes passés des verbes entre parenthèses.
Nos voisins nous ont (aider), nous les avons (remercier). — Ces livres nous avaient (plaire), nous les avons (relire) avec plaisir. — Pour aller plus vite, nous avons (prendre) l'autoroute. — Nous avions (emprunter) une certaine somme, nous l'avons (rendre) à la date fixée. — J'ai (accompagner) ma sœur à la gare et je l'ai (quitter) au départ du train. — Les spectateurs ont (attendre) le chanteur et l'ont (applaudir) à son entrée en scène.

440 Écrivez les participes passés des verbes entre parenthèses.
Veux-tu que je te dise, Robinson ? Ton île déserte, bien sûr qu'elle est toujours là. Et même, je peux t'assurer que tu l'as bel et bien (retrouver). (M. TOURNIER) — La péniche était (arrêter), comme si elle eût (heurter) quelque chose. Le mât était (casser) en deux et la voile pendait sur le pont. (G. SIMENON) — Une phrase lui revint, celle qu'avait (prononcer) l'oncle Henri lors du départ de la rue Labat : « Au faubourg. Et après, au canal ! » (R. SABATIER) — Sur les sentiers que nous avons (suivre), il y a quelques semaines, dans ces vallées profondes que nous avons (parcourir), une étrange procession s'étire lentement. (M. HERZOG)

441 Écrivez les participes passés des verbes entre parenthèses.
Les personnes que vous avez profondément (vexer) ne vous l'ont jamais (pardonner). — Charles Schweitzer me trouva des professeurs plus décents. Si décents que je les ai tous (oublier). (J.-P. SARTRE) — Les parchemins couvraient une grande table que l'on avait, pour la circonstance, (porter) dans le salon. (A. CAHUET) — L'enfant avait bien souvent (entendre) tous ces bruits de la nuit, mais jamais il ne les avait (entendre) ainsi. (R. ROLLAND) — La *Croix du Sud* est sortie du ciel et ses cinq étoiles clignotantes ont, toute la nuit, (veiller) sur mon sommeil. (FRISON-ROCHE) — S'il sait des histoires, ce sont celles qu'il a (entendre) et religieusement (recueillir). (J. GIONO)

442 Vocabulaire à retenir
effrayer — effacer — effectuer — l'effectif — effeuiller — efficace
impressionner — abandonner — s'abonner — raisonner — boutonner
chantonner — pardonner — soupçonner — coordonner — sectionner

Le participe passé employé avec l'auxiliaire avoir (suite)

RÈGLE

1. Le participe passé des verbes impersonnels ou employés à la forme impersonnelle reste invariable :
Les incidents qu'il y a eu portent à réfléchir.
Les orages qu'il a fait ont endommagé les cultures.

2. Avec certains verbes (*courir, coûter, dormir, peser, régner, valoir, vivre*), le participe passé s'accorde avec le pronom relatif *que* si ce pronom est bien complément d'objet direct.
Il ne s'accorde pas si *que* est complément circonstanciel de valeur, de poids, de durée, etc. :
Les compliments que son attitude courageuse lui a valus étaient mérités.
En voyant ce tableau, vous n'imagineriez pas la somme qu'il a coûté.

3. Les participes passés *dû, cru, pu, voulu* sont invariables quand ils ont pour complément d'objet direct un infinitif sous-entendu :
Je n'ai pas fait toutes les démarches que j'aurai dû (faire).
Je me suis entièrement libéré des sommes que j'ai dues.

4. Lorsque le complément d'objet direct, placé devant le participe est un collectif suivi de son complément, l'accord se fait soit avec le collectif, soit avec le complément selon le sens :
Le vol de canards sauvages que j'ai aperçu (ou aperçus).

EXERCICES

443 Accordez les participes passés ; il peut y avoir deux solutions.
La température qu'il a (fait) toute la journée, a (fatigué) les Toulonnais. — Les inondations qu'il y avait (eu) avaient (saccagé) les habitations riveraines. — Que de précautions il a (fallu) pour déplacer cette vieille statue ! — La tempête qu'il y a (eu) a empêché les marins de sortir. — Toutes ces raisons, nous les avons (examiné) et (pesé). — Cet homme ne fait plus les cent kilos qu'il a (pesé). — Les dix minutes qu'il a (couru) l'ont (essoufflé). — Les dangers que les alpinistes ont (couru) étaient insensés. — Les douze heures pendant lesquelles nous avons (dormi) ont (réparé) nos forces. — Nous avons (envoyé) aux pays (touché) par la famine tous les secours que nous avons (pu).

444 Vocabulaire à retenir
le souffle, la soufflerie, essoufflé, le souffleur, un soufflé, un soufflet
inonder, l'inondation — inodore — inoccupé — inopérable — inopportun

Le participe passé employé avec avoir suivi d'un infinitif

RÈGLE

Le participe passé employé avec **avoir** et suivi d'un infinitif s'accorde si le complément d'objet direct, étant placé avant le participe, fait l'action exprimée par l'infinitif :

> *Les footballeurs* que j'ai vus *jouer formaient une équipe magnifique.*
> que (les footballeurs) jouent : le COD fait l'action exprimée par l'infinitif, donc accord.

> *La pièce* que j'ai vu *jouer a beaucoup ému les spectateurs.*
> que (la pièce) est jouée : le COD ne fait pas l'action exprimée par l'infinitif, il la subit, donc pas d'accord.

Remarques

1. Le participe passé **fait** suivi d'un infinitif est toujours invariable :

> *Leur auto, ils l'ont fait réparer par le mécanicien du quartier.*

2. Le participe passé **laissé** suivi d'un infinitif peut s'accorder ou rester invariable. Les deux orthographes sont admises :

> *Ces feux n'étaient pas dangereux ; les pompiers les ont laissés brûler.*
> ou   *... les pompiers les ont laissé brûler.*

EXERCICES

445 Écrivez les participes passés des verbes entre parenthèses.

Mes cousins, je les ai (voir) grandir. — Ces garnements capricieux, nous les avons (voir) trépigner, pleurer, menacer ; heureusement leurs parents n'ont pas (céder). — La navette spatiale a (transporter) les astronautes, nous l'avons (voir) décoller. — Ces airs charmants que nous avons (entendre) chanter seront bientôt sur toutes les lèvres. — Les nuages filaient, nous les avons (regarder) courir dans le ciel. — Assis près de la source, nous l'avons (écouter) chanter.

446 Écrivez les participes passés des verbes entre parenthèses.

Comme tout le monde, je parlais des arbres morts ; mais je ne les avais pas (voir) mourir. (G. Duhamel) — Tous ces gens qu'il avait (voir) passer étaient rangés autour du chœur. (A. Daudet) — Ah ! les ai-je (entendre) chanter, depuis quatre jours, tes vertus. (A. de Saint-Exupéry) — Le chat restait immobile comme une sentinelle qu'on a (oublier) de relever. (Th. Gautier) — Les feux, qu'on avait (laisser) brûler pour effrayer les chacals, s'éteignirent. (M. Yourcenar)

447 Vocabulaire à retenir

l'espace, espacer, l'espacement, spatial, spacieux
le chœur, la chorale, le choriste

Le participe passé employé avec avoir précédé de en

RÈGLE

Lorsque le complément d'objet du verbe est **en**, le participe passé reste invariable :

*J'ai apporté des gâteaux et nous en avons mang**é**.*

Remarque

Le verbe précédé de **en** peut avoir un complément d'objet direct placé avant lui. Dans ce cas, le participe passé s'accorde avec ce COD :

*Olivier est allé au Mexique ; voici les statuettes qu'il m'en a rapport**é**es.*
*qu' (les statuettes) est COD de rapport**é**es.*

EXERCICES

448 Écrivez les participes passés des verbes entre parenthèses.

M. Mahé a (amasser) une immense fortune au cours de sa vie, mais il n'en a jamais (profiter), trop (occuper) qu'il était à courir le monde. — Nous avons (cueillir) des lilas dans le parc ; les brassées que nous en avons (rapporter), nous les avons (mettre) dans les vases. La maison en a été (embellir) et (parfumer). — J'aime les livres, je suis content, j'en ai (recevoir) pour mon anniversaire. — J'avais (ramasser) des champignons, j'en ai (préparer) un bon plat. — Voyez ces stylos à bille, j'en ai (acheter) une pleine boîte. — Je classe les timbres de mon album, je vous offrirai ceux que j'en aurai (retirer).

449 Écrivez les participes passés des verbes entre parenthèses.

Vous êtes (aller) sur la côte d'Azur, la description que vous nous en avez (faire) nous a (ravir). — Nous avons (rendre) mille services à nos voisins. Ils ne nous en ont jamais (rendre). — Au bout d'un an, l'huissier, qui continuait à tenir registre de ses bonnes actions, en avait (remplir) six cahiers du format écolier. (M. AYMÉ) — Je rêvais de voir des montagnes. J'en ai (voir) dans plusieurs tableaux, j'en avais même (peindre) dans des décors de Peau d'Âne. Ma sœur, pendant un voyage autour du lac de Lucerne, m'en avait (envoyer) des descriptions, m'en avait (écrire) de longues lettres. (P. LOTI) — Les éléphants sauvages circulent librement sur les grandes routes. J'en ai souvent (rencontrer). (A. MAUROIS) — Des hommes admirables ! Il y en a. J'en ai (connaître). (G. DUHAMEL)

450 Vocabulaire à retenir

l'année, l'anniversaire, annuel, annuellement, l'annualité, l'annuaire
le parc — le trafic — le public — le déclic — le cognac — le cornac

▶ 89ᵉ leçon

Le participe passé des verbes pronominaux

RÈGLE

1. Le participe passé des verbes employés à la forme pronominale (*se laver, s'habituer*…) s'accorde en genre et en nombre avec le complément d'objet direct quand celui-ci est placé avant le participe :

> *Les enfants se sont lavé les mains.*
> *Elles se sont habituées à ce nouveau rythme de travail.*

Il faut donc remplacer l'auxiliaire **être** par l'auxiliaire **avoir** et poser la question « Qui ? » ou « Quoi ? » :

> *les enfants ont lavé* quoi ? *les mains*
> le COD est placé après le participe, donc pas d'accord.
>
> *elles ont habitué* qui ? *elles-mêmes (se)*
> le COD est placé avant le participe, donc accord (fém. plur.) : habituées.

2. Le participe passé des verbes essentiellement pronominaux (*s'enfuir, se blottir*…) ou des verbes pronominaux de sens passif (voir leçon 149) s'accorde en genre et en nombre avec le sujet du verbe :

> *Les oiseaux se sont enfuis.* (verbe essentiellement pronominal)
> *Les livres se sont très bien vendus.* (verbe à valeur passive : *les livres ont été vendus.*)

Remarques

1. Le participe passé d'un verbe pronominal suivi d'un infinitif observe la règle d'accord du participe passé employé avec *avoir* suivi d'un infinitif (voir leçon 87) :

> *Les oiseaux ont eu peur et se sont arrêtés de chanter.* (A. DAUDET.)
> *Nous nous sommes laissé dire qu'aucune décision n'était encore prise.*

2. Certains verbes comme *se parler, se plaire, se ressembler, se rire, se succéder* n'ont jamais de complément d'objet direct. Leur participe passé reste invariable :

> *Les années se sont succédé aussi heureuses les unes que les autres.*

3. Le verbe *s'arroger* (verbe essentiellement pronominal) a toujours un complément d'objet direct. Le participe passé *arrogé* ne s'accorde donc jamais avec le sujet du verbe mais avec le complément d'objet direct quand celui-ci est placé avant le participe :

> *Ils se sont arrogé des droits.*
> *Ces privilèges qu'ils se sont arrogés sont excessifs.*

4. Un même verbe peut, selon la façon dont il est employé, s'accorder différemment :

> *Les deux amis se sont écrit régulièrement au cours de ces dernières années.*
> (s'écrire : verbe pronominal réciproque, pas de COD avant le participe, donc pas d'accord)
>
> *De nombreux mots se sont écrits avec un y jusqu'au siècle dernier.*
> (s'écrire : verbe pronominal à valeur passive, donc accord avec le sujet)

EXERCICES

451 Accordez les participes passés entre parenthèses.
Les coureurs se sont (préparé) au départ. — Vanessa s'est (préparé) un dessert.
— Les ramasseurs de champignons se sont (égratigné) les mains. — Les chercheurs de muguet se sont (égratigné) aux épines des buissons. — La skieuse s'est (tordu) la cheville en sautant une bosse. — Elle s'est (coiffé). — Elles s'est (coiffé) avec des nattes. —Les branches se sont (cassé) sous la poussée du vent. — Les héritiers se sont (partagé) les souvenirs de famille. —L'assemblée s'est (partagé) en trois groupes. — Ils se sont (fait) photographier. —Les invités se sont (empressé) de répondre. —Ils se sont (souri), ils se sont (parlé), ils se sont (reconnu). — Mathilde s'est (inscrit) au cours de natation.

452 Accordez les participes passés entre parenthèses.
La batterie s'est (déchargé) pendant la nuit ; M. Nallet ne peut plus démarrer.
— Les manifestants se sont (rassemblé) place de la Bastille et ils se sont (dirigé) vers le Châtelet. —Leurs flancs, petit à petit, se sont (arrondi), leur soif calmée, nos chameaux se sont (roulé) avec délices dans le sable de l'oued. (FRISON-ROCHE) — Il est difficile de se soustraire à une loi qu'on s'est (donné). (J. ROMAINS) — Sans s'être (parlé), ils arrivent au tournant du chemin. (P. LOTI) —Une porte venait de s'ouvrir, une trouée éclatante s'était (fait) dans le noir de la muraille. (É. ZOLA) — La source s'est (frayé) un chemin. (G. GEOFFROY)

453 Accordez les participes passés entre parenthèses.
J'ai fait un signe, ses yeux se sont (rempli) d'eau. (G. DUHAMEL) — Les lumières des bureaux se sont (éteint), et, toutes ensemble, se sont (allumé) les fenêtres des bungalows. (G. ARNAUD) — Les lutteurs se sont (tordu) les bras, se sont (frotté) les visages, se sont (entortillé) comme des serpents. (F. MISTRAL) — Des chefs se sont (arrogé) le droit extravagant de disposer d'autres êtres humains. (G. DUHAMEL) — C'était une profusion de roses, de pivoines, de lis qui semblaient s'être (trompé) de saison. (P. LOTI)

454 Accordez les participes passés entre parenthèses.
Au mois d'août, les citadins se sont (évadé) vers des lieux moins animés ; ils y ont (trouvé) un peu de repos et se sont (imaginé) sur une plage tropicale. — Contrairement à ce que redoutaient ses parents, Céline (s'est plu) en colonie de vacances. — Les pilotes se sont (joué) des difficultés du parcours ; les organisateurs du rallye se sont (trompé) : les routes n'étaient pas assez sinueuses. — Les quatre coups de fusil s'étaient (succédé) avec une rapidité incroyable. (P. MÉRIMÉE)

455 Vocabulaire à retenir
démarrer, le démarrage, le démarreur
le flanc (flancher) — le flan (la pâtisserie)

456 Accordez les participes passés entre parenthèses.

Nous avons (levé) la main pour répondre. — La pierre que nous avons (soulevé) était lourde. — Je crois que vous avez (soulevé) les questions importantes. — Les enfants étaient déjà (levé) quand nous les avons (appelé). — La lune s'est (levé) au-dessus des arbres. — Les vignerons ont (pressé) le raisin. — Les grappes qu'ils ont (pressé) donnent un jus sucré. — Il faisait froid. Les passants étaient (pressé) de rentrer chez eux. — Les inculpés ont été (pressé) de questions. — Les voyageurs se sont (pressé) aux portières.

457 Accordez les participes passés entre parenthèses.

Les nouveaux venus, qui s'étaient (approché) pour contempler la mer et la danse des vagues, se reculèrent (terrifié) et alertèrent tout le village. (ADDOULAYE SADJI) — Les pierres qui bordent les puits portent la trace des cordes qui les ont (creusé) peu à peu. (MME DE STAËL) — La chambre qu'on avait (loué) fut encore plus petite et plus malcommode qu'on ne l'avait (redouté). (P. LAINÉ) — Toute une planche est (garni) de vieux livres de cuir brun. Mon père les a (eu) pour quelques sous. (J. CRESSOT) — Tu as (ri) si fort que les passants ont (levé) la tête et nous ont (vu). (G. DUHAMEL)

458 Accordez les participes passés entre parenthèses.

Dans la partie qui longe le bord du trottoir, les traces sont (espacé) et (déformé) par la course, un petit amas de neige ayant été (tassé) vers l'arrière par le mouvement du soulier. (A. ROBBE-GRILLET) — Il a (hurlé) lorsque la chose s'est (attaqué) à votre mari. Il a (dit) qu'il ne comprenait pas. Il a (dit) qu'il avait (attendu) toute sa vie les amis (descendu) des étoiles. Il a (dit) qu'il aurait (préféré) être (dévoré) lui-même plutôt que de voir cela. (G. KLEIN) — J'ai souvent (revu) ailleurs des hirondelles, mais jamais nulle part ailleurs je ne les ai (entendu) crier comme ici. (A. GIDE) — Ils se sont (secoué) comme des chiens mouillés et ils ont (secoué) leurs chapeaux pour en faire sortir l'eau. (H. POURRAT)

459 Accordez les participes passés entre parenthèses.

Nous avons (discipliné) l'eau, la foudre, (asservi) la mer, (arraché) à la terre ses trésors, (capté) les ondes invisibles, (obligé) l'air à nous porter. (P. REBOUX) — Quant aux différentes petites choses qu'il m'avait (donné) ou (confié), elles étaient (devenu) tout à fait sacrées pour moi. (P. LOTI)

460 Accordez les participes passés entre parenthèses.

J'appris, au bout de quelques minutes, que l'orage de la nuit dernière avait (affecté) la petite fille d'une manière très sérieuse. (Pris) de peur aux premiers grondements du tonnerre, elle avait (appelé), (essayé) de sortir de sa chambre, et s'était (évanoui). (J. GREEN) — Les arbres s'étaient (baissé) vers les ronces, les ronces étaient (monté) vers les arbres, la plante avait (grimpé), la branche avait (fléchi). (V. HUGO) — Ses regards seuls s'étaient (plu) à voir reverdir le clos Marie, sous les soleils d'avril. (É. ZOLA) — Quelques individus, avec du noir de charbon, s'étaient (fait) des moustaches. (É. GUILLAUMIN)

Révision ◄

461 Accordez les participes passés entre parenthèses.

Mohamed et Bombi, petit à petit, nous ont (devancé), leurs silhouettes sont (devenu) deux points imperceptibles que le sable a (englouti). (Frison-Roche) — Derrière nous, les autres chuchotaient et semblaient nous avoir (oublié). (P. Modiano) — Alceste et Antigone me donnèrent les plus nobles rêves qu'un enfant ait jamais (eu). (A. France) — Les burgs en ruine avaient (parlé) à son imagination. Il avait (vu) surgir des puissantes forteresses, les seigneurs féodaux qui les avaient jadis (habité). (P. Audiat) — Tous ceux de Tarches m'ont (connu) gamine. Dès qu'ils m'ont (vu), ils sont (venu). (J. Giono)

462 Accordez les participes passés entre parenthèses.

Oh ! que je l'ai (aimé) cette cour ! Les plus pénétrants premiers souvenirs que j'en aie (gardé), sont, je crois, ceux des belles soirées longues de l'été. (P. Loti) — La flatterie corrompt les meilleurs princes et ruine les plus belles espérances qu'on en avait (conçu). (Rollin) — C'est la première petite bande que j'aie (mené). Plus tard, pour mes amusements, j'en ai (eu) bien d'autres, moins faciles à conduire. (P. Loti) — « Vous n'avez plus d'ennuis ? – Je n'en ai jamais (eu). » (A. Dumas)

463 Accordez les participes passés entre parenthèses.

Ses cheveux s'étaient (défait) et ses doigts s'accrochaient par moment aux cannes. J'aurais (cru) avoir affaire à une sirène, au sens le plus conventionnel de ce mot. (Aragon) — Une autre fois, j'ai (vu) sur ces mêmes arbres passer ce vent bleu. (A. Breton) — En une heure, je suis (descendu) dans le mouvement d'un boulevard de Bagdad où des compagnies ont (chanté) la joie du travail nouveau. (A. Rimbaud) — Combien de fois l'a-t-il (entendu) cette histoire sans y prêter attention ? (R. Vercel) — Il est des paroles sur lesquelles on ne peut revenir, si légèrement qu'on les ait (prononcé). (J. Perret)

464 Accordez les participes passés entre parenthèses.

L'autre hiver, deux grands arbres ont été (brisé) par le vent. J'en ai (senti) de la pitié (G. Duhamel) — Petite Véronique courait s'asseoir à notre porte dès qu'elle était (levé) et s'y tenait (tapi). (P. Loti) — La région qui s'étend de Catanzano à Nicastro est à peu près la seule en Italie où se soient (conservé) les costumes d'autrefois. (Maeterlinck) — La foule ne s'arrêta qu'une fois, les musiciens s'étant (interrompu) pour boire un verre de cidre. (G. Flaubert)

465 Accordez les participes passés entre parenthèses.

(Assaisonné), puis (grillé) au barbecue, ces sardines seront délicieuses — Les deux chambellans firent de grands éclats de rire des bons mots qu'Irax avait (dit) ou avait (dû) dire (Voltaire) — Qu'étaient (devenu) ses adversaires ? S'ils s'étaient (enfui), s'ils avaient été (blessé), il aurait certainement (entendu) quelque bruit. (P. Mérimée) — Tu n'as pas (lu) dans le livre l'histoire d'Esther et d'Athalie ? Non, tu ne l'as pas (lu) ? Eh bien, je vais te la conter. (A. France)

Grammaire 141

ce, se

RÈGLE

1. ce est un déterminant (on peut le remplacer par un autre déterminant) ou un pronom démonstratif (on peut le remplacer par *cette chose* ou *cela*) :

Ce petit lézard vert dort au soleil. (le petit lézard)

Ce dont vous parlez m'intéresse beaucoup. (cette chose dont vous parlez)

Ce sera avec grand plaisir. (cela sera)   *C'est mieux ainsi.* (cela est mieux)

2. se est un pronom personnel réfléchi ; il appartient au verbe pronominal. En conjuguant le verbe, on peut remplacer se par *me, te...* :

Le petit lézard vert se glisse sous les pierres.

(verbe pronominal *se glisser* : je me glisse, tu te glisses...)

Le soleil s'est caché derrière les nuages.

(verbe pronominal *se cacher* : je me cache, tu te caches...)

Remarques :

1. Dans les verbes pronominaux réfléchis et réciproques, le pronom se est toujours complément d'objet ou d'attribution :

• d'objet direct :   *La vague s'est brisée sur les rochers.*

• d'objet indirect :   *Ils se sont téléphoné.*

• d'attribution :   *Ils se sont donné quelques jours de repos.*

2. Dans les verbes essentiellement pronominaux (comme *s'emparer*, *se blottir*, *s'enfuir*, etc.) se accompagne toujours le verbe et ne s'analyse pas.

EXERCICES

466 **Complétez par** ce, c', se, **ou** s'. **Justifiez l'emploi de** se **ou de** s' **en écrivant l'infinitif du verbe pronominal entre parenthèses.**

Des baigneurs ... dorent encore sur ... sable chaud alors qu'il est midi ; ... n'est pas raisonnable et ... soir, ils risquent de ... en souvenir en soignant leurs coups de soleil. — Lorsque l'on téléphone, on ne ... doute pas de toutes les connexions qui ... effectuent en quelques millièmes de seconde. — Avec ... rabais, Gertrude n'hésitera plus longtemps pour ... offrir ... collier.

467 **Complétez par** ce, c', se, **ou** s'.

La nuit, ... est le royaume des fantômes ; on dit qu'ils ... promènent dans les couloirs, vêtus de draps blancs. Mais ... est certainement une légende qui ... est transmise de génération en génération. — En quelques minutes, les musiciens ... sont installés et le concert a débuté.

468 Vocabulaire à retenir

le fantôme — le diplôme — le pylône — le cône — l'aumône — le binôme

ces, ses

EXERCICES

469 Écrivez les noms en bleu au pluriel et accordez.
Dans cette forêt, Pauline va ramasser des champignons avec son frère. — Loïc a laissé cette image dans les pages de son livre. — Johnny et son camarade sont montés sur ce manège : ils ont eu très peur et Johnny a même perdu sa clé, tombée de sa poche.

470 Écrivez les noms en bleu au singulier et accordez.
Le berger fait paître ses moutons dans ces pâturages. — Ces disques plaisent beaucoup à Olivier, mais pas du tout à ses amis. — Annie range ses pull-overs sur ces rayons. — Ces danseurs contrôlent parfaitement leurs gestes.

471 Complétez par ces ou ses.
Sur … entrefaites, l'actrice arrive avec … admirateurs ; … gardes du corps ne contrôlent plus … mouvements spontanés qui témoignent de sa popularité. … caprices font la joie des magazines spécialisés. — J'aime à regarder de ma fenêtre la Seine et … quais par … matins d'un gris tendre qui donnent aux choses une douceur infinie. (A. France) — … départs, … emballages puérils de mille objets sans valeur appréciable, ce besoin de tout emporter, … adieux à de petites créatures sauvages, ça représente toute ma vie. (P. Loti) — L'immense baie se déploie avec … îles frangées de cocotiers, … pics et … croupes qui se chevauchent, s'enchevêtrent sur un fond éclatant. (R. Vercel)

472 Écrivez deux phrases où vous emploierez à la fois ces et ses.

473 Vocabulaire à retenir
paître, la pâture, le pâturage, le pâtre, le pasteur, pastoral
le magasin — le magazine — l'horizon — le gazon — le bison — la maison

▶ 92ᵉ leçon

çà, ça   là, la, l'a   où, ou

RÈGLE

1. çà et **là**, adverbes de lieu, prennent un accent grave.
ça, sans accent, est la contraction de **cela**.
l'a est la forme du verbe **avoir** au présent de l'indicatif précédé
du pronom **l'** :

> *Çà et là des éclairs sillonnent le ciel. Ça m'effraie.*
> *Ce chêne-là était le roi de la forêt. La foudre l'a brisé.*

Remarque : **çà**, accentué, peut être aussi interjection :

> *Ah ! çà, vous me faites une bonne surprise.*

2. où prend un accent grave quand il marque le lieu ou le temps.
Il peut être adverbe ou pronom relatif (s'il a un antécédent).
ou, sans accent, est une conjonction de coordination.
On peut le remplacer par *ou bien* :

> *Où habites-tu ?*
> *C'est un quartier où l'on organise des concerts toutes les semaines.*
> *Adresse-toi à Pierre ou* (ou bien) *à Jacques.*

EXERCICES

474 **Complétez par** çà **ou** ça, **et par** la, l'a **ou** là.

Tes chaussettes sont   , devant tes yeux. —   et   , entre les fougères, de
petites sources suintaient. (P. LOTI) —   jeune fille a trouvé le chien devant sa
porte et aussitôt il   suivie. (M. BERNARD) — Celui- , c'est Jacques, je me suis
dit. Il marche exactement comme son père et son grand-père. (J. LACARRIÈRE) —
Ah !   , me direz-vous, puisque le gibier est si rare à Tarascon, qu'est-ce que
les chasseurs tarasconnais font donc tous les dimanches ? (A. DAUDET) — Moi,
m'a rafraîchie,   m'a délassée, toute cette journée au grand air. (É. ZOLA)

475 **Complétez par** où **ou par** ou.

En vacances, j'emporte toujours deux   trois boîtes de médicaments, on ne
sait jamais ! — Savez-vous   se trouve le lac Baïkal ? — M. Berthet perce un
trou là   il veut accrocher un tableau. — Est-ce les traces d'un serval   celles
d'un guépard ? — C'était l'heure tranquille   les lions vont boire. (V. HUGO) —
La salle à manger ouvre sur une élégante cour mauresque   chantent deux
trois fontaines. (A. DAUDET) — Il se réveillait de sa stupeur apparente au jour et à
l'heure   il fallait faire des comptes   donner des quittances. (BALZAC)

476 Vocabulaire à retenir

la fougère — la bruyère — la filière — la portière — la lumière
la stupeur — la peur — la vapeur — la torpeur — le trappeur

leur, leurs

RÈGLE

1. leur placé près du verbe est un pronom personnel s'il est le pluriel de *lui*. Il ne prend jamais de **s** et s'écrit toujours *leur* :
> *S'ils ne trouvent pas, il faut leur donner la solution.*

2. Il ne faut pas confondre **leur**, pronom personnel, avec **leur**, déterminant possessif, qui prend un **s** quand il se rapporte à un nom pluriel :
> *Les enfants sont arrivés avec leur mère et leurs cousins.*

Remarque

Leur, pronom, peut être
- complément d'objet indirect :
> *Paul aime ses parents et leur obéit.*
- complément d'attribution :
> *Le professeur parle aux élèves et leur donne des conseils.*

Un verbe ne peut avoir de complément d'attribution que s'il a déjà un complément d'objet (attribution de l'objet).

EXERCICES

477 **Complétez par** leur **ou** leurs **et faites les accords nécessaires.**
La sueur, mêlée au ciment, dessinait sur … (peau) un canevas de rigoles dures. … (trait) étaient creux, … (œil fixe), … (respiration) soulevait avec peine … (côte tranchante). (G. Arnaud) — La pluie, le vent, l'orage chantent à … (oreille) les enseignements sacrés. La montagne … apprend à respirer, l'arbre … fait connaître la façon d'être debout, immobile dans le désert de la terre, l'herbe … donne des lits, les fleurs, les oiseaux. (J. Giono) — Ils mangeaient … (pomme) à l'abri des buissons. (B. Clavel)

478 **Complétez par** leur **ou** leurs **et faites les accords nécessaires.**
Nos correspondants nous ont écrit une longue lettre, nous … répondons. — Le metteur en scène appelle les acteurs et … explique qu'ils doivent savoir … (texte) par cœur. — On dit que Napoléon était adoré de ses soldats, c'est peut-être parce qu'il … avait promis de conquérir le monde. — La gloire … importait avant tout. Elle était le pivot de … (vie) autour duquel tout s'organisait. (É. Badinter) — … (mère) ne … cachait rien, expliquait tout. (Balzac) — L'eau … coulait dans le cou, perçait … (vêtement), ruisselait sur … (chair). (J. Richepin)

479 Vocabulaire à retenir
le ciment — la cicatrice — les ciseaux — la cible — la cigogne — la cigale
conquérir, la conquête, conquérant, reconquérir

▶ 94ᵉ leçon

on, on n'

RÈGLE

Le sens indique s'il faut mettre la négation.

Quand le sujet d'un verbe commençant par une voyelle est le pronom indéfini **on**, il faut remplacer *on* par *il* pour savoir si l'on doit écrire la négation **n'** ; on entend alors la différence :

> *On apprend d'abord à boire du lait. On n'apprend que plus tard à respirer des fleurs.* (A. FRANCE.)

> (*Il apprend d'abord à boire du lait. Il n'apprend que plus tard à respirer des fleurs.*)

EXERCICES

480 Complétez par il et par la négation n', s'il y a lieu ; puis récrivez la même phrase en remplaçant il par on.

... entend la sirène du bateau qu'... aperçoit à peine dans la brume. — ... arrivera avant la nuit s' ... est pas retardé par le mauvais temps. — ... approchait qu'à tâtons, ... avançait lentement. — ... a guère envie de sortir quand ... entend la pluie battre les vitres. — ... éprouve aucun plaisir quand ... a pas accompli son travail correctement. — ... a été appelé plusieurs fois mais ... a pas répondu. — Au refuge, tout sera fourni, ... emporte ni draps ni couvertures.

481 Complétez par on ou on n'.

Aux échecs, si ... anticipe pas sur les réactions de l'adversaire, ... perd à tous les coups ! — Lorsqu'... appuie pas sur la bonne touche, ... ouvre pas le logiciel correctement. — Quand ... oublie de composter son billet de train, ... est en infraction et ... doit prévenir immédiatement le contrôleur. — Lorsqu'... achète une marchandise au plus bas prix, ... est pas toujours sûr de sa qualité. — ... aperçoit quelques tracteurs dans les champs mais ... y voit plus des centaines de paysans travaillant la terre avec des outils rudimentaires. — ... est pas sérieux quand ... a dix-sept ans. (A. RIMBAUD) — Par économie, ... allumait pour la maison entière qu'un seul feu. (A. DAUDET) — La rue est faite pour qu'... y joue. (G. DUHAMEL) — C'était une nuit d'été comme ... en voit qu'au-dessus des petites villes. (H. BACHELIN) — ... en finirait pas, si l'on voulait tout dire. (G. DROZ)

482 Pour chaque verbe, écrivez une phrase avec on et une phrase avec on n'.

attendre — espérer — écouter — arriver — hésiter — éprouver.

483 Vocabulaire à retenir

le retard — le hasard — le renard — le regard — le cafard — le homard
correct, corriger, la correction, un correctif, incorrigible

peu, peut

> ## RÈGLE
>
> Il ne faut pas confondre **peut** (**peux**), du verbe *pouvoir* au présent de l'indicatif avec **peu**, adverbe de quantité.
> Si l'on peut mettre l'imparfait *pouvait* (*pouvais*), il faut écrire *peut* :
> *Benjamin peut porter ce paquet peu volumineux.*
> (*Benjamin* pouvait *porter ce paquet* peu *volumineux.*)
>
> **Remarque :** *peu*, précédé de l'article défini, du déterminant possessif ou démonstratif, est un nom :
> *le peu de savoir ; son peu de réflexion ; ce peu de chance.*

EXERCICES

484 **Conjuguez les verbes au présent et à l'imparfait de l'indicatif.**
pouvoir se reposer un peu   être peu observateur

485 **Complétez par** peu **ou** peut.
Un ... ému, un ... tremblant, le candidat se présente devant le jury. Il ne ... répondre à la première question. — Avec un ... plus de concentration le perchiste ... arriver à franchir la barre des 6 mètres. — Dépanné rapidement par son mécanicien, le coureur ... rejoindre le peloton. — ... à ... les témoignages arrivent, on finira bien par découvrir la vérité. — Après dîner, nous regarderons un ... la télévision. — S'il était le plus irréprochable des ânes, on ... dire aussi qu'il était le plus heureux. (G. Sand) — ... à ... l'Espagne de ma carte devenait sous la lampe un pays de contes de fées. (A. de Saint-Exupéry) — Quand on a la conscience satisfaite on ne ... pas être entièrement malheureux. (V. Hugo)

486 **Complétez par** peu **ou** peut.
Ils échangeaient ... de paroles : Cornélius Berg donnait son avis d'un hochement de tête. (M. Yourcenar) — Mon père ne savait pas tout, mais il savait un ... de tout et ce ..., il le savait bien. (E. About) — Il passe ... de voitures par ces rues. (T. Derème) — Le ... de mots que je parvenais à balbutier ne m'étaient d'aucun secours. (A. France) — De ma maison, je vois bien des choses, mais elle, on ne ... la voir, car elle est bien enfouie dans les feuillages. (C. Mauclair) — Le soleil est déjà bas, sa lumière est un ... jaunie. (P. Loti)

487 **Écrivez trois phrases où vous emploierez à la fois** peu **et** peut.

488 Vocabulaire à retenir
balbutier — patienter — la calvitie — la prophétie — la minutie — l'initiale — irréprochable — irréparable — irréversible — irrémédiable — irréel

près, prêt   plus tôt, plutôt

RÈGLE

1. Il faut écrire **prêt** quand on peut le mettre au féminin ;
c'est un adjectif qualificatif. Dans le cas contraire, il faut écrire **près** :

> Les skieurs placés près du portillon sont prêts à s'élancer.

> (Les skieuses placées près du portillon sont prêtes à s'élancer.)

2. Il faut écrire **plus tôt** en deux mots lorsqu'il est le contraire
de *plus tard*. Sinon, il faut écrire **plutôt** en un seul mot.

> Plutôt que de discuter, partez, vous arriverez plus tôt (plus tard).

EXERCICES

489 **Conjuguez les verbes au présent et à l'imparfait de l'indicatif.**

être prêt à jouer   être prêt au retour   être près du mur

490 **Complétez par** près **ou** prêt **; accordez, s'il y a lieu.**

Benoît ignore à peu … tout des règles de la grammaire anglaise ; il n'est pas …
de traduire les romans d'Hemingway. — Pour trouver du travail, ces chômeurs
sont … à partir à l'étranger. — Se placer trop … de l'écran de télévision risque
d'abîmer la vue. — Des papillons posés repliaient leurs ailes fauves, … à se
laisser emporter plus loin. (É. Zola) — Rien n'était … ; la nature boudait encore.
(A. Gide) — Le cameraman était posté derrière son appareil, … à tourner.
(L. Werner) — Tout … de moi un sapin roula foudroyé. (A. Daudet) — Tchen regardait toutes ces ombres qui coulaient sans bruit vers le fleuve : il était … .
(A. Malraux) — Le capitaine faisait des gestes de dénégation et semblait …
d'éclater. (J. Peyré)

491 **Complétez par** plus tôt **ou** plutôt.

… que d'attendre un retour hypothétique de l'électricité, il décida d'allumer des
bougies. — Ce vieux loup de mer préféra mourir … que d'abandonner son navire. (H. de Monfreid) — La nuit vint deux heures …, tant le ciel était sombre.
(Maupassant) — La petite sonnette semble dire tout le temps : « Dépêchons-nous,
dépêchons-nous, … nous aurons fini, … nous serons à table. » (A. Daudet) — Il
n'a pas manqué de courage, mais … de chance et de facilité. (G. Duhamel) — Une
année …, nos camarades Gourp et Erable, en panne ici, avaient été massacrés par
les dissidents. (A. de Saint-Exupéry) — Je me suis demandé, monsieur Rinquet, si
vous n'accepteriez pas de prendre votre retraite un peu … . (G. Simenon)

492 **Vocabulaire à retenir**

facile, la facilité, facilement, faciliter
la panne, dépanner, le dépannage, la dépanneuse, le dépanneur

quel(s), quelle(s), qu'elle(s)

RÈGLE

Il ne faut pas confondre **quel**, déterminant ou pronom,
variable en genre et en nombre, avec **qu'elle**, ayant une apostrophe
et que l'on peut remplacer par *qu'il* ou par *que lui* :

Quelle belle rose ! Quel beau dahlia !
Qu'elles sont belles ces roses ! (Qu'ils sont beaux...)
Quelles sont ces fleurs ? Quels sont ces fruits ?
Le fruit qu'elle cueille est mûr. (qu'il cueille)
Je suis plus grande qu'elle. (que lui).

Remarque : le pronom relatif **lequel** s'accorde lui aussi en genre et en
nombre avec son antécédent (voir leçon 72).

EXERCICES

493 **Complétez par** quel(s), quelle(s), qu'elle(s).

… sont ces montagnes que nous apercevons au loin ? — Ces adresses, je suis
bien certaine … sont fausses parce que la rue Texier n'existe pas à Grenoble !
— … sont ces villages désertés par leurs habitants ? — Ces pâtes, … sont
salées ! — Mandy a les mains toutes poisseuses, l'abricot … mange est trop
juteux. — … magnifiques tableaux ! Qui les a peints ? — Dans … tiroir as-tu
rangé ton cahier de géographie ? — De … façon vas-tu procéder pour retirer
l'objet qui s'est glissé derrière l'armoire ? — Admirez avec … grâce et …
sang-froid ce funambule se déplace sur son fil. — Je crois … ne sont pas encore revenues de leur excursion. … belle journée elles ont dû vivre ! — …
ennui, ce film … m'avait pourtant conseillé de voir !

494 **Complétez par** quel(s), quelle(s), qu'elle(s).

Les disquettes que tu m'as prêtées, je crois bien … ne sont pas formatées. — À
… heure vous levez-vous le matin ? — Je ne savais pas … avait un frère
jumeau. — J'ignorais … étaient leurs intentions à mon égard. — Marie est très
curieuse : elle fait des recherches sur tout ce … ne connaît pas. — La cour
du roi est comme un édifice bâti de marbre ; je veux dire … est composée
d'hommes fort durs mais fort polis. (LA BRUYÈRE) — … était jolie la petite chèvre
de M. Seguin ! (A. DAUDET) — Sa maman voulait … demeurât à la maison pour
l'aider à étendre des peaux au soleil mais Taffy s'échappa dès le petit jour pour
rejoindre son papa et ils se mirent à pêcher. (R. KIPLING)

495 Vocabulaire à retenir

l'objet — le sujet — le rejet — le trajet — le projet
bâtir, le bâtiment, la bâtisse, un bâtisseur, rebâtir

quelque(s), quel(s) que, quelle(s) que

RÈGLE

quelque peut être déterminant indéfini ou adverbe.

1. quelque est **adjectif indéfini** quand il se rapporte à un nom, même précédé d'un adjectif qualificatif.

- Il a souvent le sens de « plusieurs » et prend alors un **s** :
  L'émission durera quelques minutes.
  Quelques jeunes élèves jouent dans la cour.

- Il a aussi des sens divers : « un, du, certain, quelconque » et reste dans ce cas invariable :
  La truite se cache dans quelque trou d'eau.
  Tu fais preuve de quelque ingéniosité.

2. quelque est **adverbe** quand il se rapporte à un adjectif qualificatif, à un participe passé, à un adjectif numéral ou à un adverbe.
Il a souvent le sens de « si » ou de « environ ». Il est alors invariable :
  Quelque adroits qu'ils soient, ils manquent le but.
  Il lui reste quelque cinq cents mètres à faire.

Remarque : devant *cent* et *mille*, *quelque* est, selon le sens, adjectif indéfini ou adverbe ; il s'accordera ou sera invariable selon le cas :
  Il a quelque cent mètres à faire. (environ une centaine)
  Il a quelques cents mètres à faire. (plusieurs centaines)
  Je lui dois quelque mille francs. (environ mille)
  Je lui dois quelques mille francs. (plusieurs milliers)

3. Les expressions **quel(s) que, quelle(s) que** construites avec *être, devoir être, pouvoir être* au subjonctif s'écrivent en deux mots.

- *quel* s'accorde en genre et en nombre avec le sujet du verbe dont il est attribut.

- *que* est une conjonction de subordination :
  Quelle que soit ta force, tu trouveras ton maître.
  Quels que soient tes ennuis, réagis.

EXERCICES

496 Accordez quel que **et terminez les phrases.**

(quel que) soit son humeur…
(quel que) soit son talent…
(quel que) fût son habileté…
(quel qu') ait été son mérite…

(quel que) soient les résultats…
(quel que) soient les récoltes…
(quel que) soient les couleurs…
(quel que) soient les pays…

497 **Accordez** quelque, **s'il y a lieu.**

Les randonneurs sont restés (quelque) heures au refuge, en attendant que le temps se lève. — L'entrée du magasin n'était qu'à (quelque) pas mais aucun client ne songeait à pousser la porte vitrée. — (Quelque) fiers qu'ils soient, ils devront nous écouter et accepter des avis différents des leurs. — (Quelque) grues suffiront pour décharger les conteneurs des navires. — Le vieux prunier, planté jadis par (quelque) ancêtre, tendait sur le bleu du ciel le rideau ajouré de ses nouvelles feuilles. (P. Loti) — Caché parmi les rochers, j'attendis (quelque) temps sans avoir rien vu paraître. (Chateaubriand) — Les idées sont abstraites. (Quelque) belles qu'elles soient, elles ne suffisent pas au cœur. (M. Barrès)

498 **Accordez** quelque, **s'il y a lieu.**

La vieille mobylette se trouve certainement dans (quelque) garage isolé ; elle n'est pas encore réparée ! — Parmi les (quelque) cassettes vidéo restantes, Samuel en choisit une qui présentait (quelque) intérêt. — (Quelque) courageux qu'ils soient ces alpinistes ne parviendront pas au sommet ; les conditions météorologiques sont telles qu'ils prendraient trop de risques. — Cependant. Falcone marcha (quelque) deux cents pas dans le sentier. (P. Mérimée) — Il était, (quelque) part, dans un parc chargé de sapins noirs et de tilleuls. (A. de Saint-Exupéry) — Par-dessus (quelque) maisons et (quelque) murs bas garnis de rosiers, on apercevait les remparts. (P. Loti) — (Quelque) dernières gouttes de pluie tombèrent et toute cette ombre pleine de lumière s'en alla. (V. Hugo) — Jamais pays de plaine, (quelque) beau qu'il fût, ne parut tel à mes yeux. (J.-J. Rousseau) — Une dizaine de députés siégeaient déjà. (Quelque) quinze autres entrèrent sur les talons du président. (C. Farrère) — Tout donnait à ce train ainsi lancé (quelque) chose de fantastique. (J. Claretie)

499 **Complétez par** quel(s) que **ou** quelle(s) que.

Le courage, c'est d'être tous solidaires, … soient l'adversaire, les conditions atmosphériques, les cris des supporters. — Le directeur de l'usine accepte d'honorer la commande … puissent être les conséquences sur les horaires de travail des ouvriers. — … soient les mots que vous cherchez, utilisez un dictionnaire de qualité. — … soit la question, M. Charriez a toujours une réponse prête, mais c'est rarement la bonne ! — Sachons du moins, … soit notre tâche, l'accomplir d'un cœur simple, avec bonne volonté. (A. France) — Il était d'emblée familier avec les clients … ils soient. (G. Simenon) — … soient l'heure et la saison, c'est toujours un lieu sans pareil que ces jardins de Versailles. (H. de Régnier) — … soit la destinée de mes travaux, cet exemple, je l'espère, ne sera pas perdu. (A. Thierry)

500 Vocabulaire à retenir

quelque temps, quelque part, quelque chose, quelquefois
l'entrée — la cheminée — la journée — la bouffée — la plongée
la foulée — la tranchée — la saignée — la trouée — la coulée — l'idée

99e leçon

sans, s'en, c'en   dans, d'en

RÈGLE

1. Il ne faut pas confondre **sans**, préposition, avec **s'en** (« se en »), ni avec **c'en** qui signifie « cela en » :

> Il a un passé *sans* tache, il *s'en* glorifie. (se glorifier de)
> *C'en* est fait. Nous avons couru, mais le train est parti.

s'en fait partie d'un verbe pronominal et peut être remplacé par *m'en, t'en* : je m'en glorifie.

2. Il ne faut pas confondre **dans**, préposition, avec **d'en** (« de en »).

> Il s'est égaré *dans* la forêt, il a hâte *d'en* sortir.

Remarque : *en* peut être pronom personnel, préposition ou adverbe.

1. en est pronom personnel quand il représente un nom. Il peut être

• complément du verbe :

> La chouette fait la chasse aux rongeurs et s'en nourrit.

• complément du nom :

> L'abeille se pose sur les fleurs afin d'en pomper le suc.

• complément de l'adjectif :

> J'aime ma famille ; j'en suis fier.

• complément de l'adverbe :

> Je suis allé aux champignons, j'en ai cueilli beaucoup.

en est pronom personnel neutre et généralement complément quand il signifie « de cela ». Il peut alors remplacer une proposition :

> Il a choisi la bonne direction, il s'en félicite.

2. en est préposition quand il introduit un nom ou un pronom complément :

> monter en avion ; une bague en or ; riche en tout.

3. en est adverbe quand il indique le lieu ; il signifie « de là » :

> Je suis allé à Lille, j'en reviens.

Il est également adverbe dans certaines tournures et ne s'analyse pas :

> s'en aller, s'en retourner, s'en venir, s'en tenir à
> c'en est fait, en imposer...

EXERCICES

501 Conjuguez les verbes au présent, à l'imparfait, au passé composé et au plus-que-parfait de l'indicatif à la 3e personne du singulier et du pluriel.

être en vacances et s'en réjouir

s'en aller par les champs

s'en tenir aux seules certitudes

perdre son chat et ne pas s'en consoler

502 **Complétez par** sans, s'en **ou** c'en.

Le vent agite l'arbre violemment ; les feuilles … détachent. — Il se leva …
avoir répondu. — … est fait, ils ne partiront pas en vacances cette année, mais
ils … remettront ! Ils iront au centre aéré. — … se laisser décourager, le savant
recommence ses expériences et … … douter, il a fait une découverte intéres-
sante. — L'enfant a un peu de fièvre ; il ne faut pas … effrayer. — Aujourd'hui,
c'est la mode des téléphones … fil ; certains ne peuvent pas … passer. — …
une réaction d'orgueil des joueurs au cours de la 2ᵉ mi-temps, … sera fini des
chances de l'équipe de France de remporter ce match.

503 **Complétez par** sans, s'en **ou** c'en.

Elle mangeait des groseilles à … barbouiller la bouche jusqu'au menton.
(É. ZOLA) — Puis le vent glisse à l'orient. Les hommes … déclarent réjouis.
(G. DUHAMEL) — Mais puisque … est fait, le coup est … remède. (CORNEILLE) —
Catherine et Jean … vont par les prés fleuris. (A. FRANCE) — Ma grand-mère était
prompte à saisir le moindre ridicule pour … amuser … méchanceté aucune.
(LAVISSE) — Le long des bâtiments s'étendait un large fumier, de la buée … élevait. (G. FLAUBERT) — La clameur immense du stade va diminuant, mais bien que
… soit la fin, on y retrouve toute son ampleur. (R. BOISSET) — Les vieux char-
donnerets, … hésiter, apportèrent aux petits de pleins becs de chenilles.
(A. THEURIET) — Une pluie fine commence à tomber, le sol … empare avec avi-
dité. (FABRE) — … est fait, un soubresaut, l'auto s'arrête. (R. DORGELÈS)

504 **Complétez par** dans **ou** d'en.

Le boucher prend le quartier de bœuf … la chambre froide afin … couper un
morceau. — Nous avons une tournée à faire … les Vosges, nous essaierons …
rapporter des souvenirs. — Nous irons … la montagne pendant plusieurs jours,
nous nous efforcerons … gravir les principaux sommets. — Le coteau … face
est noyé … la brume. — Bébé dort … sa chambre ; Valérie est chargée … assurer la garde.

505 **Complétez par** dans **ou** d'en.

Le spéléologue s'est engagé … un étroit boyau ; il n'est pas près … sortir. —
Ce n'est pas la peine … parler plus longtemps, je ne jouerai pas avec toi. — Le
poste de télévision est placé … le salon et ainsi, tout le monde en profite. —
Mme Durbe a placé des rideaux à ses fenêtres car les voisins … face voyaient
tout ce qui se passait … son appartement. — L'ambiance n'était pas bonne …
l'équipe : chacun tentait … imposer à l'autre ! — La femme écrase sa cigarette
tachée de rouge … un cendrier de cristal dont la forme évoque une étoile de
mer. (G. PEREC) — Les travailleurs parlaient peu, pressés … finir. (REYNIER)

506 Vocabulaire à retenir

l'intérêt, intéresser, intéressant, désintéresser
prompt, la promptitude, promptement

si, s'y   ni, n'y

RÈGLE

1. Il ne faut pas confondre **si** adverbe ou conjonction, avec **s'y** (« se y ») :
Olga trouve l'eau si tiède qu'elle s'y plonge avec volupté.

• **si** peut être remplacé par un autre adverbe ou par une autre conjonction :
trop, tellement... : l'eau tellement tiède.

• **s'y** fait partie d'un verbe pronominal et peut se remplacer par *m'y, t'y* :
je m'y plonge.

2. Il ne faut pas confondre **ni**, conjonction, avec **n'y** (« ne y »).
Ni les conseils, ni les explications n'y feront rien (ne feront rien à cela).

Remarque

y est pronom personnel quand il représente un nom. Il peut être complément d'objet indirect ou complément circonstanciel de lieu :
Douglas a un travail à faire, il s'y met avec ardeur.
L'automobiliste s'engage dans un mauvais chemin et s'y embourbe.

EXERCICES

507 **Complétez par** si ou s'y.
La cheminée du salon est ... haute qu'un homme ... tient aisément debout. — Quel malheur que le monde soit ... grand, on peut ... perdre. (A. France) — Le silence semble d'abord profond. Peu à peu l'oreille ... habitue. (Th. Gautier) — Le papillon était dans la vitrine ; ses deux nuances ... fraîches et ... étranges s'avivaient l'une par l'autre. (P. Loti) — Les flaques des averses de l'après-midi luisaient faiblement. Le ciel lumineux ... reflétait. (A. Malraux)

508 **Complétez par** ni ou n'y.
Il ... a eu ... joueur blessé ... arrêt de jeu ; il ... aura donc pas une minute de plus à disputer dans la partie. — Celui qui croyait au ciel / Celui qui ... croyait pas. (Aragon) — Je ... voyais pas clair sur l'horizon de ma route. (P. Loti) — Ces enfants semblaient n'avoir jamais ... crié ... pleuré. (Balzac) — La manœuvre est du coup simplifiée, puisqu'il ... a ... vent ... moteur. (M. Oulié) — Il n'allait jamais chez personne, ne voulait ... recevoir ... donner à dîner. (Balzac) — L'enfant regardait courir les nuages, il était surpris que ... son grand-père, ... sa mère ... fassent attention. (R. Rolland) — Le tigre ne craint ... l'aspect ... les armes de l'homme. (Buffon)

509 Vocabulaire à retenir
frais, fraîche, rafraîchir, fraîchement, la fraîcheur, un rafraîchissement
l'œuvre, la manœuvre, manœuvrer, désœuvré, le désœuvrement

quand, qu'en, quant à

RÈGLE

Il ne faut pas confondre **quand** avec **quant** ni avec **qu'en** :
Quant à moi, j'irai te voir quand il fera beau. Qu'en dis-tu ?

1. quand est une conjonction ou un adverbe interrogatif qui exprime le temps ; *quand*, conjonction, peut être remplacé par *lorsque*.
Les projecteurs s'allument quand la nuit tombe sur le stade.
Quand viendras-tu nous voir ?

2. qu'en (« que en ») :
Ce n'est qu'en posant les questions que vous connaîtrez les réponses.

3. quant est toujours suivi de la préposition **à** (au, aux) et peut être remplacé par *en ce qui concerne* :
Quant à moi, je n'ai pas d'avis sur la question.
• *quant à* est une locution prépositive.

EXERCICES

510 **Complétez par** quand, quant, qu'en.

... votre metteur en scène a pensé à vous pour ce travail, je ne vous connaissais pas. (F. MALLET-JORIS) — ... savez-vous ? Vous m'agacez à la fin. Vous avez l'air d'insinuer que vous me connaissez mieux que moi. (J. ANOUILH) — Et ... à cette idée d'être marin, elle me charmait et m'épouvantait. (P. LOTI) — Je vais à présent vous exposer ce que je puis appeler notre méthode, laquelle n'est simple ... apparence. (J. GREEN) — ... il fait beau, je prends ma canne et mon béret, je siffle mon chien et en route ! (J. GUÉHENNO)

511 **Complétez par** quand, quant, qu'en.

... aux cigales, elles continuaient de plus belle jusqu'au soir. (J. JAUBERT) — Ma grand-mère me donnait la bouillie, m'habillait, me grondait ... il le fallait. (C. PÉGUY) — Rien ... voyant un œuf, je pouvais dire, sans me tromper, de quel oiseau il était. (E. LE ROY) — Nous l'avions invité à boire avec nous pour entendre de sa voix éraillée quelques-unes de ses histoires. ... à son aventure, elle était exemplaire et navrante à la fois, comme c'est souvent le cas. (M. TOURNIER)

512 **Écrivez une phrase avec** quand **adverbe, une avec** quand **conjonction, une avec** quant à, **et une dernière avec** qu'en.

---

513 Vocabulaire à retenir

épouvanter, l'épouvantail, épouvantable, l'épouvante
bouillir, bouillant, la bouilloire, la bouillotte, ébouillanter

▶ 102ᵉ leçon

quoique, quoi que

> **RÈGLE**
>
> Il ne faut pas confondre la conjonction **quoique** et le pronom **quoi que**.
>
> **1. quoique**, en un seul mot, est une conjonction de subordination qui est l'équivalent de *bien que* :
>
> > *Quoique **tout aille pour le mieux, elle est encore inquiète.*** (bien que tout aille...)
>
> **2. quoi que**, en deux mots, est un pronom relatif composé qui a le sens de « quelle que soit la chose que » ou de « quelque chose que » :
>
> > *Quoi que **vous fassiez, prévenez-nous.***
>
> **Remarques**
>
> **1.** Le verbe qui suit *quoique* ou *quoi que* est au mode subjonctif.
>
> **2.** Dans *quoi qu'il en soit, quoi qu'* s'écrit en deux mots.

EXERCICES

514 **Complétez par** quoique **ou** quoi que.

Cette nuit passera comme toutes les nuits ; le soleil se lèvera demain : elle est assurée d'en sortir, ... il arrive. (F. MAURIAC) — Asseyez-vous, monsieur Rinquet, et, ... je vous dise, faites-moi le plaisir de ne pas m'en vouloir. (G. SIMENON) — Car toi, loup, tu te plains, ... on ne t'ait rien pris. (LA FONTAINE) — Les sauvages de la baie d'Hudson vivent fort longtemps, ... ils ne se nourrissent que de chair ou de poisson cru. (BUFFON) — ... il en soit, je tirai de ma poche les deux sous de mon jeudi et je les jetai à la mendiante. (A. DAUDET) — Je me demande si c'était bien vrai, ... il en soit, cela m'arrangeait à l'époque de le croire ! (F. GROULT)

515 **Complétez par** quoique **ou** quoi que.

... il cuisine, M. Brouzet parvient à satisfaire les gourmets les plus exigeants. — Teddy montre tout son talent, ... il peigne, ... il sculpte, ... il dessine ; de plus, il communique avec conviction. — Elle ne croyait jamais avoir plus d'esprit que son voisin, ... elle en eût quarante fois davantage. (A. ASSOLANT) — ... j'aie pu dire ailleurs, peut-être que les affligés ont tort : les hommes semblent nés pour l'infortune, la douleur et la pauvreté. (LA BRUYÈRE) — ... il eût beaucoup couru le monde, connu force gens, force pays, la science l'avait gardé naïf. (A. DAUDET) — ... il fasse, le savant s'approche toujours du monde comme l'astronome s'approche de la nébuleuse : avec un télescope. (J. GIONO)

516 Vocabulaire à retenir

courir — mourir — nourrir — ouvrir — sortir — périr
la chair, charnel, charnu, le charnier, la charogne, décharner, acharner

156 **Grammaire**

517 **Complétez par** ce, c' **ou** se, s'.

Avec … logiciel de traitement de texte, on peut … corriger immédiatement, …'est vraiment très simple. — … parcours de descente est si dangereux que de nombreux skieurs … blessent en franchissant les murs de neige. — Les utilisateurs d'Internet …'adressent des millions de messages. … mode de communication est révolutionnaire, disent certains. — Après un sauna, les Finlandais … baignent dans l'eau glacée. … choc thermique les fortifierait.

518 **Complétez par** ces **ou** ses.

C'était une de … heures où le temps coule comme un fleuve tranquille. (A. France) — Connaissez-vous l'automne avec … bourrasques, … longs soupirs, … feuilles jaunies, … sentiers détrempés, … beaux couchers de soleil, … flaques d'eau dans les chemins ? Je suis au nombre de ceux qui aiment … choses. (G. Droz) — Voyez … artichauts, … belles carottes et … asperges qu'on met en d'élégantes bottes. (Daubrée)

519 **Complétez par** leur **ou** leurs.

Dès que l'instructeur … fait signe, les parachutistes prennent … élan et sautent dans le vide. — Les randonneurs posent … sac à dos et se reposent ; le guide … conseille de ne pas trop se découvrir car le temps fraîchit vite en montagne. — Sylvia et Chloé comparent … coiffure et chacune envie celle de l'autre ! — Tes amis n'ont pas compris le problème, tu … expliqueras la marche à suivre.

520 **Complétez par** on, on n' **ou** ont.

… accuse pas les gens sans preuves, c'est la moindre des prudences. — … annonce l'arrivée d'un cyclone ; … a pas vu ça depuis bien longtemps. — Les pneus … des rayures qui permettent de rouler sous la pluie sans risque mais … doit rester prudent et réduire sa vitesse. — Pour additionner les nombres décimaux, si … aligne pas les virgules, … peut commettre des erreurs de calcul.

521 **Complétez par** quel(s), quelle(s), qu'elle(s)

Les mouettes sont prises dans le goudron, on pense … ne survivront pas à cette catastrophe. — Parmi toutes ses photographies de vacances, Joël ne sait pas … sont celles qu'il doit faire retirer. — … joie, sans doute, que ces retours ! Et … prestige environnait ceux qui arrivaient de si loin. (P. Loti) — Je marchais d'un pas souple et léger, poursuivant je ne sais … rêves de nuits d'Espagne. (P. Loti)

522 **Complétez par** la, l'a (l'as), là.

Tu as une magnifique montre, où …-tu achetée ? — C'est …, au fond de … galerie, que les spéléologues ont découvert des peintures rupestres. — Olivier cherchait vainement … solution du problème, soudain il … trouvée, presque par hasard, en traçant … diagonale du rectangle. — En prenant cette rue-…, vous risquez de rencontrer un bouchon parce que des travaux de terrassement ont débuté au milieu de … chaussée. — M. Mario a rejoint … France à l'occasion de … Coupe du monde de football ; … compétition, il veut … vivre de près.

523 **Complétez par** peu, peut (peux).
Verse un … de jus de citron sur tes haricots verts ! — La boule de Valérien est tout près du cochonnet mais avec un … de chance, tu … reprendre le point et nous gagnerons la partie. — La péniche ne … pas emprunter ce canal, son gabarit est trop important. — Avec cette sécheresse, la récolte … être compromise. — Les ordinateurs remplacent … à … les machines à écrire.

524 **Complétez par** près **ou** prêt(e).
Pour trouver un emploi, madame Lorrain est … à s'installer en Alsace, … de la frontière allemande. — Après quelques mouvements d'assouplissement, le pilote est … à enfourcher la moto et à prendre le départ du Grand prix. — En suivant de … les instructions de montage, il faut à peu … dix minutes pour installer cette chaîne haute-fidélité. — La lionne, … à bondir, guette la gazelle.

525 **Complétez par** plus tôt **ou** plutôt.
Madame Verlucco doit être opérée alors le … sera le mieux, dit-elle. — À Waterloo, la Garde impériale voulait mourir … que de se rendre. — Valérie hésite entre deux paires de chaussures, la vendeuse lui conseille … celles à talons bas qui sont plus confortables. — La nuit était tombée … que prévu.

526 **Complétez par** sans, s'en, c'en.
Les Anglais viennent de marquer un troisième but, … est fini des chances des Espagnols de remporter le match. — … paix et … justice il n'y a pas de vie sociale possible. — M. Guichard est capable de trouver la racine carrée d'un nombre … utiliser de calculatrice : comment peut-il faire ? — Lucien … défend mais c'est un amateur de chocolat noir, il ne passe pas une journée … croquer une petite barre. — M. Hua a arrêté de fumer ; il … porte mieux et constate qu'on peut très bien vivre … cigarettes.

527 **Complétez par** ni **ou** n'y.
Dans les grandes villes du Brésil, de nombreux enfants n'ont … famille … domicile, ils vivent dans la rue. — Ce champignon est vénéneux, … touchez pas. — Sur Mars, l'homme … est jamais allé car il … a … eau … oxygène. — … les films comiques … les dessins animés n'intéressent Carine, elle préfère un bon roman. — Le directeur de l'usine de charpentes métalliques reçoit une commande de Bulgarie écrite en caractères cyrilliques : il … comprend rien !

528 **Complétez par** quand, quant, qu'en.
Les touristes sont déçus … il pleut pendant leurs vacances, … aux agriculteurs, ce serait plutôt l'inverse. — … il y a une panne d'électricité, la vie s'arrête et plus personne ne sait que faire. — Ce n'est … prenant d'infinies précautions que le chirurgien est parvenu à recoudre la langue de ce garçon tombé d'un tabouret. — … les hommes comprendront-ils que les ressources naturelles ne sont pas inépuisables ? — Mon numéro de carte bancaire se termine par six ; … au tien, ses quatre chiffres sont les mêmes ; c'est plus facile à retenir.

Conjugaison

Les trois groupes de verbes

RÈGLE

1. *Avaler, fournir, tendre, lire, courir, revoir* sont des verbes à l'infinitif.

2. On classe les verbes en trois groupes.

• Le **1ᵉʳ groupe** comprend tous les verbes dont l'infinitif se termine par - er, comme *avaler*, sauf *aller* que l'on classe dans le 3ᵉ groupe.

• Le **2ᵉ groupe** comprend les verbes en - ir, comme *fournir*, dont le participe présent est en - issant :

> *fournir* → *en fournissant.*

• Le **3ᵉ groupe** comprend tous les autres verbes, comme *tendre, lire, savoir* et quelques verbes en - ir comme *courir* dont le participe présent est en - ant :

> *courir* → *en courant.*

3. Les verbes **être** et **avoir** n'appartiennent à aucun groupe.

Remarques

1. Les verbes du 2ᵉ groupe *(-issant)* ont toujours l'infinitif en - ir.

2. Les verbes qui se terminent par le son [waʀ] s'écrivent - oir :

> *savoir, devoir.* Exceptions : *boire* et *croire.*

3. Les verbes qui se terminent par le son [ɥiʀ] s'écrivent - uire :

> *luire, cuire.* Exceptions : *fuir* et *s'enfuir.*

4. Les verbes qui se terminent par le son [ɛʀ] s'écrivent - aire :

> *faire, plaire, braire, distraire, se taire...*

5. Les verbes en [iʀ] s'écrivent - ir ou - ire :

> *courir, cueillir, tressaillir, mourir, offrir – écrire, lire, rire, suffire.*

6. *Maudire,* bien que du 3ᵉ groupe, fait *-issant* et se conjugue comme *fournir* :

> *ils maudissent.*

▌ EXERCICES

529 **Écrivez entre parenthèses l'infinitif et le groupe de chaque verbe.**

La porte du cabinet s'ouvre à deux battants, et le père surgit dans l'embrasure. (R. Martin du Gard) — Je connais peu Iñes de Castro. Elle a de la naissance, bien que fille naturelle. On parle d'elle avec sympathie, et je ne lui veux pas de mal. Mais il ne faut pas qu'elle me gêne. (H. de Montherlant) — La feuille à tout moment tressaille, vole et tombe. (Sully-Prudhomme) — Je vais, je viens, je traîne mes pas dans l'herbe mouillée. (Lamartine)

530 Vocabulaire à retenir

la naissance, naître, naissant, natif, la nativité, la renaissance
la sympathie — la myopathie — la télépathie — l'homéopathie
l'antipathie — l'ostéopathie — la psychopathie

Les valeurs du présent de l'indicatif

RÈGLE

1. Le présent de l'indicatif marque surtout que l'action s'accomplit au moment où l'on parle :

> *Loisel manœuvre les robinets, aligne les chiffres, compte les gouttes et pèse des grains de poussière.* (G. DUHAMEL)

2. Le présent de l'indicatif peut exprimer aussi

• des faits habituels :

> *Les ouvriers qui travaillent dans les usines automobiles assemblent les différentes pièces des véhicules.*

• des vérités durables :

> *La lune nous réfléchit les rayons du soleil.*

• des pensées morales à travers des proverbes, des maximes :

> *Qui trop embrasse mal étreint.*

• une action passée ou future très proche de l'action présente :

> *Nous sortons de table, il y a un instant.*
> *Nous partons demain chez nos cousins.*

• une action passée, souvent très ancienne, que l'on place dans le présent pour la rendre plus vivante :

> *J'essayais de reconstruire dans ma pensée le pauvre navire défunt et l'histoire de cette agonie... Je voyais la frégate partant de Toulon... Elle sort du port. La mer est mauvaise, le vent terrible ; mais on a pour capitaine un vaillant marin.* (A. DAUDET)

EXERCICES

531 **Indiquez les valeurs du présent de l'indicatif.**

À six heures, j'entends sonner le téléphone ; c'était Barbara ! — Les maçons ouvrent les sacs de ciment ; ils approchent les brouettes de sable ; ils chargent la bétonnière et n'oublient pas d'ajouter de grands seaux d'eau. — Il vaut mieux ne pas jeter les piles usagées avec les ordures ménagères ; certaines contiennent des produits toxiques. — Qui dort, dîne. — Deux et deux font quatre. — Les petites filles ont un désir naturel de cueillir des fleurs et des étoiles. (A. FRANCE) — Il lui donna un grand coup du plat de son épée sur le visage. Candide dans l'instant tire la sienne. (VOLTAIRE)

---

532 Vocabulaire à retenir

la bétonnière — la canonnière — la boutonnière — la pouponnière
la jardinière — la baleinière — la cuisinière — la pépinière — la marinière

Le présent de l'indicatif

couper	plier	remplir	tendre
je coupe	je plie	je remplis	je tends
tu coupes	tu plies	tu remplis	tu tends
il/elle coupe	il/elle plie	il/elle remplit	il/elle tend
nous coupons	nous plions	nous remplissons	nous tendons
vous coupez	vous pliez	vous remplissez	vous tendez
ils/elles coupent	ils/elles plient	ils/elles remplissent	ils/elles tendent

RÈGLE

Au singulier du présent de l'indicatif, les verbes se divisent en deux grandes catégories :

1. les verbes en **-er**, qui ont pour terminaisons **-e, -es, -e** :
> *je coupe, tu coupes, il coupe.*

2. les autres verbes qui ont pour terminaisons **-s, -s, -t** ou **-d** :
> *je remplis, tu remplis, il remplit.*   *il tend.*

Remarques

1. Pour bien écrire un verbe au présent de l'indicatif, il faut penser à l'infinitif, puis à la personne :

> *je plie* :   *plier*, verbe du 1ᵉʳ groupe, 1ʳᵉ personne du singulier   donc e
>
> *je remplis* :   *remplir*, verbe du 2ᵉ groupe, 1ʳᵉ personne du singulier   donc s.

2. Quelques verbes ne suivent pas cette règle du présent de l'indicatif.

• *pouvoir, vouloir, valoir* font **-x, -x, -t** :
> *je peux, tu peux, il peut.*

• *cueillir, ouvrir* et leurs composés, *offrir, assaillir, tressaillir* se conjuguent comme les verbes en **-er** : *je cueille, tu cueilles, il cueille.*

• *aller* fait : *je vais, tu vas, il va.*

1ᵉʳ groupe en -ier		en -ouer	en -uer	2ᵉ groupe	
envier	mendier	avouer	continuer	bondir	nourrir
expier	mystifier	échouer	habituer	fournir	saisir
falsifier	skier	nouer	saluer	franchir	vieillir

EXERCICES

533 **Conjuguez au présent de l'indicatif.**

vérifier un résultat	confier un secret	conclure un marché
farcir le poulet	bondir de joie	remuer ses jambes
secouer la tête	créer un modèle	déjouer une ruse
accueillir un ami	vouloir réagir	aller au marché

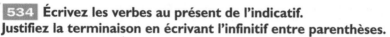
534 **Écrivez les verbes au présent de l'indicatif.**
Justifiez la terminaison en écrivant l'infinitif entre parenthèses.

Je pari… sur la victoire du cheval noir. — Il gravi… la côte à pas lents. — Je tri… les bonnes réponses. — Tu grandi… rapidement. — Tu bénéfici… de circonstances favorables. — Il envi… leur sort. — Je pétri… la pâte à pain. — Tu remédi… aux anomalies de fonctionnement. — Tu adouci… la sauce avec un peu de crème. — Tu châti… ton langage. — Tu oubli… de fermer la porte. — Je rempli… l'arrosoir. — Il associ… le soleil avec la Grèce. — Tu ralenti… à l'approche du passage protégé. — Tu établi… le plan de vol. — Il reni… ses idées de jeunesse. — Je te suppli… de m'écouter. — Il maigri… de jour en jour. — M. Palma secou… la tête en signe d'acquiescement. — Ce grand couturier parisien cré… des modèles extravagants.

535 **Écrivez les verbes au présent de l'indicatif.**
Justifiez la terminaison en écrivant l'infinitif entre parenthèses.

La lune pâli… à l'horizon. — Les touristes li… connaissance. — Le négociant conclu… une affaire. — Le sang lui afflu… au visage. — Elle tressaill… au moindre bruit. — Le printemps multipli… les fleurs dans le sentier. — Le sportif accompli… une bonne performance. — Le gel durci… la terre. — Le menuisier sci… la planche. — Tu avou… ta faute. — Tu échou… dans ton entreprise. — On continu… de jouer. — On exclu… le mauvais joueur. — Un chien surgi…, l'enfant se réfugi… dans les bras de son père. — Le chevreuil bondi… dans le fourré. — Tu offr… un bouquet à ta mère. — Je cueill… des fraises. — Je ne peu… pas sortir. — Tu ne veu… pas obéir. — Tu vau… plus que tu ne pens… . — Le canot va… à la dérive. — Charly convi… ses amis à venir pendre la crémaillère. — Dans les dessins animés, le héros déjou… toutes les ruses de ses ennemis.

536 **Écrivez les verbes au présent de l'indicatif.**

Quand il bond… au milieu des vagues, Pascal cri… de joie. — Avec des matériaux récupérés ici ou là, le sculpteur cré… des œuvres originales. — Le torrent charri… des tonnes de galets. — Mais mon amour silencieux et fidèle / souri… toujours et remerci… la vie / (J. Prévert) — Grand-père se penche et épi… des traces de bêtes. (É. Moselly) — L'épervier décri… d'abord des ronds sur le village. Il grossi… à mesure que son vol se resserr… . (J. Renard) — Antonio se tait, se penche, plonge sa tête dans l'eau du lavoir, se redresse, souffle, s'ébrou… et dit à son frère : « À toi, José ! » (Y. Navarre) — Le guide dépli… la corde où chaque membre de la caravane li… son sort à celui des autres. (G. Sonnier) — Je brandi… une perche trois fois plus haute que moi. (J. Guéhenno) — Il fait frais, cela réveille, cela vivifi… . (P. Loti)

537 Vocabulaire à retenir

négocier, un négociant — fabriquer, un fabricant — trafiquer, un trafiquant
arroser — arrêter — arracher — arranger — arriver — arrondir

Le présent de l'indicatif de quelques verbes du 3ᵉ groupe

courir		lire		rompre		conclure	
je	cours	je	lis	je	romps	je	conclus
tu	cours	tu	lis	tu	romps	tu	conclus
elle	court	il	lit	elle	rompt	il	conclut
nous	courons	nous	lisons	nous	rompons	nous	concluons
vous	courez	vous	lisez	vous	rompez	vous	concluez
ils	courent	elles	lisent	ils	rompent	elles	concluent

verbes se conjuguant comme lire				rompre	conclure
construire	élire	introduire	produire	corrompre	exclure
cuire	enduire	luire	réduire	interrompre	inclure
détruire	instruire	nuire	suffire		

EXERCICES

538 Conjuguez au présent de l'indicatif.

parcourir la plaine
sourire avec ironie
interrompre le bavard
construire un mur

conclure un exposé
tuer le temps
inclure une parenthèse
avouer son impuissance

élire un député
suffire à sa tâche
lier une sauce
lire un magazine

539 Écrivez les verbes au présent de l'indicatif.
Justifiez la terminaison en écrivant l'infinitif entre parenthèses.
Il cour… après son cerf-volant. — Tu discour… pendant des heures sur des futilités. — Le temps concour… à faire de cette cérémonie un souvenir inoubliable. — Pourquoi exclu…-tu cette solution ? — Tu réuni… toutes les qualités pour devenir un grand musicien. — L'agriculteur labour… plusieurs hectares en une journée. — Je souri… en entendant tes plaisanteries. — Il savour… son plaisir.

540 Écrivez les verbes au présent de l'indicatif.
Il entour… le paquet d'un superbe ruban. — Tu conclu… le concert par une sonate de Mozart. — Je vari… les couleurs. — Il bourr… son sac de vêtements. — Tu évalu… la distance à vue d'œil. — Je pli… et ne romp… pas. (LA FONTAINE) — Un éclat de rire l'interromp… ; il se retourne et ne voit rien qu'un gros pivert. (A. DAUDET) — Le chien, me croyant en danger, accour… . (L.-F. ROUQUETTE)

541 Vocabulaire à retenir
agraire, agricole, l'agriculture, l'agriculteur, l'agronome, agronomique
la cérémonie — la calomnie — l'harmonie — la tyrannie — la décennie

Le présent de l'indicatif des verbes en -dre

répondre		mordre	
je	répond**s**	je	mord**s**
tu	répond**s**	tu	mord**s**
il	répond	il	mord
elle	répond	elle	mord
nous	répond**ons**	nous	mord**ons**
vous	répond**ez**	vous	mord**ez**
ils	répond**ent**	ils	mord**ent**
elles	répond**ent**	elles	mord**ent**

RÈGLE

Les verbes en -**dre** conservent généralement le **d** au présent de l'indicatif :
*je répond**s**, tu répond**s**, il répond.*

Les verbes terminés par [ãdʀ] s'écrivent -**endre**, sauf *épandre* et *répandre*.

verbes en -dre					
défendre	descendre	fondre	perdre	suspendre	épandre
démordre	entendre	pendre	prétendre	tondre	répandre

EXERCICES

542 Conjuguez au présent de l'indicatif.

perdre patience — fondre en larmes — attendre l'autobus — épandre de l'engrais — répandre un bruit — détordre une cuillère

543 Écrivez les verbes au présent de l'indicatif.
Justifiez la terminaison en écrivant l'infinitif entre parenthèses.

Tu secou… ta chevelure noire. — Tu décou… l'ourlet de ta robe. — Je décor… les murs de la salle. — Je mor… à pleines dents dans ma pomme. — Tu serr… la main du professeur. — Je ser… une tranche de gâteau. — Elle rom… le silence. — La margarine fon… dans la poêle. — Elle mou… du poivre sur le gratin. — L'eau bou… à cent degrés.

544 Écrivez les verbes au présent de l'indicatif.

Il se met au large, puis pren… son temps, fon… sur le cou du lion, qu'il ren… presque fou. (LA FONTAINE) — Des yeux, je descen… le long de ces gratte-ciel au bas desquels la petite chenille jaune d'un tramway s'avance. (P. MORAND) — Une paix immense se répan… dans l'espace. (P. DÉVOLUY) — Il me semble que ma fièvre est un peu tombée. Mon pouls se déten…. (P. HÉRIAT)

545 Vocabulaire à retenir

le tour de cou — un coup de poing — le coût de la vie — il coud — l'autobus — le mucus — le ficus — l'argus — le tonus — le lotus

Le présent de l'indicatif des verbes en -indre, -oindre et -soudre

feindre		craindre		joindre		résoudre	
je	feins	je	crains	je	joins	je	résous
tu	feins	tu	crains	tu	joins	tu	résous
il	feint	il	craint	elle	joint	il	résout
nous	feignons	nous	craignons	nous	joignons	nous	résolvons
vous	feignez	vous	craignez	vous	joignez	vous	résolvez
elles	feignent	elles	craignent	ils	joignent	elles	résolvent

RÈGLE

1. Les verbes en **-indre, -oindre** et **-soudre** perdent le **d** au présent de l'indicatif. Au singulier, ils ont pour terminaisons **-s, -s, -t** :
je feins, tu feins, il feint
je résous, tu résous, il résout.

2. Les terminaisons des personnes du pluriel du présent de l'indicatif des verbes en **-indre** et en **-oindre** sont précédées de **gn** :
nous feignons, vous feignez, ils feignent.

3. Les terminaisons des personnes du pluriel des verbes en **-soudre** sont précédées de **-olv-** :
nous résolvons, vous résolvez, ils résolvent.

Remarques

1. Les verbes qui se terminent par le son [ɛ̃dʀ] s'écrivent **-eindre** sauf *plaindre, craindre* et *contraindre.*

2. Il ne faut pas confondre les verbes en **-indre** ou en **-soudre** avec les autres verbes en *-dre* qui conservent le **d**. Pour cela, il faut penser à l'infinitif :

il éteint :	éteindre, verbe en **-indre,**	donc t
il étend :	étendre, verbe en **-dre,**	donc d
il résout :	résoudre, verbe en **-soudre,**	donc t
il coud :	coudre, verbe en **-dre,**	donc d

verbes se conjuguant comme feindre				joindre	résoudre
atteindre	éteindre	peindre	contraindre	disjoindre	absoudre
ceindre	étreindre	restreindre	craindre	poindre	dissoudre
enfreindre	geindre	teindre	plaindre	rejoindre	

EXERCICES

546 Conjuguez au présent de l'indicatif.

éteindre le feu	résoudre une équation	rejoindre ses amis
plaindre un ami	peindre les murs	pendre un quartier de bœuf
coudre les boutons	résoudre une difficulté	répandre de fausses nouvelles
atteindre un objectif	craindre le froid	dissoudre une assemblée

547 Écrivez les verbes à la troisième personne du singulier et du pluriel du présent de l'indicatif.

descendre en parachute	attendre des conditions favorables
répondre par retour du courrier	tendre un filet en travers du fleuve
répondre de ses actes	teindre ses cheveux en blond
reprendre des ravioli	s'astreindre à un entraînement quotidien

548 Écrivez les verbes entre parenthèses au présent de l'indicatif.
En sautant, tu (atteindre) le cercle du panneau de basket. — Je (craindre) le froid alors je mets un bonnet. — Le jour (éteindre) les étoiles. — Les Parisiens (se plaindre) des conditions de circulation automobile. — Vous (enfreindre) le règlement. — Il nous (dépeindre) une situation apocalyptique. — Je (joindre) une enveloppe à mon courrier. — Tu (résoudre) le problème facilement. — Le sucre (se dissoudre) dans l'eau. — Pour la cérémonie, le maire (ceindre) son écharpe tricolore. — En fin de mois, on (restreindre) parfois ses dépenses. — Je (repeindre) la grille. — Le vent (disjoindre) les lames du volet.

549 Complétez la terminaison des verbes au présent de l'indicatif.
Tu fen... le tronc d'arbre en deux. — Tu fein... de ne pas comprendre mais cela ne marche pas ! — Tu tien... à conserver ce souvenir. — Ce vêtement détein... au lavage. — M. Fargoët détien... une pièce de monnaie fort ancienne. — Tu recou... un bouton de ta chemise. — Tu secou... les branches du noyer. — M. Thierry se résou... à changer de voiture.

550 Écrivez les verbes entre parenthèses au présent de l'indicatif.
La cane (pondre) des œufs verdâtres. — Le voilier (poindre) à l'horizon. — L'élève (attendre) l'autobus. — L'avion à réaction (atteindre) une vitesse prodigieuse. — La danseuse (ceindre) son front d'une couronne de fleurs. — Le cavalier (descendre) de cheval. — L'automobiliste (éteindre) ses phares. — Le français (étendre) son influence au-delà de nos frontières. — Tu (moudre) du café. — Le juge (absoudre) le coupable qui promet de ne pas récidiver.

551 Vocabulaire à retenir
rougeâtre — verdâtre — brunâtre — saumâtre — jaunâtre — grisâtre
bleuâtre — blanchâtre — noirâtre
la règle, le règlement, réglementaire, régler, la réglementation, le réglage

Le présent de l'indicatif des verbes en -yer

	payer		nettoyer		s'ennuyer
je	paie / paye	je	nettoie	je	m'ennuie
tu	paies / payes	tu	nettoies	tu	t'ennuies
il/elle	paie / paye	il/elle	nettoie	il/elle	s'ennuie
nous	payons	nous	nettoyons	nous	nous ennuyons
vous	payez	vous	nettoyez	vous	vous ennuyez
ils/elles	paient / payent	ils/elles	nettoient	ils/elles	s'ennuient

RÈGLE

1. Les verbes en **-yer** changent le **y** en **i** devant un **e** muet :
je m'ennuie, tu t'ennuies, il s'ennuie, ils s'ennuient
nous nous ennuyons, vous vous ennuyez.

2. Les verbes en **-ayer** peuvent conserver ou perdre le **y** devant un **e** muet :
je paie, je paye ; tu paies, tu payes.
Mais pour simplifier l'apprentissage de l'orthographe, il est préférable d'appliquer la règle à tous les verbes en -yer.

Remarque : pour distinguer les formes conjuguées de verbes en -uyer, -oyer, -ayer et celles des verbes en -uire, -oir(e), -aire, il faut penser à l'infinitif :
tu broies : broyer, 1ᵉʳ groupe, donc -es
tu crois : croire, 3ᵉ groupe, donc -s.

verbes en -ayer		verbes en -oyer			en -uyer
balayer	essayer	aboyer	déployer	guerroyer	appuyer
bégayer	étayer	apitoyer	employer	noyer	ennuyer
effrayer	rayer	broyer	envoyer	octroyer	essuyer
égayer	zézayer	choyer	festoyer	ployer	

EXERCICES

552 **Conjuguez au présent de l'indicatif.**
essuyer les vitres   envoyer un colis   effrayer les oiseaux

553 **Écrivez les verbes entre parenthèses au présent de l'indicatif.**
Vous (choyer) vos invités. — Nous nous (frayer) un chemin dans la foule. — Les garnements (ennuyer) le chien. — Tu (zézayer) légèrement en prononçant certains mots. — Les maçons (étayer) le vieux mur. — Nous (payer) chaque année nos impôts. — Paula (égayer) la maison car elle chante tout le temps. — Je (s'appuyer) sur plusieurs théorèmes pour faire ma démonstration.

554 Conjuguez les verbes aux personnes du singulier du présent de l'indicatif.

essuyer les plâtres
s'appuyer sur ses connaissances
renvoyer le questionnaire
employer des expressions recherchées
louvoyer au gré des événements

s'enfuir à toutes jambes
traduire un texte en anglais
recevoir des compliments mérités
entrevoir une issue au conflit
savoir jouer du saxophone

555 Écrivez les verbes au présent de l'indicatif.
Justifiez la terminaison en écrivant l'infinitif entre parenthèses.

Il ne boi… que du jus de fruits. — Le chien des voisins aboi… au passage de n'importe qui. — Tu croi… encore aux histoires de sorcières. — Tu broi… du noir. — Je voi… la fin de mes ennuis. — Il appui… sur la pédale de frein. — Elle balai… ces arguments d'un geste de la main. — Il sédui… par son élégance naturelle. — Peu de temps après, le vent change légèrement et j'envo… la voile d'étai. (É. Tabarly) — Vous avez tort, dit-elle. Si je le désire, King vous mettra en morceaux tout de suite. On essai…? (J. Kessel)

556 Écrivez les verbes au présent de l'indicatif.
Justifiez la terminaison en écrivant l'infinitif entre parenthèses.

La savane ondoi… sous la brise. — Au distributeur automatique de billets de banque, on doi… composer son code confidentiel pour retirer de l'argent. — Le grand-père choi… ses petits-enfants. — L'auto se frai… difficilement un passage dans les encombrements. — Le professeur étai… ses explications d'exemples précis. — Le peloton poursui… le coureur qui tente de s'échapper. — Pour s'amuser, Cyprien contrefai… le chant du coq. — Le chat effrai… les moineaux. — Son triste sort nous apitoi…. — Tu déploi… des trésors d'imagination pour écrire un roman.

557 Écrivez les verbes au présent de l'indicatif.

Les motards convoi… un transport routier exceptionnel. — Samir croi… tout ce qu'on lui dit ; quel naïf ! — Tes yeux fatigués larmoi… ; éteins ton écran d'ordinateur et repose-toi. — Nous essuy… une violente averse de grêle. — Ces corps nus qui rougeoi.., ce soleil qui flamboi.., ces ballons que l'on reçoi.., ces transistors qui péror.., ce vent qui transperc… : c'est l'enfer. (C. Guérand) — Le canard noi… ses riches couleurs ; on ne voi… plus sa tête verte. (J. Renard) — Le château s'appui.., s'élargit, surgit, monte, s'étrécit, culmine. (J. de la Varende) — Les mouettes tournoi… au-dessus des eaux chargées de goémon. (B. Boheme)

558 Vocabulaire à retenir

le saxophone — le magnétophone — le microphone — l'interphone
l'élégance — la contenance — la provenance — la surveillance —
la souffrance — l'obéissance — la défiance — l'abondance

Le présent de l'indicatif des verbes en -tre

mettre		paraître		accroître	
je	mets	je	parais	j'	accrois
tu	mets	tu	parais	tu	accrois
il/elle	met	il/elle	paraît	il/elle	accroît
nous	mettons	nous	paraissons	nous	accroissons
vous	mettez	vous	paraissez	vous	accroissez
ils/elles	mettent	ils/elles	paraissent	ils/elles	accroissent

RÈGLE

Les verbes en **-tre** comme *mettre, paraître, accroître*, perdent un **t** de leur infinitif au singulier du présent de l'indicatif :
   je mets (n'a plus qu'un **t**) *; je parais* (n'a plus de **t**).

Remarques

1. Les verbes comme **paraître** et **accroître** conservent l'accent circonflexe quand le **i** du radical est suivi d'un **t** : *il connaît, il accroît*.

2. Le verbe *croître* conserve l'accent circonflexe quand il peut être confondu avec le verbe *croire* : *je croîs* (croître) *; je crois* (croire).

3. Les verbes de la famille de **mettre** s'écrivent -*ettre*.

verbes en -tre			en -aître		en -oître
admettre	soumettre	abattre	apparaître	naître	accroître
omettre	transmettre	combattre	connaître	reparaître	décroître

EXERCICES

559 **Conjuguez au présent de l'indicatif.**

omettre un détail   rabattre son col   accroître son savoir
soumettre un projet   comparaître en justice   croire au succès

560 **Écrivez les verbes entre parenthèses au présent de l'indicatif.**
Le grillon (rabattre) sur lui sa trappe, faite d'une herbe. (R. Mazelier) — Je n'(admettre) qu'une chasse, celle de la jungle. (A. Négis) — Je (connaître) les nuits sans sommeil, le travail qui commence à l'aube. (Waltz) — Quand il (naître) une rose nouvelle, voilà tous les jardiniers qui s'émeuvent. (A. de Saint-Exupéry) — On attend l'astre longtemps, à chaque instant on (croire) le voir paraître. (J.-J. Rousseau) — Au-dessus des cavernes (croître) toute une botanique curieuse. (V. Hugo)

Le présent de l'indicatif des verbes en -tir du 3ᵉ groupe

sentir	
je	sens
tu	sens
il	sent
nous	sentons
vous	sentez
elles	sentent

dormir	
je	dors
tu	dors
elle	dort
nous	dormons
vous	dormez
ils	dorment

RÈGLE

Les verbes en **-tir** du 3ᵉ groupe, comme *sentir, partir,* etc., perdent le **t** de leur infinitif au singulier du présent de l'indicatif. Ils ont pour terminaisons -s, -s, -t :
je sens, tu sens, il sent.

Remarques

1. Attention à la conjugaison de *vêtir, revêtir, dévêtir :*
je vêts, tu vêts, il vêt, nous vêtons, vous vêtez, ils vêtent.

2. *assortir* et *réassortir* sont des verbes du 2ᵉ groupe.

3. D'autres verbes du 3ᵉ groupe perdent la consonne qui précède la terminaison de l'infinitif au singulier du présent de l'indicatif :
dormir → je dors ; suivre → je suis.

verbes en -tir			verbes apparentés		
consentir	partir	ressentir	desservir	rendormir	suivre
démentir	pressentir	ressortir	dormir	resservir	survivre
se départir	repartir	sentir	endormir	revivre	vivre

EXERCICES

561 Conjuguez au présent de l'indicatif.

bâtir un plan
partir en voyage

assortir des étoffes
sortir avec son chien

endormir la douleur
resservir un plat

562 Écrivez les verbes au présent de l'indicatif.
Justifiez la terminaison en écrivant l'infinitif entre parenthèses.

Avant d'aller au feu, les pompiers revê… une combinaison ignifugée. — Ivan ne se dépar… jamais de sa bonne humeur. — Qui sait si un trésor ne dor… pas au fond du galion. — Après six heures d'ascension, tu ressen… les effets de la fatigue. — Je me sen… gai, je me sen… fort, je marche en battant des talons. (J. VALLÈS) — J'entrepren… l'escalade. Dès le début, je pressen… un morceau difficile. (FRISON-ROCHE) — Il se décide à quitter la côte et il par… à travers les prés. (C. ANET) — La route se par… de chèvrefeuille parfumé. (P. DEGRULLY)

563 Vocabulaire à retenir

à travers — à tort — à vide — à la suite — à plusieurs — à tâtons

▶ 112ᵉ leçon

Le présent de l'indicatif des verbes comme régler et achever

régler	
je	règle
tu	règles
il	règle
nous	réglons
vous	réglez
elles	règlent

achever	
j'	achève
tu	achèves
il	achève
nous	achevons
vous	achevez
elles	achèvent

RÈGLE

1. Les verbes comme **régler** changent l'accent aigu de l'avant-dernière syllabe en accent grave devant une terminaison muette :

> *je règle, tu règles*
> *nous réglons, vous réglez.*

2. Les verbes comme **achever** prennent un accent grave à l'avant-dernière syllabe devant une terminaison muette :

> *j'achève, tu achèves*
> *nous achevons, vous achevez.*

verbes se conjuguant comme régler				comme achever	
accélérer	compléter	inquiéter	protéger	amener	lever
aérer	espérer	persévérer	suggérer	crever	peser
céder	exagérer	posséder	tempérer	grever	semer

EXERCICES

564 **Conjuguez au présent de l'indicatif.**

persévérer dans l'effort
soupeser un melon

vénérer ses ancêtres
dépecer un lapin

aérer la cuisine
égrener du raisin

565 **Conjuguez à la 2ᵉ personne du singulier et du pluriel du présent de l'indicatif.**

exagérer un peu
abréger la partie

soulever des haltères
protéger ses oreilles

céder à la panique
se démener sans arrêt

566 **Écrivez les verbes entre parenthèses au présent de l'indicatif.**
Les arrivées (se succéder). — J'(espérer) qu'il réussira. — Le brouillard (se lever). — Le journal (révéler) le scandale. — Tu (suggérer) une meilleure solution ? — Nous (tempérer) son ardeur car il (exagérer) l'importance de cet événement. — Elle (promener) un sourire ravi sur l'assistance. — Vous (s'inquiéter) de tout sans raison. — Il sait maintenant qu'il (posséder) les qualités qui feront de lui un grand champion. — Poulidor (semer) un à un ses compagnons d'échappée mais (crever) à l'entrée du vélodrome. — Dans la hâte d'arriver au but, Franck (accélérer) encore l'allure. (A. ROBBE-GRILLET)

Le présent de l'indicatif de quelques verbes particuliers

dire	médire	maudire	faire
je dis	je médis	je maudis	je fais
tu dis	tu médis	tu maudis	tu fais
il dit	elle médit	il maudit	elle fait
nous disons	nous médisons	nous maudissons	nous faisons
vous dites	vous médisez	vous maudissez	vous faites
elles disent	ils médisent	elles maudissent	ils font

aller	asseoir		boire
je vais	j' assois	j' assieds	je bois
tu vas	tu assois	tu assieds	tu bois
il va	elle assoit	il assied	elle boit
nous allons	nous assoyons	nous asseyons	nous buvons
vous allez	vous assoyez	vous asseyez	vous buvez
elles vont	ils assoient	elles asseyent	ils boivent

croire	voir	fuir	traire
je crois	je vois	je fuis	je trais
tu crois	tu vois	tu fuis	tu trais
il croit	elle voit	il fuit	elle trait
nous croyons	nous voyons	nous fuyons	nous trayons
vous croyez	vous voyez	vous fuyez	vous trayez
elles croient	ils voient	elles fuient	ils traient

bouillir	coudre	moudre	mourir
je bous	je couds	je mouds	je meurs
tu bous	tu couds	tu mouds	tu meurs
il bout	elle coud	il moud	elle meurt
nous bouillons	nous cousons	nous moulons	nous mourons
vous bouillez	vous cousez	vous moulez	vous mourez
elles bouillent	ils cousent	elles moulent	ils meurent

mouvoir	haïr	plaire	vaincre
je meus	je hais	je plais	je vaincs
tu meus	tu hais	tu plais	tu vaincs
il meut	elle hait	il plaît	elle vainc
nous mouvons	nous haïssons	nous plaisons	nous vainquons
vous mouvez	vous haïssez	vous plaisez	vous vainquez
elles meuvent	ils haïssent	elles plaisent	ils vainquent

prendre	venir	acquérir	écrire
je prends	je viens	j' acquiers	j' écris
tu prends	tu viens	tu acquiers	tu écris
il prend	elle vient	il acquiert	elle écrit
nous prenons	nous venons	nous acquérons	nous écrivons
vous prenez	vous venez	vous acquérez	vous écrivez
elles prennent	ils viennent	elles acquièrent	ils écrivent

RÈGLE

Au présent de l'indicatif :

1. faire (et tous ses composés), **dire** et **redire** ont la terminaison de la 2ᵉ personne du pluriel en **-tes** (sans accent sur le **i** qui précède le **t**) :
  vous faites, vous contrefaites ; vous dites, vous redites.
• *médire, contredire, interdire, prédire, se dédire* ont la terminaison normale en **-ez** : *vous médisez, vous contredisez.*

2. asseoir, rasseoir et **surseoir** se conjuguent comme **voir** :
  j'assois, nous assoyons, ils assoient.
• *asseoir* a une deuxième conjugaison plus recherchée :
  j'assieds, nous asseyons, ils asseyent.
• *seoir*, au sens de « convenir », ne se conjugue qu'aux troisièmes personnes :
  il sied, ils siéent.

3. pouvoir a deux formes à la première personne du singulier :
  je peux ou je puis (conjugaison plus recherchée).

4. Certains verbes ont un accent circonflexe :
  il plaît, il déplaît, il se complaît, il gît, il clôt.
Attention à l'orthographe de : *il va, il vainc, il convainc.*

EXERCICES

567 **Conjuguez au présent de l'indicatif.**

asseoir son autorité   acquérir un terrain   redire une règle   coudre l'ourlet
prédire le temps   moudre du grain   convaincre un ami   traire la vache

568 **Écrivez les terminaisons des verbes au présent de l'indicatif.**
Tu peu… accrocher le tableau. — Tu veu… téléphoner à ton amie. — Tu te meu… à pas menus. — Il vain… son appréhension. — Il se plain… d'être brimé. — Il va… au gymnase. — Vous interdi… l'entrée du vestiaire aux journalistes. — Vous redi… votre opposition à ce projet. — Il plaî… à tous de par sa gentillesse. — La nasse gî… au fond de l'eau. — Il agi… toujours sans réfléchir. — Il décou… l'étiquette. — Il ne se résou… pas à abandonner la partie.

569 **Écrivez les verbes entre parenthèses au présent de l'indicatif.**
D'où (venir) que le temps de notre petite enfance nous (apparaître) si doux ? (G. BERNANOS) — L'eau du fleuve solennel était noire comme il (seoir) à une eau d'hiver courant entre des berges de neige. (J. PEYRÉ) — Les traboules du quartier de la soierie (transpercer) les pâtés de maisons de part en part, de sorte que les piétons (pouvoir) se passer des rues et emprunter ces noirs raccourcis. (E. TRIOLET)

570 **Vocabulaire à retenir**
un gyrophare — la gymnastique — le gymnase — la gynécologie

571 Écrivez les terminaisons des verbes au présent de l'indicatif.

On dirait qu'une présence invisible grandi… dans l'ombre, pren… tout l'air autour de nous, peu à peu nous empêch… de respirer. (A. Hébert) — Je jou… avec le feu, je secou… le brasier, je manœuvr… le soufflet. (Colette) — La vigne tor… ses pieds entre les cailloux. (Taine) — L'air est figé, immobile, il mor…, travers…, dessèch…, tu… les arbres. (Maupassant)

572 Écrivez les verbes entre parenthèses au présent de l'indicatif.

Dès la fin de la deuxième année, Suter (acheter) aux Russes qui (se retirer) les belles fermes sur la côte, près de fort Bodega. Il les (payer) 40 000 dollars comptant. (B. Cendrars) — Mais non : je ne (se plaindre) pas. Je ne (pouvoir) pas me plaindre : tu m'as laissé la liberté de ces fils que le vent (arracher) aux toiles d'araignée et qui (flotter) à dix pieds du sol. (J.-P. Sartre) — Baigné d'une lueur qui (saigner) sur la neige, le condor (attendre) ; dans un cri rauque, il monte où n'(atteindre) pas le vent. (Leconte de Lisle)

573 Écrivez les terminaisons des verbes au présent de l'indicatif.

La bête baissa la tête et se secoua comme un chien qui s'ébrou…. (P. Fisson) — Tout cela se mêl…, s'éten…, plan…, couvr… la ville, cach… le ciel, étein… le soleil. (Maupassant) — Je m'astrein… à me faire cuire des nouilles, c'est encore plus vite préparé que le riz. (Y. Buttin) — Le martinet fen… l'air de son aile aiguë. (É. Moselly) — Sans rien dire, je rejoin… ma cabine. Elle me plaît, cette chambre minuscule. (R. Dorgelès) — Une soif ardente étrein… ma gorge, je pren… une poignée de neige que je port… à ma bouche. (L.-F. Rouquette)

574 Écrivez les verbes à la 3e personne du singulier et du pluriel du présent de l'indicatif.

croire aux miracles   comparaître en justice   accroître son avance

575 Écrivez les verbes entre parenthèses au présent de l'indicatif.

Il chasse l'ennemi, il (vaincre) sur mer, il (vaincre) sur terre. (La Bruyère) — S'il me (plaire), à moi, d'aimer cette ville crénelée et toute pavoisée de soleil ? (A. de Saint-Exupéry) — Les Anglais (conduire) plutôt mal, mais prudemment. Les Français (conduire) plutôt bien, mais follement. (P. Daninos) — Au collège comme dans la vie on n'(obtenir) que la place que l'on (conquérir). (P. Janet) — On garde sans remords ce qu'on (acquérir) sans crime. (Corneille)

576 Écrivez les verbes entre parenthèses au présent de l'indicatif.

Je (s'ennuyer), quoi. Avant, quand je prenais un jour de congé, je trouvais toujours à m'occuper. Là, j'(attendre), j'(attendre). Je ne croyais pas que c'était aussi long de partir. (R. Fallet) — François (aller) dire bonjour aux voisines et voisins qui (rester) seuls le dimanche après-midi. Il (s'asseoir) quelques minutes chez eux et leur (faire) un brin de causette. (C. Nöstlinger) — Maman (fermer) le capot, (s'installer) au volant et (remettre) le contact. (C. Godet) — Le père (sortir) son large mouchoir à carreaux et (s'essuyer) les yeux. (B. Clavel)

Les valeurs de l'imparfait de l'indicatif

RÈGLE

1. L'imparfait marque une action passée :
Lorsque nous étions enfants, nous passions nos vacances chez notre oncle.

2. L'imparfait marque une action qui dure, qui n'est pas achevée :
L'homme mangeait son quignon. En même temps, il regardait son couteau.

(J. GIONO)

3. L'imparfait est le temps de la description d'un tableau, d'une scène :
Des figuiers entouraient les cuisines ; un bois de sycomores se prolongeait jusqu'à des masses de verdure où des grenadiers resplendissaient parmi les touffes blanches des cotonniers. (G. FLAUBERT)
Ils s'installaient dans le salon. Marie cousait et l'enfant assis à ses pieds feuilletait le même livre d'images. Une souche de vigne brûlait dans la cheminée. (J. CHARDONNE)

4. L'imparfait peut exprimer aussi des faits habituels :
Comme d'habitude, Victor ne dormait pas et pensait, les yeux grand ouverts dans le noir. (R. FALLET)

EXERCICES

577 **Indiquez les valeurs de l'imparfait de l'indicatif.**

De temps en temps, pour repérer leur chemin, ils descendaient dans la brume poudreuse, apercevaient la côte, remontaient. Dans ces manœuvres, ils s'écartaient l'un de l'autre, se perdaient pour éviter tout risque de collision. (J. KESSEL) — Souvent on entendait Marie appeler son fils. Il était toujours dans la cuisine avec Ursule. (J. CHARDONNE) — À mesure qu'avançait la nuit, le froid se faisait plus vif. (B. CLAVEL) — L'homme marchait assez vite. Cosette le suivait sans peine. Elle ne sentait plus sa fatigue. (V. HUGO) — Des lotus entouraient une fontaine où nageaient des poissons pareils à ceux de Salammbô ; puis au fond, contre la muraille du temple, s'étalait une vigne ; les rayons de pierres précieuses faisaient des jeux de lumière. (G. FLAUBERT) — J'allais revoir Philippe Robin qui était mon ami. (J. DE LACRETELLE) — Le panneau « Foyer du Bâtiment » n'était plus là, sur le dernier bloc, on n'entendait plus chanter en italien par une fenêtre, on ne voyait plus un gars, le torse nu, en train de se raser. (CH. ROCHEFORT)

578 **Vocabulaire à retenir**

la collision — la colle — le collant — la collecte, collectionner
le froid, refroidi, le refroidissement, frileux, la frilosité, frigide

L'imparfait de l'indicatif

marcher		applaudir		descendre	
je	marchais	j'	applaudissais	je	descendais
tu	marchais	tu	applaudissais	tu	descendais
il/elle	marchait	il/elle	applaudissait	il/elle	descendait
nous	marchions	nous	applaudissions	nous	descendions
vous	marchiez	vous	applaudissiez	vous	descendiez
ils/elles	marchaient	ils/elles	applaudissaient	ils/elles	descendaient

RÈGLE

À l'imparfait, tous les verbes prennent les mêmes terminaisons :
-ais, -ais, -ait, -ions, -iez, -aient.

1er groupe		2e groupe		3e groupe	
condamner	insérer	adoucir	nourrir	admettre	exclure
créer	insinuer	garantir	remplir	apercevoir	répondre
envelopper	souhaiter	guérir	retentir	confondre	tendre

EXERCICES

579 Conjuguez à l'imparfait de l'indicatif.

chercher une place
redoubler d'attention
attendre l'autobus

regarder la télévision
remplacer les piles
prétendre le contraire

pétrir la pâte
consulter Internet
confondre les syllabes

580 Écrivez les verbes entre parenthèses à l'imparfait de l'indicatif.

Juliette Delahaye (être) gentille avec moi. Quand j' (arriver), vers deux heures de l'après-midi, elle me (donner) du thé et des petits gâteaux d'une belle boîte de métal rouge. Elle (devoir) se douter que je ne (manger) pas assez chez Zohra, en voyant comme je (se précipiter) sur les biscuits secs. Je crois qu'elle (savoir) mon passé mais elle n'en (parler) pas. Quand je (passer) le chiffon à poussière dans sa chambre, elle (laisser) tous ses bijoux en évidence sur la commode, ainsi que de petites coupes d'argent contenant des pièces de monnaie. Je (penser) qu'elle me (mettre) à l'épreuve, et je me (garder) bien d'y toucher. Elle (compter) les pièces après mon passage et, à la gaieté de sa voix, je (savoir) qu'elle (être) contente de les y trouver toutes.

(J.M.G. LE CLÉZIO, *Poisson d'or*, Gallimard)

581 Vocabulaire à retenir

le biscuit — le produit — le circuit — le réduit — le conduit — le bruit
le métal — le cristal — le capital — le général — le journal — le terminal

L'imparfait de l'indicatif des verbes en -yer, -ier, -iller, -gner

payer		trier		briller		peigner	
je	pay**ais**	je	tri**ais**	je	brill**ais**	je	peign**ais**
tu	pay**ais**	tu	tri**ais**	tu	brill**ais**	tu	peign**ais**
il	pay**ait**	elle	tri**ait**	il	brill**ait**	elle	peign**ait**
nous	pay**ions**	nous	tri**ions**	nous	brill**ions**	nous	peign**ions**
vous	pay**iez**	vous	tri**iez**	vous	brill**iez**	vous	peign**iez**
ils	pay**aient**	ils	tri**aient**	elles	brill**aient**	elles	peign**aient**

RÈGLE

1. Aux deux premières personnes du pluriel de l'imparfait de l'indicatif
- les verbes en **-yer** s'écrivent avec un **y** suivi d'un **i** :
  *nous pay*ions*, nous essuy*ions ;*
- les verbes en **-ier** s'écrivent avec deux **i** :
  *nous nous méfi*ions*, vous tri*iez ;*
- les verbes en **-iller** s'écrivent avec un **i** après **ill** :
  *nous brill*ions*, vous veill*iez ;*
- les verbes en **-gner** s'écrivent avec un **i** après **gn** :
  *nous saign*ions*, vous peign*iez.*

2. Les verbes en **-yer, -ier, -iller, -gner** ont une prononciation presque semblable aux deux premières personnes du pluriel du présent et de l'imparfait de l'indicatif. Pour éviter la confusion, il faut penser à la personne correspondante du singulier :
  *nous tri*ions → *je tri*ais   *nous tri*ons → *je tri*e.*

Remarque
Certains verbes du 3e groupe se conjuguent avec ces mêmes particularités :
  voir → *vous voy*iez   *rire* → *nous ri*ions.*

verbes en -yer		en -ier		en -iller	en -gner
appuyer	essayer	confier	manier	conseiller	aligner
broyer	octroyer	crier	mendier	dépouiller	cogner
égayer	ployer	étudier	remercier	détailler	enseigner
ennuyer	tutoyer	expédier	vérifier	effeuiller	soigner

verbes du 3e groupe s'écrivant					
-yions, -yiez			**-ii-**	**-illi-**	**-gni-**
asseoir	fuir	distraire	rire	bouillir	craindre
croire	prévoir	extraire	sourire	cueillir	peindre
s'enfuir	voir	soustraire		tressaillir	joindre

EXERCICES

582 **Conjuguez à l'imparfait de l'indicatif.**

appuyer sur les pédales   écailler le poisson   signer le courrier
cueillir des mûres   s'asseoir à l'ombre   crier à tue-tête

583 **Écrivez les verbes aux personnes du pluriel du présent et de l'imparfait de l'indicatif.**

rayer les mots inutiles   châtier ses propos   se cogner aux portes
revoir des cousins   fuir les lieux bruyants   vaciller sous le choc
recueillir des avis   s'habiller à la hâte   rire aux éclats

584 **Écrivez les verbes entre parenthèses à l'imparfait de l'indicatif.**
Lorsque nous (être) au bois de Clessé, nous (cueillir) des brins de muguet. — Quand nous (avoir) cinq ans, nous (croire) encore au Père Noël et nous (attendre) sa venue avec impatience. — À la vue d'une araignée, vous (crier) très fort. — Ce n'était pas un méchant homme, mais nous le (craindre). (J. CRESSOT) — La couleuvre (glisser), nous (regagner) tremblants le chemin. (H. LAPAIRE) — Nous (gravir) lentement la côte, nous (atteindre) les taillis. (A. THEURIET) — Nous (brosser) de fantastiques décors, nous (habiller), pour les défilés, d'innombrables petites poupées. (P. LOTI) — Nous (manier) l'équerre, le tire-ligne et le pinceau, sans méthode, à notre fantaisie. (J. CRESSOT)

585 **Après chaque verbe, écrivez la personne correspondante du pluriel.**
Je m'ennuie par ce temps maussade. — Tu remerciais tes camarades de t'avoir apporté les devoirs à faire pour vendredi. — À l'école, je travaillais avec acharnement. — Tu sacrifies tes chances. — Tu verrouillais la porte. — Je détortille un brin de laine. — Tu essayais un chandail. — Tu te baignes dans le lac. — Je m'égratignais aux ronces. — Je m'assieds à l'ombre de la haie. — Tu accueillais tes amis pour ton anniversaire.

586 **Après chaque verbe, écrivez la personne correspondante du singulier.**
Nous nous réfugions sous le porche pendant la pluie. — Vous conviiez votre oncle à déjeuner. — Vous déblayiez la neige devant l'entrée. — Nous gaspillons notre temps. — Vous accompagniez des amis à la gare. — Vous vous frayez un chemin dans les broussailles. — Vous surveilliez la cuisson du rôti. — Vous cueilliez des cerises. — Nous recueillons les livres usagés pour les envoyer en Afrique. — Nous croyons qu'il fera beau demain. — Vous souriiez aux anges.

587 Vocabulaire à retenir

inutile — inactif — inadapté — inachevé — inacceptable — inaccoutumé
un brin — le crin — le pélerin — le pétrin — l'écrin — le marin — le serin

Le présent et l'imparfait de l'indicatif des verbes en -eler et -eter

appeler				jeter			
Présent		**Imparfait**		**Présent**		**Imparfait**	
j'	appelle	j'	appelais	je	jette	je	jetais
tu	appelles	tu	appelais	tu	jettes	tu	jetais
elle	appelle	elle	appelait	il	jette	il	jetait
nous	appelons	nous	appelions	nous	jetons	nous	jetions
vous	appelez	vous	appeliez	vous	jetez	vous	jetiez
ils	appellent	ils	appelaient	elles	jettent	elles	jetaient

RÈGLE

Les verbes en **-eler** et en **-eter** prennent généralement deux **l** ou deux **t** devant un **e** muet :

> *j'appelle, j'appelais   je jette, je jetais.*

Remarques

1. Quelques verbes en *-eler* et en *-eter* ne doublent pas le **l** ou le **t** devant un **e** muet, mais s'écrivent avec un accent grave sur le **e** qui précède le **l** ou le **t** :

> *il gèle, il gelait   j'achète, j'achetais.*

2. Les verbes comme *interpeller* et *regretter* qui ont deux **l** ou deux **t** à l'infinitif gardent les deux **l** ou les deux **t** dans toute leur conjugaison :

> *j'interpelle, j'interpellais   je regrette, je regrettais.*

3. Les verbes comme *révéler* et *inquiéter*, dont le **e** qui précède le **l** ou le **t** est accentué à l'infinitif, n'ont qu'un seul **l** ou qu'un seul **t** dans toute leur conjugaison :

> *je révèle, je révélais   j'inquiète, j'inquiétais.*

4. Les noms de la famille d'un verbe en *-eler* ou en *-eter* conforment généralement leur orthographe à celle du verbe en ce qui concerne le **l** ou le **t** :

> *j'amoncelle, un amoncellement   je martèle, un martèlement.*

-elle / -ette				-èle / -ète	
amonceler	étinceler	cacheter	étiqueter	ciseler	acheter
carreler	feuilleter	décacheter	projeter	déceler	crocheter
chanceler	ficeler	déchiqueter	rejeter	écarteler	fileter
épeler	morceler	épousseter	voleter	marteler	haleter

EXERCICES

588 Conjuguez au présent et à l'imparfait de l'indicatif.

niveler le terrain   ciseler un bijou   empaqueter du riz
carreler la cuisine   interpeller les passants   fureter dans le grenier

589 Écrivez les verbes à la 2ᵉ personne du singulier et du pluriel du présent et de l'imparfait de l'indicatif.

haleter en fin de course   sceller une amitié   exceller en mathématiques
déceler la panne   s'apprêter à partir   fouetter des blancs en neige
cacheter une enveloppe   museler un chien   receler une patience infinie

590 Écrivez les verbes entre parenthèses à l'imparfait de l'indicatif.
La flamme de la bougie (chanceler). — Lorsqu'il (faire) un discours, le maire (marteler) ses mots comme pour mieux convaincre ses auditeurs. — Ma mère m'(appeler) pour me faire apprécier les papiers dentelés et elle me (regarder) pour voir si j'(approuver). (A. COHEN) — Je (jeter) un rapide coup d'œil à la grille, et puis j'(entendre) crier les jumelles, c'(être) l'heure du biberon, en route pour le bain-marie. (CH. ROCHEFORT)

591 Écrivez les verbes entre parenthèses au présent de l'indicatif.
M. Robert a acheté des haricots verts au marché ; pour les conserver, il les (congeler). — Cette revue me donne entière satisfaction, je (renouveler) mon abonnement. — Il me (harceler) de questions, je n'ai aucun répit. — L'héritage (morceler) la propriété de M. Beau. — Le soleil revient, la terre (se craqueler), s'effrite. (A. GIDE) — Tout seul. Ces deux mots (marteler) mes tempes. C'est vrai, je suis seul. (L.-F. ROUQUETTE) — Les nuages se marbrent, ne (projeter) plus sous nous que des opacités rares. (P. MORAND) — Mme Lepic ouvre le buffet, Poil de Carotte (haleter). (J. RENARD)

592 Complétez les mots.
Les eaux de ruiss…lement ont mis la colline à nu ; il ne pousse plus rien. — Voulez-vous encore une tartine de g…lée de groseilles ? — Des mart…lements et des ronronnements viennent de partout. (J. ROMAINS) — Des amonc…lements de pommes gardaient le vif éclat de leurs couleurs campagnardes. (A. DAUDET) — Sur la table deux chand…les brûlent dans deux chand…liers de cuivre argenté. (LAMARTINE) — Les carrioles et les charr…tes se rangent devant les maisons. (R. BAZIN) — Murchison, pressant du doigt l'interrupteur de l'appareil, rétablit le courant et lança l'étinc…le électrique au fond de Columbiad. (J. VERNE) — Les cadeaux enveloppés, fic…lés, étiqu…tés étaient réunis sur les tables. (P. LOTI)

593 Vocabulaire à retenir

ruisseler, le ruissellement — harceler, le harcèlement — atteler, l'attelage — piqueter, le piquetage — étinceler, l'étincelle — amonceler, l'amoncellement

L'imparfait de l'indicatif de quelques verbes particuliers

dire	maudire	haïr	faire
je dis**ais** nous dis**ions**	je maudiss**ais** nous maudiss**ions**	je haïss**ais** nous haïss**ions**	je fais**ais** nous fais**ions**

paraître	asseoir		conduire
je paraiss**ais** nous paraiss**ions**	j' assey**ais** nous assey**ions**	j' assoy**ais** nous assoy**ions**	je conduis**ais** nous conduis**ions**

éteindre	prendre	coudre	vaincre
j' éteign**ais** nous éteign**ions**	je pren**ais** nous pren**ions**	je cous**ais** nous cous**ions**	je vainqu**ais** nous vainqu**ions**

résoudre	boire	moudre	écrire
je résolv**ais** nous résolv**ions**	je buv**ais** nous buv**ions**	je moul**ais** nous moul**ions**	j' écriv**ais** nous écriv**ions**

EXERCICES

594 Conjuguez à l'imparfait de l'indicatif.

refaire son devoir   résoudre une énigme   convaincre un sceptique
moudre le café   atteindre la cible   entreprendre un voyage

595 Conjuguez au présent et à l'imparfait de l'indicatif.

surprendre un secret   peindre les tuyaux   croire aux ovnis   haïr la violence
suspendre le lustre   vaincre la peur   craindre le froid fuir la foule

596 Écrivez les verbes entre parenthèses à l'imparfait de l'indicatif.
Avant de traverser le désert, les chameaux (boire) des dizaines de litres d'eau.
— De nombreuses personnes (s'inscrire) au concours de pétanque. — Devant
les grimaces du clown, les jeunes enfants (se tordre) de rire. — Dans ce jardin
laissé à l'abandon, les mauvaises herbes (croître) à profusion. — Autrefois, on
(raconter) aux enfants que les garçons (naître) dans les choux ! — Je (se lever),
le cœur fou, je (courir) vers elle de toutes mes petites jambes, je (tomber), je (se
relever). (I. Cagnati) — Un point rouge (s'éteindre) sur l'horizon. (Chateaubriand)
— La mouche (se tenir) tranquille sur le livre que je (lire) ou sur la page que
j' (écrire). (M. Audoux) — Le soir qui (descendre) (teindre) de lilas et de rose le
ciel délicat. (H. Bordeaux)

597 Vocabulaire à retenir

dix, la dizaine — douze, la douzaine — vingt, la vingtaine
le brouillard — le corbillard — le tortillard — le gaillard — le milliard

Les valeurs du passé simple

RÈGLE

1. Le passé simple exprime des faits passés, complètement achevés qui ont eu lieu à un moment déterminé, à un moment précis, sans idée d'habitude et sans lien avec le présent :

> *Comme par magie, les centaines d'enfants qui remplissaient la cour, s'arrêtant de courir et de crier, demeurèrent pétrifiés à l'endroit même où l'appel les avait surpris. Un silence prodigieux remplit l'espace et l'on entendit, au lointain, un charretier qui sacrait, derrière l'écran des maisons, et faisait claquer son fouet.* (G. DUHAMEL)

2. Le passé simple marque la succession des faits, c'est le temps du récit par excellence :

> *Le chauffeur sauta sur son siège et donna de grands coups d'avertisseur pour attirer l'attention générale. Puis il commença à dévaler la pente, et les roues avant du Dodge plongèrent dans le flot boueux.* (M. TOURNIER)

Comparaison du passé simple et de l'imparfait

> *Les feuilles jonchaient d'or le sol où nous marchions. Clément, qui sautillait, me devança de quelques pas...* (A. FRANCE)

• *marchions* et *sautillait* expriment des actions qui se poursuivent, qui ne sont pas terminées.

• *me devança* exprime une action qui s'est passée à un moment précis et qui est terminée.

EXERCICES

598 Écrivez les verbes entre parenthèses au passé simple ou à l'imparfait de l'indicatif.

Dans cette vallée abritée, John Thornton (arracher) machinalement un peu de mousse, et en secouant les racines des herbes, il (faire) tomber des paillettes scintillantes d'or jaune. Bertram Cornell (être) avec lui, et, à la tombée de la nuit, tous deux (ramener) au campement quelques pépites qui (valoir) bien un millier de dollars. On (décider) d'établir le camp ici, et, après un mois de fouilles, les deux hommes (mettre) à jour un trésor bien plus gros que ce qu'ils (pouvoir) emporter. Mais leur réserve de vivres (aller) en diminuant et, dans cette région glaciale, avec l'hiver qui (arriver), il (être) grand temps de s'en aller. (J. LONDON, *L'Appel de la forêt*, Éd. UGE)

---

599 Vocabulaire à retenir

la paille, empailler, la paillasse, le paillasson, les paillettes, la paillote
le camp, le campeur, camper, le camping, décamper, le campement

Le passé simple

respirer		grandir		descendre	
je	respirai	je	grandis	je	descendis
tu	respiras	tu	grandis	tu	descendis
elle	respira	elle	grandit	il	descendit
nous	respirâmes	nous	grandîmes	nous	descendîmes
vous	respirâtes	vous	grandîtes	vous	descendîtes
ils	respirèrent	ils	grandirent	elles	descendirent

RÈGLE

1. Au passé simple, tous les verbes du **1er groupe** ont les mêmes terminaisons : -ai, -as, -a, -âmes, -âtes, -èrent.

2. Au passé simple, tous les verbes du **2e groupe** ont les mêmes terminaisons : -is, -is, -it, -îmes, -îtes, -irent.

3. Beaucoup de verbes du **3e groupe**, notamment la plupart des verbes en -dre, ont, au passé simple, les terminaisons en -i- :
je descendis, je mis, j'appris, je suivis, je m'enfuis.

Remarque

La 1re personne du singulier du passé simple et de l'imparfait de l'indicatif des verbes en -er ont pratiquement la même prononciation.
Pour éviter la confusion, il faut se rapporter au sens de l'action ;
on peut aussi penser à la personne correspondante du pluriel :
J'hésitais depuis un long moment lorsqu'enfin, je me décidai.

j'hésitais :	nous hésit**ons**	→ imparfait,	donc -*ais.*
je me décidai :	nous nous décid**âmes**	→ passé simple,	donc -*ai.*

1er groupe : -ai		**2e groupe : -is**		**3e groupe : -is**	
acheter	ficeler	bâtir	nourrir	battre	prendre
balbutier	habiller	garnir	réjouir	cueillir	rire
créer	jeter	guérir	remplir	dire	suivre
ennuyer	secouer	noircir	vieillir	mentir	voir

EXERCICES

600 Conjuguez au passé simple.

essayer un costume
éclaircir une affaire
battre des mains
apprendre le russe
évaluer les dégâts
esquisser un sourire

ficeler un colis
cueillir un dahlia
revoir son pays
observer les étoiles
se divertir un peu
rougir de plaisir

étiqueter des produits
fendre l'air
servir de guide
perdre deux kilos
ouvrir les fenêtres
réunir ses économies

601 Écrivez les verbes à la deuxième personne du singulier et du pluriel du présent, de l'imparfait et du passé simple de l'indicatif.

omettre un détail	saluer la victoire	balbutier une explication
souffrir des dents	saisir l'opportunité	souscrire une assurance
fuir la foule	suivre les conseils	payer ses dettes

602 Écrivez les verbes entre parenthèses au passé simple.

Le ciel (s'assombrir) et le vent (se lever) ; vous (décider) de rentrer immédiatement au port. — Vers les dix heures, peu avant le récréation du matin, il (entendre) appeler au secours depuis les escaliers. Abandonnant tout sur place, il (bondir) dans le couloir. — Arrivée chez elle, elle (couper) l'électricité, (débrancher) le téléphone, (s'asseoir) en tailleur au beau milieu de l'appartement, (laisser) aller ses bras, mains retournées sur le sol, et (demeurer) immobile. (D. PENNAC) — La nuit était encore noire quand Idriss (sortir) de la cour des studios Francœur. (M. TOURNIER) — À dix-huit ans, je (quitter) Marseille et j'(aller) à Genève où je m'(inscrire) à l'Université. (A. COHEN)

603 Écrivez les verbes entre parenthèses au passé simple.

Un jour, le père Valette m'(emmener) secrètement pêcher en eau profonde… Les peupliers portaient un écriteau sur lequel étaient peints ces mots : « Pêche gardée ». Nous (jeter) quand même nos lignes. Elles étaient à peine dans l'eau que nous (voir) paraître un garde. « Eh ! quoi, (s'écrier)-t-il, n'avez-vous point vu la pancarte ? » Je (montrer) mes lunettes et (répondre) aussitôt, non sans espièglerie : « Je suis myope et je n'ai rien vu. – Mais vous, Valette, (répondre) l'homme au képi, vous, vous avez de bons yeux. – Oh ! (répondre) le paysan, oui, mais moi, je ne connais point lire. » Désarmé par ces répliques, le garde nous (relâcher) sans faire acte d'autorité.

(G. DUHAMEL, *Inventaire de l'abîme*, Mercure de France)

604 Écrivez les verbes entre parenthèses au passé simple ou à l'imparfait de l'indicatif, selon le sens.

Un coup d'œil jeté sur ma montre me (révéler) que minuit (approcher). Je (se coller) sur mon siège en attendant que les spectres se manifestent devant moi. Une légère brise nocturne (se lever) entre les branches des sapins, accompagnée du murmure inquiétant de fifres lointains et invisibles, jouant en sourdine un air fantastique et funeste. La monotonie des sons, la fixité avec laquelle je (contempler) le monolithe (provoquer) chez moi une sorte d'hypnose ; je (s'assoupir). Je (lutter) contre cette somnolence, mais le sommeil me (gagner) pourtant ; le monolithe (paraître) se balancer, danser, se déformer étrangement sous mon regard, puis je (s'endormir). (R.E. HOWARD, *La Pierre noire*, Éd. Bourgeois)

605 Vocabulaire à retenir

le képi — le karaté — le kiwi — le kimono — la kermesse — le kilomètre
immense — immérité — immuable — immigrer — immortel — immunisé

Le présent, l'imparfait et le passé simple des verbes en -cer

Présent		Imparfait		Passé simple	
j'	avance	j'	avançais	j'	avançai
tu	avances	tu	avançais	tu	avanças
elle	avance	elle	avançait	il	avança
nous	avançons	nous	avancions	nous	avançâmes
vous	avancez	vous	avanciez	vous	avançâtes
ils	avancent	ils	avançaient	elles	avancèrent

RÈGLE

Les verbes en **-cer** prennent une cédille sous le **c** devant **a** et **o** pour conserver à la lettre **c** le son [s] :
*nous avan**ç**ons, je me dépla**ç**ais, nous nous balan**ç**âmes*

verbes en -cer					
agencer	dénoncer	ensemencer	exercer	grincer	rapiécer
amorcer	devancer	espacer	foncer	influencer	rincer
annoncer	distancer	évincer	froncer	pincer	tracer
cadencer	énoncer	exaucer	gercer	prononcer	transpercer

EXERCICES

606 Conjuguez au présent, à l'imparfait, au passé simple de l'indicatif.

acquiescer à un désir
amorcer la pompe
influencer le public

devancer ses rivaux
foncer dans le noir
se coincer les doigts

effacer de la mémoire
espacer ses visites
froncer les sourcils

607 Écrivez les verbes entre parenthèses aux temps indiqués :
1. présent de l'indicatif, 2. imparfait de l'indicatif, 3. passé simple.
Réflexion faite, le joueur d'échecs (déplacer, 3) sa reine plutôt que sa tour. — Les rouages étaient grippés, tout (grincer, 2) — Le chanteur (dédicacer, 1) son portrait à ses jeunes admirateurs. — Alexandre Dumas (romancer, 3) la vie de d'Artagnan dans *Les Trois Mousquetaires*. — Tu (renforcer, 2) la solidité des feuilles de classeur en plaçant des œillets. — Elle (se jeter, 3) dans un fauteuil, et (enfoncer, 3) d'un geste mutin son chapeau jusqu'à ses yeux. (TOURGUENIEV)

608 Vocabulaire à retenir
le voyage — le nuage — le rivage — le tatouage — le mixage — le lavage
l'œil, l'œillet, l'œillade, l'œilleton, l'œillère, l'œil-de-bœuf

Le présent, l'imparfait et le passé simple des verbes en -ger

Présent	Imparfait	Passé simple
je bouge	je bougeais	je bougeai
tu bouges	tu bougeais	tu bougeas
elle bouge	elle bougeait	il bougea
nous bougeons	nous bougions	nous bougeâmes
vous bougez	vous bougiez	vous bougeâtes
ils bougent	ils bougeaient	elles bougèrent

RÈGLE

Les verbes en **-ger** prennent un **e** muet après le **g** devant **a** et **o** pour conserver à la lettre **g** le son [ʒ] :
nous plongeons, je bougeais, il voyagea.
Remarque : les verbes en [ãʒe] s'écrivent **-anger** sauf *venger*.

verbes en -anger		autres verbes en -ger			
arranger	louanger	alléger	exiger	ménager	saccager
changer	mélanger	avantager	héberger	négliger	songer
démanger	vendanger	diriger	interroger	protéger	soulager
déranger	vidanger	encourager	longer	ronger	voltiger

EXERCICES

609 Conjuguez au présent, à l'imparfait, au passé simple de l'indicatif.

allonger le pas   rédiger une lettre   héberger des amis
négliger les décimales   ronger son frein   vidanger un réservoir

610 Écrivez les verbes entre parenthèses aux temps indiqués :
1. imparfait de l'indicatif, 2. passé simple.

La Land Rover, braquant vers le nord, (s'engager, 1) maintenant sur la piste de Béni Abbès. (M. TOURNIER) — Simone (faire, 1) tout disparaître avant que le docteur Joyeux arrive, elle (ranger, 1) les bougies et l'encens, elle (remettre, 1) le tapis à sa place, les chaises, les fauteuils. (J.M.G. LE CLÉZIO) — Sans la moindre hésitation, nous (échanger, 2) un signe de reconnaissance, nous nous étions retrouvés. (P. LOTI)

611 Vocabulaire à retenir

héberger — hébété — l'hécatombe — l'hélice — l'hectare — l'hercule
rédiger, la rédaction, le rédacteur, la rédactrice, rédactionnel

123ᵉ leçon

Le présent, l'imparfait et le passé simple des verbes en -quer et -guer

Présent	Imparfait	Passé simple
je distingue nous distinguons	je distinguais nous distinguions	je distinguai nous distinguâmes
j' explique nous expliquons	j' expliquais nous expliquions	j' expliquai nous expliquâmes

RÈGLE

Les verbes en **-guer** et en **-quer** se conjuguent régulièrement.
La lettre **u** de leur radical se retrouve à toutes les personnes
et à tous les temps de leur conjugaison :

je distingue, nous distinguons, je distinguais, nous distinguâmes
j'explique, nous expliquons, j'expliquais, nous expliquâmes

verbes en -guer			verbes en -quer		
conjuguer	draguer	narguer	appliquer	embarquer	pratiquer
dialoguer	élaguer	prodiguer	attaquer	expliquer	risquer
divaguer	fatiguer	reléguer	croquer	marquer	suffoquer

EXERCICES

612 Conjuguez au présent, à l'imparfait, au passé simple de l'indicatif.
naviguer sur l'océan   élaguer le tilleul   suffoquer d'indignation
intriguer l'auditoire   homologuer un record   pratiquer un sport

613 Écrivez les verbes entre parenthèses aux temps indiqués :
1. présent de l'indicatif, 2. imparfait de l'indicatif, 3. passé simple.
Lorsque les loups (divaguer, 2) dans les massifs montagneux français, les ber-
gers (se transformer, 2) en chasseurs et les (traquer, 2). — Les images que nous
(envoyer, 1) les satellites sont étonnamment précises ; on (distinguer, 1) les villages les plus petits. — Quatre jours et trois nuits nous (naviguer, 3). (A. GIDE) —
La pinède grillait sous le feu de midi, les pommes de pins (craquer, 2). (J. PEYRÉ)

614 Vocabulaire à retenir
distinguer — fatiguer — narguer — divaguer — droguer — irriguer
évoquer — éduquer — tronquer — abdiquer — revendiquer — escroquer

Le passé simple en -us et -ins

courir		recevoir		venir		tenir	
je	courus	je	reçus	je	vins	je	tins
tu	courus	tu	reçus	tu	vins	tu	tins
elle	courut	elle	reçut	elle	vint	elle	tint
nous	courûmes	nous	reçûmes	nous	vînmes	nous	tînmes
vous	courûtes	vous	reçûtes	vous	vîntes	vous	tîntes
ils	coururent	ils	reçurent	ils	vinrent	ils	tinrent

RÈGLE

1. Au passé simple, un certain nombre de verbes comme **courir, mourir, valoir, recevoir, paraître**, ont pour terminaisons -us, -us, -ut, -ûmes, -ûtes, -urent :

Il courut aussi vite qu'il put.

Remarque : les verbes de la famille de *recevoir* prennent une cédille sous le **c** devant **u** pour conserver à la lettre **c** le son [s] :

Je reçus un curieux message.

2. Au passé simple, **tenir, venir** et leurs composés ont pour terminaisons -ins, -ins, -int, -înmes, -întes, -inrent :

Il revint au village dix ans après.

Passé simple en -us			Passé simple en -ins		
apercevoir	connaître	parcourir	s'abstenir	intervenir	retenir
apparaître	croire	valoir	advenir	obtenir	se souvenir
boire	lire	vouloir	contenir	prévenir	survenir

EXERCICES

615 Conjuguez au passé simple.

parcourir un livre — survenir à l'improviste — paraître indifférent
contenir sa peine — accroître son savoir — percevoir un bruit insolite

616 Écrivez les verbes entre parenthèses au passé simple.

En une seconde, les images (disparaître) de l'écran ; Léon (appuyer) sur les boutons de sa télécommande mais rien n'y (faire) : il ne verrait pas le match. — En obtenant cette médaille d'or, le patineur (connaître) une très grande joie. Sa performance lui (valoir) par la suite des centaines de lettres d'admirateurs. — Au détour du virage, le coureur échappé (apercevoir) la meute de ses poursuivants. — La route (filer). Les routes (s'embrancher) aux routes. Les villages (s'endormir). Les rayons des phares (devenir) deux tremblantes antennes. (M. Tinayre) — Les rires, s'autorisant de ce sourire, ne se (retenir) plus. (A. Gide)

Le passé simple
de quelques verbes particuliers

savoir		mouvoir		déchoir		devoir	
je	sus	je	mus	je	déchus	je	dus
nous	sûmes	nous	mûmes	nous	déchûmes	nous	dûmes
croître		**accroître**		**plaire**		**taire**	
je	crus	j'	accrus	je	plus	je	tus
nous	crûmes	nous	accrûmes	nous	plûmes	nous	tûmes
résoudre		**moudre**		**pouvoir**		**vivre**	
je	résolus	je	moulus	je	pus	je	vécus
nous	résolûmes	nous	moulûmes	nous	pûmes	nous	vécûmes
écrire		**faire**		**plaindre**		**voir**	
j'	écrivis	je	fis	je	plaignis	je	vis
nous	écrivîmes	nous	fîmes	nous	plaignîmes	nous	vîmes
conduire		**asseoir**		**coudre**		**prendre**	
je	conduisis	j'	assis	je	cousis	je	pris
nous	conduisîmes	nous	assîmes	nous	cousîmes	nous	prîmes
vaincre		**naître**		**acquérir**		**mettre**	
je	vainquis	je	naquis	j'	acquis	je	mis
nous	vainquîmes	nous	naquîmes	nous	acquîmes	nous	mîmes

RÈGLE

1. Au passé simple, le verbe **croître** prend un accent circonflexe
à toutes les personnes pour ne pas être confondu avec le verbe *croire*
qui, comme tous les autres verbes, prend seulement un accent circonflexe
aux deux premières personnes du pluriel :

> *croître : je crûs, tu crûs, il crût, nous crûmes, vous crûtes, ils crûrent.*
> *croire : je crus, tu crus, il crut, nous crûmes, vous crûtes, ils crurent.*

Au passé simple, **accroître**, **décroître** et **recroître**, n'ont pas d'accent
puisqu'il n'y a pas de confusion possible :
> *j'accrus, je décrus, je recrus.*
> *il accrut, il décrut, il recrut.*

2. Au passé simple, *prévoir, entrevoir* et *revoir*, se conjuguent comme **voir** :
> *je prévis, ils prévirent, j'entrevis, nous entrevîmes, je revis, ils revirent*

• **pourvoir** a un passé simple en **-u-** :
> *je pourvus, vous pourvûtes.*

EXERCICES

617 Écrivez les verbes à la **1re** personne du singulier et du pluriel du présent, de l'imparfait et du passé simple de l'indicatif.

croire aux promesses	vivre à cent à l'heure	naître à la maternité
coudre les boutons	prévoir une halte	croître en sagesse
mettre une cassette	taire son chagrin	connaître un revers

618 Conjuguez au passé simple.

moudre le blé	asseoir son autorité	vaincre sa timidité
acquérir un terrain	étreindre sa mère	vivre à la ville

619 Écrivez les verbes entre parenthèses au passé simple.

M. de Nemours (être) tellement surpris de sa beauté que, lorsqu'il (être) proche d'elle, et qu'elle lui (faire) la révérence, il ne (pouvoir) s'empêcher de donner des marques de son admiration. Quand ils (commencer) à danser, il (s'élever) dans la salle un murmure de louanges. (MME DE LA FAYETTE) — Je (voir) que sa casquette de drap noir cachait ses jolies boucles blondes. Cette casquette me (déplaire). J'(avoir) le tort de ne pas détourner mes regards. (A. FRANCE) — Quand la dernière balle (disparaître) dans son trou, avec un fracas de mitrailleuse, le billard (s'allumer) tout entier, resplendissant de couleurs vives. (J.M.G. LE CLÉZIO)

620 Écrivez les verbes entre parenthèses au passé simple.

La lune (atteindre) la grève opposée et tout (retomber) dans les ténèbres. (A. MALRAUX) — Il (naître) au fond d'une maison basse à tuiles rouges. (NIGOUD) — Quand les enfants ne (pouvoir) plus articuler un son, ils (s'asseoir) et se (regarder) avec des yeux rieurs. (R. ROLLAND) — Nous (résoudre) d'aller de ce côté-là et nous nous (mettre) en marche. Nous (atteindre) enfin un endroit où le bois s'éclaircissait. (A. THEURIET) — Ainsi, j'(apprendre) beaucoup de vers. Ainsi j'(acquérir) des connaissances utiles et précieuses. Ainsi je (faire) mes humanités. (A. FRANCE) — À Malte, dans les jardins du résident, je (venir) lire ; il y avait un bois très petit de citronniers, nous nous y (plaire) ; et nous (mordre) des citrons mûrs. (A. GIDE)

621 Écrivez les verbes entre parenthèses au passé simple.

Quand (venir) le moment du départ, j'(entrer) dans l'unique magasin du village tenu par le chef pour me procurer quelques provisions. Je (commander) d'abord cinq livres de riz et (avoir) la surprise de voir l'indigène m'en peser dix et m'informer avec un sourire que cela ne me coûterait pas d'argent. Un indigène, entrant à cet instant, se (faire) servir vingt livres de riz qu'il me (mettre) dans les bras. Impossible de refuser, c'eût été une mortelle offense. D'autres indigènes (survenir) et (vouloir) m'offrir tout le magasin. J'(avoir) grand-peine à les dissuader, et, regagnant mon bord, j'(appareiller) immédiatement. Je (sortir) de la passe dangereuse de cet atoll hospitalier avec la marée descendante.

(A. GERBAULT, *À la poursuite du soleil*, Grasset)

► Révision

622 Conjuguez au présent et à l'imparfait de l'indicatif.

noircir le tableau	rompre les négociations	répéter un refrain
tenir ses promesses	courir après la chance	défendre son camp

623 Écrivez les verbes entre parenthèses à l'imparfait de l'indicatif.
Quand nous (vouloir) quitter un programme informatique, nous (appuyer) sur la touche « Quit ». — Il y a seulement trente ans, nous ne (voir) la télévision qu'en noir et blanc. — Les disputes entre amis n'(être) pas graves, vous (se réconcilier) en quelques minutes.— Aussi lui (trouver)-je plus d'esprit qu'à personne et sur un seul mot échangé, nous (rire) souvent ensemble. (P. LOTI)

624 Écrivez à la 2ᵉ personne du singulier et du pluriel du présent, de l'imparfait, du passé simple de l'indicatif.

relancer la partie	nuancer son opinion	financer un projet
forcer la serrure	acquiescer à un vœu	annoncer son départ

625 Écrivez les verbes entre parenthèses aux temps indiqués :
1. présent de l'indicatif, 2. imparfait de l'indicatif, 3. passé simple.
Il (acquiescer, 3) de la tête. — L'eau (balancer, 2) ses longs cheveux comme des algues. (J. GIONO) — J'(écorcer, 1) des châtaignes à grands coups de sabots. (J. GUÉHENNO) — Des sirènes (annoncer, 1) qu'une grille d'entrée va fermer dans cinq minutes. (J. ROMAINS) — Avec la ténacité des enfants, nous nous (efforcer, 1) de capter ce rayon de soleil. (J. JAUBERT) — Soudain, d'un geste brusque je (saisir, 3) la casquette et je la (lancer, 3) par-dessus le mur. (A. FRANCE)

626 Écrivez les verbes à la 1ʳᵉ personne du singulier et du pluriel du présent, de l'imparfait, du passé simple de l'indicatif.

avantager une équipe	se protéger du vent	envisager une sortie
propager des rumeurs	asperger les feuilles	engranger des succès

627 Écrivez les verbes entre parenthèses aux temps indiqués :
1. présent de l'indicatif, 2. imparfait de l'indicatif, 3. passé simple.
Sur notre chemin, nous (déranger, 2) de gros lézards verts. (B. BONNET) — De temps à autre Johnny (s'éponger, 2) avec un large mouchoir. (G. ARNAUD) — Il (se rengorger, 3), tête en arrière, et toute la plume de son visage magnifique enfla autour d'un bec fin. (COLETTE) — D'énormes dalles de basalte bleu (s'étager, 2) en gigantesques marches d'escalier. (FRISON-ROCHE) — Le vent avait viré au nord-ouest, je (changer, 3) de bord. (A. GERBAULT) — Nous (manger, 1) du pain aussi noir que l'intérieur de la cheminée. (É. GUILLAUMIN) — Les portes (claquer, 2), les fenêtres (s'entrechoquer, 2), les rideaux (se gonfler, 2). (A. FRANCE)

628 Écrivez à la 1ʳᵉ personne du singulier et du pluriel du présent, de l'imparfait et du passé simple de l'indicatif.

divulguer le secret	distinguer une étoile	confisquer la parole
évoquer des souvenirs	répliquer rapidement	indiquer la bonne direction

629 Écrivez les verbes entre parenthèses à l'imparfait de l'indicatif.

Nous l'(attendre) depuis plusieurs heures et (feindre) de ne pas paraître inquiets de son absence. — Un soir que nous (fuir) devant la tempête, notre bateau vint se réfugier à l'entrée du détroit de Bonifacio. (A. Daudet) — Le rocher (jaillir) à pic. La réflexion neigeuse de ses falaises blanches tantôt l'(argenter), tantôt le (dissoudre) dans la gaze légère du brouillard. (J. Gracq)

630 Écrivez les verbes entre parenthèses au passé simple.

Les enfants (revenir) tout en larmes me conter ce qu'ils avaient vu. J'(avoir) le cœur crevé de les entendre… Sans perdre une minute, je (courir) chez les voisins, je leur (dire) la chose en deux mots et nous (convenir) qu'il fallait, sur l'heure, porter au moulin Cornille tout ce qu'il y avait de froment dans les maisons. (A. Daudet, *Lettres de mon moulin*)

631 Écrivez les verbes entre parenthèses au temps de l'indicatif qui convient.

Mme Rooseghem, la patronne, arriva. Elle s'(occuper) de l'usine. Le père, les fils (courir) les routes pour placer les lins. Elle (tenir) la fabrique comme sa maison. L'économie (régner)… Un à un, elle (distribuer) les carnets aux ouvrières. Karelina (recevoir) le sien, (vérifier) d'un coup d'œil le montant de sa paie : cent quarante-trois francs. Bonne semaine. Elle (pousser) une barre de bois qui (commander) le débrayage de la courroie. Et le moulin (ralentir) sa rotation vrombissante, le ronflement (décroître) et (mourir). Karelina (jeter) au panier sa dernière poignée de lin, puis elle (descendre) avec les autres femmes toucher son argent au bureau ; ensuite elle (sortir) et (traverser) la cour pour s'en aller. (Van der Meersch, *L'Empreinte du Dieu*, Albin Michel)

632 Écrivez les verbes entre parenthèses au temps de l'indicatif qui convient.

À l'idée d'une tunique, Rabiou hésita… Enfin le pauvre homme (parvenir) à la confectionner, ma tunique, mais quelle tunique… Je la (revêtir) pour la première fois un dimanche, comme il (convenir), puisque c'(être) un vêtement neuf. Oh ! quand ce jour-là je (paraître) dans la cour du collège pendant la récréation, quel accueil ! « Pain de sucre ! Pain de sucre ! » (s'écrier) à la fois tous mes camarades. Ce (être) un moment difficile. Ils (voir) tous d'un coup d'œil le galbe disgracieux, le bleu trop clair, les lyres, le col béant à la nuque. Ils (se mettre) tous à me fourrer des cailloux dans le dos par l'ouverture fatale. Ils en (verser) des poignées et des poignées sans combler le gouffre. Non, le petit tailleur-concierge n'avait pas considéré ce que (pouvoir) tenir de cailloux la poche dorsale qu'il m'avait établie. Suffisamment caillouté, je (donner) des coups de poing ; on m'en (rendre) que je ne (garder) point. Après quoi, on me (laisser) tranquille. Mais le dimanche suivant, la bataille (recommencer). Et tant que je (porter) cette funeste tunique, je (être) vexé de toutes sortes de façons et (vivre) perpétuellement avec du sable dans le cou.

(A. France, *Pierre Nozière*)

Les valeurs du futur simple

RÈGLE

1. Le futur simple indique une action qui se fera dans l'avenir par rapport au moment où l'on parle : dans un moment, demain, plus tard... :
Lorsque je serai grand, je ferai le tour du monde.

2. Le futur peut prendre la valeur du présent pour atténuer le ton de certains propos ou marquer la politesse :
En ce cas, monsieur, je vous dirai franchement que je n'approuve point votre méthode. (MOLIÈRE)
Mon frère, dit-elle, je vous prierai de sortir avec moi. (MÉRIMÉE)

3. Le futur peut avoir aussi la valeur de l'impératif :
Nous avouerons que notre héros était fort peu héros en ce moment. (STENDHAL)

4. Le futur peut exprimer un fait constaté de tous les temps :
Rira bien qui rira le dernier.

5. Le futur proche s'exprime à l'aide du verbe *aller* au présent de l'indicatif suivi de l'infinitif :
Je vais essayer, coûte que coûte, de garder mon sang-froid. (P. MODIANO)

EXERCICES

633 Indiquez les valeurs du futur simple.

Tu mangeras ton pain à la sueur de ton front. — Si vous m'interrogez, je vous répondrai que cette affaire ne me concerne pas. — Qui vivra verra. — Jamais je n'oublierai cette journée, si longue, cette journée pareille à des mois, où j'ai connu la mer pour la première fois. (J.M.G. LE CLÉZIO) — Un jour de printemps rendra vertes et fleuries ces plaines décolorées. (TH. GAUTIER) — Le printemps va venir. Bientôt il s'emparera sournoisement des campagnes et des jardins. (H. BORDEAUX) — Certes, je l'avouerai, vous êtes le modèle d'une rare constance. (MOLIÈRE) — Monsieur, puisque vous le voulez, je vous dirai franchement qu'on se moque partout de vous. (MOLIÈRE) — À la fin de février prochain, je vous montrerai, s'il fait soleil, la couleur des bouleaux sur l'azur de l'hiver. (G. DUHAMEL) — Que j'attende ? Malédiction ! Ils seront ici dans cinq minutes. (P. MÉRIMÉE) — Par les soirs bleus d'été, j'irai dans les sentiers, / Picoté par les blés, fouler l'herbe menue : / Rêveur, j'en sentirai la fraîcheur à mes pieds. / Je laisserai le vent baigner ma tête nue. (A. RIMBAUD)

634 Vocabulaire à retenir

jamais — toujours — depuis — volontiers — dehors — autrefois — certes
l'azur — l'azote — une azalée — l'azimut — l'Aztèque

Le futur simple

compter	skier	surgir	attendre
je compterai	je skierai	je surgirai	j' attendrai
tu compteras	tu skieras	tu surgiras	tu attendras
elle comptera	il skiera	elle surgira	il attendra
nous compterons	nous skierons	nous surgirons	nous attendrons
vous compterez	vous skierez	vous surgirez	vous attendrez
ils compteront	elles skieront	ils surgiront	elles attendront

RÈGLE

1. Au futur simple, tous les verbes prennent les mêmes terminaisons -ai, -as, -a, -ons, -ez, -ont, toujours précédées de la lettre r :
je compterai, tu compteras, je surgirai, tu surgiras.

2. Les verbes des 1er et 2e groupes conservent généralement l'infinitif en entier :
je skier-ai, nous surgir-ons.

3. Ceux du 3e groupe perdent souvent le e de leur infinitif :
j'attendr-ai, j'écrir-ai.

Remarque : Pour bien écrire un verbe au futur simple, il faut penser à l'infinitif, puis à la personne.

EXERCICES

635 Conjuguez au futur simple.

étudier un projet	émonder le platane	confier un secret
bondir d'indignation	répondre aimablement	confire des abricots
lier une sauce	évaluer un bénéfice	apprécier une œuvre
lire un poème	exclure le tricheur	éclaircir la question

636 Écrivez à la 1re et à la 3e personne du pluriel du futur simple.

remplir le réservoir	crier sur les toits	aider les personnes malades
crépir les murs	guetter une éclaircie	gratter les tickets
fêter la victoire	saisir la chance	inclure un paragraphe

637 Écrivez à la 2e et à la 3e personne du singulier du futur simple.

châtier ses propos	ouvrir l'œil	trier les vis à bois
ne pas se tromper	ne pas s'énerver	garder les pieds sur terre
avouer son impuissance	ponctuer le texte	seconder un ami
se rendre à la mairie	border sa petite sœur	nourrir son hamster
percer un mur	hâter son retour	ramper sous les barbelés
inverser les rôles	atterrir à l'heure	ne pas perdre confiance

638 Écrivez les verbes au futur simple et justifiez la terminaison en écrivant l'infinitif entre parenthèses.

Cet été, je parti … en Auvergne. — Nous publi … le premier numéro du journal du collège. — Tu réagi … vivement. — Pour ce problème, je dissoci … le raisonnement des calculs. — Le maçon remédi … à la faiblesse de son coffrage et le rempli … de béton. — Le banquier mani … de fortes sommes d'argent. — Les alpinistes ne faibli… pas et ils atteind … le sommet avant dix heures. — Les professeurs convi … les élèves à venir fêter la victoire de l'équipe de basket du collège. — Vous accompli … un exploit en finissant le travail dans les temps. — Il étourdi … ses adversaires par la rapidité de ses contre-pieds.

639 Écrivez les verbes au futur simple et justifiez la terminaison en écrivant l'infinitif entre parenthèses.

Ces élèves ne reni … jamais l'enseignement qu'ils ont reçu. — Sur quoi vous fond …-vous pour justifier votre raisonnement ? — Avec cette température, la neige fond … en quelques jours. — Arrivée au deuxième étage de la tour Eiffel, je m'accoud … à la barrière pour voir Paris. — Avec mes amis, nous cré … bientôt un groupe de rock. — Aujourd'hui, tu ne veux pas te baigner, mais demain tu nous suppli … de t'emmener à la piscine. — Le criminel expi … son forfait au fond d'une prison. — Pressé par le temps, le commentateur conclu … l'émission en quelques secondes. — S'il connaît une défaillance, tu te substitu … à lui au milieu du terrain. — Certains croient que dans vingt ans les automobiles ne pollu … plus l'air des villes.

640 Écrivez les verbes entre parenthèses au futur simple.

J' t' (apprendre) à la Jamaïque / La pêche de nuit au lamparo / Et j' t' (emmener) faire un pique-nique / En haut du Kilimandjaro / Et tu (grimper) sur mon dos / Pour voir le plafond de la Sixtine. (P. Perret) — Plus jamais tu n' (entendre) que Chaka a baissé le front devant ses camarades. Dans Koubé, mère, on ne (parler) plus désormais que de Chaka ; rassure-toi. (D.T. Niame) — Je vous donne pour don qu'à chaque parole que vous (dire), il vous (sortir) de la bouche ou un serpent ou un crapaud. (Ch. Perrault) — Je vais avaler une cuillerée de sirop de pavot et dormir, dormir, dormir ! On (voir) demain. (F. Deschamps) — Le muguet arrondit ses perles qui (répandre) leur odeur souveraine. (Colette) — Je vous (confier) l'objet de mes études sans crainte que vous en trahissiez le mystère. (A. France)

641 Écrivez six phrases dans lesquelles ces verbes seront conjugués au futur simple.

apprécier   veiller   reprocher   aguerrir   s'instruire   perdre

642 Vocabulaire à retenir

la raison, raisonner — résonner, la résonance — sonner, la sonnette
souverain — mondain — germain — malsain — humain — riverain

Le futur simple des verbes en -eler, -eter, -yer et de quelques verbes du 3e groupe

appeler		jeter		acheter		peler	
j'	appellerai	je	jetterai	j'	achèterai	je	pèlerai
tu	appelleras	tu	jetteras	tu	achèteras	tu	pèleras
elle	appellera	il	jettera	elle	achètera	il	pèlera
nous	appellerons	nous	jetterons	nous	achèterons	nous	pèlerons
vous	appellerez	vous	jetterez	vous	achèterez	vous	pèlerez
ils	appelleront	elles	jetteront	ils	achèteront	elles	pèleront

nettoyer		courir		mourir		acquérir	
je	nettoierai	je	courrai	je	mourrai	j'	acquerrai
tu	nettoieras	tu	courras	tu	mourras	tu	acquerras
il	nettoiera	il	courra	il	mourra	elle	acquerra
nous	nettoierons	nous	courrons	nous	mourrons	nous	acquerrons
vous	nettoierez	vous	courrez	vous	mourrez	vous	acquerrez
elles	nettoieront	elles	courront	elles	mourront	ils	acquerront

RÈGLE

Au futur simple,

1. les verbes en **-eler** et en **-eter** prennent deux **l** ou deux **t** :
il appellera, il jettera.
ceux qui font exception prennent un accent grave :
il achètera, il pèlera.

2. les verbes en **-yer** changent le **y** en **i** :
il nettoiera, il s'ennuiera.

3. les verbes **mourir, courir, acquérir**, et ceux de leur famille, ont deux **r**, alors qu'ils n'en prennent qu'un à l'imparfait :
futur simple : *il mourra, il courra, il acquerra*
imparfait : *il mourait, il courait, il acquérait*

-ier-		-elle-/-ette-		-èle-/-ète-	3e groupe
broyer	balayer	chanceler	décacheter	écarteler	conquérir
employer	essayer	épeler	empaqueter	geler	requérir
renvoyer	ennuyer	marteler	projeter	fureter	parcourir
tournoyer	essuyer	ruisseler	rejeter	haleter	secourir

EXERCICES

643 **Conjuguez au futur simple.**

appuyer sur les pédales
détruire les préjugés
accourir aussitôt

envoyer ses vœux
égayer l'atmosphère
épousseter un meuble

tutoyer son ami
croire au succès
peler une pomme

644 **Écrivez les verbes au futur simple et justifiez la terminaison en donnant l'infinitif entre parenthèses.**

Lucas boi… un verre d'eau. — Le chien aboi… dans la nuit. — Elle croi… bien faire. — Le concasseur broi… les galets. — Tu appui… notre candidature. — Tu t'instrui… en consultant Internet. — Le maçon construi… un mur de soutènement. — Je dédui… la TVA de mes achats. — Ces quelques petits problèmes ne nui… pas à la réussite de notre projet. — Nous nous distrai… à la fête foraine. — Je suis sûr que je ne m'ennui… pas si j'emporte un livre.

645 **Écrivez les verbes à la 3ᵉ personne du pluriel du futur simple et de l'imparfait de l'indicatif (vous pouvez choisir un nom comme sujet).**

rejeter une proposition de voyage
s'inquiéter pour peu de chose
s'aguerrir au contact des anciens
accourir à la première sonnerie
concourir dans la catégorie juniors

harceler le savant de questions
mourir de peur dans le train fantôme
requérir des moyens importants
conquérir son indépendance
exceller au tir à l'arc

646 **Écrivez les verbes entre parenthèses au futur simple.**

Après le carnaval, les employés municipaux (balayer) les millions de confettis qui (joncher) les rues. — Pour réparer la toiture endommagée, tu (acheter) quelques tuiles neuves. — Les premiers camarades (avoir) de l'avance et (se déployer) plus loin que les autres. (A. MALRAUX) — L'épervier (se réveiller), il (déployer) ses ailes. (P. MÉRIMÉE) — Je vous (payer), lui dit-elle, avant l'Août, foi d'animal, intérêt et principal. (LA FONTAINE) — Enfin, pensait le pauvre homme, en voilà une qui ne (s'ennuyer) pas chez moi. (A. DAUDET)

647 **Écrivez les verbes au futur simple ou à l'imparfait, selon le sens.**

Louis XIV (se mourir), alors on fit venir le jeune dauphin âgé de cinq ans. — Ils se repentiront de s'être fait la guerre, mais avant cette paix, il (courir) bien des mois. (MAYNARD) — Roland, mon compagnon, sonnez l'olifant ! Charles l'entendra, ramènera l'armée, il nous (secourir) avec tous ses barons ! (CHANSON DE ROLAND) — Les chants des marins m'éveillaient ; je (courir) à ma fenêtre et je voyais les barques s'éloigner. (A. GIDE) — Les abeilles vont préparer la première couvée, quand (naître) leurs sœurs, elles (mourir) usées de fatigue. (M. TINAYRE)

648 Vocabulaire à retenir

le dommage, endommager, dommageable — la manière, maniéré

Le futur simple
de quelques verbes particuliers

aller		asseoir				faire	
j'	irai	j'	assiérai	j'	assoirai	je	ferai
nous	irons	nous	assiérons	nous	assoirons	nous	ferons
cueillir		**recevoir**		**devoir**		**mouvoir**	
je	cueillerai	je	recevrai	je	devrai	je	mouvrai
nous	cueillerons	nous	recevrons	nous	devrons	nous	mouvrons
envoyer		**voir**		**pouvoir**		**savoir**	
j'	enverrai	je	verrai	je	pourrai	je	saurai
nous	enverrons	nous	verrons	nous	pourrons	nous	saurons
tenir		**venir**		**valoir**		**vouloir**	
je	tiendrai	je	viendrai	je	vaudrai	je	voudrai
nous	tiendrons	nous	viendrons	nous	vaudrons	nous	voudrons

RÈGLE

1. Au futur simple, *revoir* et *entrevoir* se conjuguent comme **voir** :
je reverrai, j'entreverrai.
Mais **pourvoir** et **prévoir** se conjuguent sur un autre radical :
je pourvoirai, je prévoirai.

2. On écrit *j'assoirai (asseoir)* sans **e**, mais *je surseoirai (surseoir)* avec un **e**.

EXERCICES

649 **Conjuguez au futur simple.**

renvoyer la balle   revoir son quartier   revenir de vacances
faire du sport   asseoir son autorité   apercevoir la fumée

650 **Écrivez les verbes à la 1re et à la 3e personne du pluriel
du futur simple et du présent de l'indicatif.**

envoyer des nouvelles   entrevoir une issue   revoir les termes du contrat
défaire les nœuds   parvenir à démarrer   ne pas déplaire au public

651 **Écrivez les verbes entre parenthèses au futur simple.**
Dans trente ans, les hommes (aller) peut-être s'installer sur la planète Mars. —
Il ne (pleuvoir) point, les chemins (être) bons. (BERSOT) — Il pense aux hommes
qui, un jour, (venir) ici, qui (essayer) de vaincre ces gigantesques pyramides. Il
sait que d'autres hommes (savoir) souffrir. (M. HERZOG)

 **Révision** —————————————————————————————————

652 **Conjuguez au futur simple.**

accueillir un ami   prévoir le temps   vouloir gagner
aller au marché   faire le tour du monde savoir nager

653 **Écrivez les verbes à la 1ʳᵉ et à la 3ᵉ personne du pluriel du futur simple et du présent de l'indicatif.**

assaillir de questions devoir baisser le son recueillir un témoignage
obtenir une faveur   prévenir le SAMU   satisfaire tous ses désirs

654 **Écrivez les verbes entre parenthèses au futur simple.**

Un jour on (démolir) / ces beaux immeubles si modernes / on en (casser) les carreaux / de plexiglas ou d'ultravitre / on (démonter) les fourneaux / construits à Polytechnique / on (sectionner) les antennes / collectives de télévision / on (dévisser) les ascenseurs / on (anéantir) les vide-ordures / on (broyer) les chauffoses / on (pulvériser) les frigidons / quand ces immeubles (vieillir) / du poids infini de la tristesse des choses. (R. QUENEAU, *Courir les rues*, Gallimard)

655 **Écrivez les verbes entre parenthèses au futur simple.**

Chut, fit Kino. Ne parle plus. Au matin, nous (vendre) la perle et alors le mal (partir) et il ne (rester) que le bon. Maintenant, tais-toi, femme. (J. STEINBECK) — « Frappez fort, on vous (ouvrir) », disait une petite carte blanche fixée par une punaise à la porte du troisième à droite. (L. DEHARME) — Si je ressuscite un jour, c'est au nez que je (reconnaître) la patrie de mon enfance. (G. DUHAMEL) — Plus tard, la jeune fille, cherchant le calme absolu, (louer) une mansarde. (E. CURIE) — La roue tourne. Elle (tourner) jusqu'au jour où notre terre s'(endormir) du sommeil des planètes paralytiques. (G. DUHAMEL)

656 **Écrivez les verbes entre parenthèses au futur simple.**

Tant que je (vivre), évidemment, on (conserver) tout tel quel, mais après à qui (échoir) cet héritage ? (P. LOTI) — Je (savoir), dans un mois, si je dois rester ici ou déguerpir, et je (être) de retour à Aden au moment où vous (parvenir) cette lettre. (A. RIMBAUD) — Plus de lune. Je n'(apercevoir) pas un feu, je ne (bénéficier) d'aucun repère, faute de radio, je ne (recevoir) pas un signe de l'homme avant le Nil. (A. DE SAINT-EXUPÉRY) — L'arbre (donner) des fruits à ceux qui (naître) demain affamés et nus. (E. ABOUT) — Eh bien, ils (se battre), puisque vous le voulez. (CORNEILLE)

657 **Écrivez les verbes entre parenthèses au futur simple.**

Dans quelques années, ces statuettes (valoir) peut-être à Pascal Laurent une célébrité mondiale. — S'il n'y a plus de place dans la tribune centrale, nous (s'asseoir) dans le virage nord. — Surveille bien le facteur car tu (recevoir) notre réponse demain vendredi. — Nos enfants (voir) certainement la fin des grandes épidémies ; du moins, espérons-le ! — Les reporters (recueillir) les confidences de l'actrice, ils (prendre) des photos et (publier) l'ensemble du dossier dans le prochain numéro de leur magazine.

Le passé composé

RÈGLE

1. Le passé composé exprime des faits complètement achevés à un moment déterminé ou indéterminé du passé, en relation avec le présent ou dont les conséquences sont encore sensibles dans le présent .

> *Maman m'a embrassé et je suis allé jouer sur le tapis avec les deux billes que j'ai gagnées à Eudes à l'école.* (R. GOSCINNY)

2. Le passé composé peut, comme le passé simple, marquer la succession des faits. Il tend d'ailleurs à remplacer le passé simple dans cet emploi.

> *Anne est entrée dans la pièce et elle a aperçu son amie.*

On aurait pu dire :

> *Anne entra dans la pièce et aperçut son amie.*

Remarque : Bien que le passé composé puisse souvent se substituer au passé simple, ces deux temps n'ont pas toujours la même valeur et ne peuvent pas être employés toujours indifféremment l'un pour l'autre :

> *Hier, j'ai mené Suzanne à Guignol. Nous y prîmes tous deux beaucoup de plaisir...* (A. FRANCE)

3. Le passé composé est formé du présent de l'auxiliaire *avoir* ou *être* et du participe passé du verbe conjugué :

> *j'ai couru   je suis venu(e).*

EXERCICES

658 Conjuguez au passé composé.

éluder la difficulté	recevoir une visite	feindre d'écouter
aller à la pêche	partir pour le stade	prendre son temps
naître un vendredi 13	revenir sur ses pas	entrer à reculons
rester sans voix	tomber malade	parvenir à ses fins

659 Écrivez les verbes entre parenthèses au passé composé.

Dès leur première rencontre, Antoinette et Virginie (se tutoyer). — Le motard (ajuster) son casque, (mettre) ses gants, (enfourcher) sa machine et (partir) dans un bruit d'enfer et une odeur d'essence fort désagréable. — Les retours de vacances (bénéficier) de circonstances favorables ; il faisait beau et les routes étaient sèches. — M. Clément (consulter) le catalogue de la bibliothèque mais il (ne pas trouver) le livre qu'il cherchait. — D'un coup d'œil, l'entraîneur (jauger) les qualités du nouvel attaquant ; il (annoncer) que ce serait, à n'en pas douter, une vedette. — Le soir, Marie (venir) me chercher et m'(demander) si je voulais me marier avec elle. (A. CAMUS) — J'(connaître) des êtres infiniment plus nobles, plus parfaits que moi-même, comme ton père Antonin ; j'(fréquenter) bon nombre de héros, et même quelques sages. (M. YOURCENAR)

660 **Écrivez les verbes entre parenthèses au passé composé.**

Charlie Chaplin (enchanter) des millions de personnes avec son vagabond à la fois tendre, drôle et triste. — M. Coubost (ne pas freiner) à l'entrée du virage et ce qui devait arriver arriva : il (déraper) et (finir) sa course contre le mur. — Je (ne pas connaître) toutes les histoires de toutes les familles. Des uns et des autres, j'en (savoir) ni plus ni moins que tout le monde. (L. Calaferte)

661 **Écrivez les verbes entre parenthèses au passé composé.**

Arnavel m'(dire) : « Tout va bien monsieur Pascal. Cette année, l'Alpe est bonne. J'ai quarante agneaux neufs et trente brebis. Le lait est gras. » Ces paroles m'(faire) plaisir ; j'(remercier) Arnavel et nous (regarder) boire les bêtes… Le troupeau s'étant abreuvé, nous l'(grouper) sur la pente et l'(pousser) vers l'enclos où, très docilement, il (se parquer). La barrière de bois fermée, nous (revenir) à la hutte et nous (manger) en regardant tomber la nuit. Arnavel m'(offrir) un bon fromage de brebis… Nous (allumer) du feu entre deux pierres… Nous restâmes longtemps éveillés. (H. Bosco, *Le Mas Théotime*, Gallimard)

662 **Écrivez les verbes entre parenthèses au passé composé. Si ce temps a la valeur du passé simple, récrivez les phrases en mettant les verbes à ce temps.**

Tandis que beaucoup de pays qu'on (aimer) tendent à s'effacer à mesure qu'on s'en éloigne, le Japon que j'(rejeter) prend maintenant plus d'importance. (H. Michaux) — Quand j'(essayer) de me rapprocher, quand j'(tendre) les bras vers vous, quand je vous (demander) pour les Fruits d'Or… vous (vouloir) me repousser. (N. Sarraute) — J'(réduire) un peu mon moteur, c'est sans doute ce qui (réveiller) Prévot. Il est sensible à toutes les variations du bruit du vol. (A. de Saint-Exupéry) — Il va tout lâcher. Non, la main droite (palper) une prise dissimulée dans un recoin de la fissure. (Frison-Roche) — En vingt secondes, la lave (entasser) contre le pied de la colline un amas de huit cents maisons écrasées comme boîtes d'allumettes. (H. Tazieff)

663 **Écrivez les verbes entre parenthèses au passé composé ou au passé simple.**

Des années (passer) depuis ce départ et puis des années encore… J'(écrire) souvent à Détroit et puis ailleurs à toutes les adresses dont je me souvenais et où l'on pouvait la connaître, la suivre, Molly. Jamais je (ne recevoir) de réponse. (L.-F. Céline) — Le récit de ma vie peut se faire en deux mots : je (voyager) et je (travailler). (M. du Camp) — Jacques, aveuglé, (ôter) ses lunettes, les (essuyer), son cœur battait à grands coups. (É. Zola) — Ce petit cahier que je feuilletais (réveiller) en moi tout un monde. (A. France)

664 **Vocabulaire à retenir**

le vagabond — le rebond — le plafond — le second — le moribond
attaquer, l'attaque, l'attaquant — piquer, la piqûre, le piquant

Le plus-que-parfait de l'indicatif

RÈGLE

1. Le plus-que-parfait indique une action accomplie, dont la durée est indéterminée et qui se situe avant une autre action exprimée le plus souvent à l'imparfait, au passé simple ou au passé composé :

Il faisait nuit et j'avais éteint la lumière.
Comme je l'avais prévu, nous sommes arrivés en avance.

2. Le plus-que-parfait est formé de l'imparfait de l'auxiliaire *avoir* ou *être* et du participe passé du verbe conjugué :

*j'avais **cour**u   j'étais **ven**u(e).*

EXERCICES

665 Conjuguez au plus-que-parfait de l'indicatif.

prendre les rênes	éteindre la lumière	aller au théâtre
payer la note	repartir à l'aube	affermir sa voix

666 Écrivez les verbes entre parenthèses au plus-que-parfait.

Le Prince dit à son père qu'en chassant il (se perdre) dans la forêt et qu'il (coucher) dans la hutte d'un charbonnier, qui lui (faire) manger du pain noir et du fromage. (Ch. Perrault) — Ils (croiser) négligemment leurs longues et lourdes jambes de cavaliers bottés jusqu'aux genoux. (M. Mitchell) — Il ne parlait ni de sa pièce ni de ses héros à Béatrice parce qu'on (n'aborder jamais) ce sujet. (F. Sagan) — Cette petite conversation (faire) remarquer aux autres membres de la famille que Grégoire, contre toute attente, se trouvait encore au lit, et le père (se mettre) à frapper à la porte latérale, doucement, mais avec le poing. (F. Kafka)

667 Écrivez les verbes entre parenthèses au plus-que-parfait.

La danseuse (évoluer) avec une telle grâce que le public l'applaudit debout pendant de longues minutes. — Les manifestations (mobiliser) des milliers de personnes à travers Paris. — Quand j'(gravir) les marches du perron, mes yeux (tomber) sur cette inscription en lettres d'argent, qui ornait la porte d'entrée : « Collège de Luiza et d'Albany. » (P. Modiano) — Cocardasse avait raison, Passepoil aussi ; tous deux restaient au-dessous du vrai. Ils (avoir) beau vanter leur idole, ils (ne pas assez en dire). (P. Féval) — Tu te souviens, sans doute, que je t'(indiquer) un langage conventionnel, avant de venir au collège, afin de te faire parvenir de mes nouvelles. (D. Buzzati)

668 Vocabulaire à retenir

la bête — le trône — la grâce — la chaîne — la croûte — l'huître
le héros, héroïque, l'héroïsme, l'héroïne, héroïquement

Le passé antérieur

RÈGLE

1. Le passé antérieur indique une action accomplie, dont la durée est déterminée et qui se situe avant une autre action passée, généralement exprimée au passé simple. Le passé antérieur s'emploie le plus souvent dans les propositions subordonnées après une conjonction de temps telle que *quand, lorsque, dès que…* :

> Bénin attendit Broudier. Quand Broudier l'eut rejoint, ils repartirent d'un pas fraternel. (J. ROMAINS)

2. Le passé antérieur s'emploie parfois dans la proposition indépendante ou dans la proposition principale. Il est alors accompagné d'un adverbe de temps tel que *bientôt, vite…* :

> Ce renfort inattendu et surtout l'expérience de Pierre eurent bientôt fait franchir le mauvais pas au lourd chariot. (TH. GAUTIER)

3. Le passé antérieur est formé du passé simple de l'auxiliaire *avoir* ou *être* et du participe passé du verbe conjugué :

> j'eus *couru*   je fus *venu(e)*.

EXERCICES

669 **Écrivez les verbes entre parenthèses au passé antérieur.**

Quand on (manger) le bœuf bouilli, on servit des quartiers de veau. (É. MOSELLY) — Un rideau de sang rouge flottait sous ses paupières quand il fermait les yeux. Quand il (finir), il était midi. (G. ARNAUD) — Lorsque nous (atteindre) les plateaux élevés, la mer nous apparut. (J. BOISSIÈRE) — Olivier resta immobile sur le palier quelques instants après qu'elle (refermer) la porte. (R. SABATIER) — Enfin, on aperçut la petite masse sombre que formait la métairie entourée d'arbres et bientôt l'on (arriver) à la porte. (A. DAUDET)

670 **Conjuguez le verbe au passé antérieur et terminez la phrase.**

Quand j'(ramer) un petit moment, …
Quand tu (franchir) le ruisseau, …
Quand M. Lemercier (revenir) du marché, …
Quand nous (ouvrir) la porte, …
Quand vous (monter) dans le train, …
Quand elles (aller) au cinéma, …

671 Vocabulaire à retenir

flotter — égoutter — quitter — frotter — trotter — flatter — gratter
bouillir, bouillant, le bouillon, le bouillonnement, la bouillotte, ébouillanter

Le futur antérieur

RÈGLE

1. Le futur antérieur exprime une action accomplie qui se situe avant une autre action exprimée au futur :

> *Quand le temps sera venu, j'irai au lycée.*
> *Plus tôt vous aurez inscrit votre nom sur la liste, plus tôt vous aurez une réponse.*

2. Le futur antérieur peut exprimer parfois une supposition relative à un fait passé. Il a alors la valeur d'un passé composé :

> *Il se sera dit, en voyant mes volets fermés : « Tiens, il n'est pas là aujourd'hui ! »*

3. Le futur antérieur est formé du futur simple de l'auxiliaire *avoir* ou *être* et du participe passé du verbe conjugué :

> *j'aurai **couru***   *je serai **venu**(e).*

EXERCICES

672 **Écrivez les verbes entre parenthèses au futur antérieur.**

Sire, quand votre fille (manger) la première orange, elle se lèvera de son lit. (Ph. Soupault) — Les chênes auront leur frondaison nouvelle. Alors seulement tous les oiseaux des bois (retrouver) leur canton, peupleront les halliers. (M. Genevoix) — Étendant les mains hors du lit, Plume fut étonné de ne pas rencontrer le mur. « Tiens, pensa-t-il, les fourmis l' (manger) » et il se rendormit. (H. Michaux) — Dépêchons-nous, dépêchons-nous… Plus tôt nous (finir), plus tôt nous serons à table. (A. Daudet) — Tout à l'heure (venir) le moment de faire du feu dans la cheminée, alors je roulerai ma table auprès de l'âtre. (A. Karr)

673 **Écrivez les verbes entre parenthèses au futur antérieur et terminez la phrase.**

Quand le candidat (déjouer) les pièges du jury, …
Lorsque tu (vaincre) la difficulté, …
Quand je (repartir) à Marseille, …
Lorsque nous (envoyer) la télécopie, …
Quand vous (entendre) cette chanson, …
Lorsque les spectateurs (sortir), …
Quand Mardy (enregistrer) l'émission, …

674 Vocabulaire à retenir

la difficulté — différencier, la différenciation — la diffusion — la diffamation
la télécopie — la télévision — le téléphone — le télégramme
la télécommande — le téléski — le télescope

Les temps composés du mode indicatif (révision)

	verbes conjugués avec avoir			verbes conjugués avec être		
Passé composé	j'	ai	obéi	je	suis	parti(e)
	nous	avons	obéi	nous	sommes	parti(e)s
Plus-que-parfait	j'	avais	obéi	j'	étais	parti(e)
	nous	avions	obéi	nous	étions	parti(e)s
Passé antérieur	j'	eus	obéi	je	fus	parti(e)
	nous	eûmes	obéi	nous	fûmes	parti(e)s
Futur antérieur	j'	aurai	obéi	je	serai	parti(e)
	nous	aurons	obéi	nous	serons	parti(e)s

RÈGLE

1. Un temps composé est formé de l'auxiliaire **avoir** ou **être** conjugué à un temps simple et du participe passé du verbe conjugué :

Passé composé	Plus-que-parfait	Passé antérieur	Futur antérieur
Présent de l'indicatif de l'auxiliaire + participe passé du verbe conjugué	Imparfait de l'indicatif de l'auxiliaire + participe passé du verbe conjugué	Passé simple de l'auxiliaire + participe passé du verbe conjugué	Futur simple de l'auxiliaire + participe passé du verbe conjugué

2. Le participe passé employé avec *avoir*, sans complément d'objet direct, reste invariable :

Ils nous ont *souri.*

3. Le participe passé employé avec *avoir* s'accorde en genre et en nombre avec le complément d'objet direct quand celui-ci est placé avant le participe :

Je t'ai écrit une lettre que j'ai envoyée *hier.*

4. Le participe passé employé avec *être* s'accorde en genre et en nombre avec le sujet du verbe :

Elle est *partie promener son chien.*

quelques verbes se conjuguant avec avoir				avec être	
avouer	mettre	rire	souffrir	aller	mourir
bâtir	plier	rompre	traduire	arriver	rester
étreindre	revoir	saluer	vouloir	entrer	tomber

EXERCICES

675 Conjuguez au passé composé puis au plus-que-parfait de l'indicatif.

écailler le poisson	prendre son billet	craindre une avalanche
gravir la pente	aller au spectacle	revenir du marché

676 Conjuguez les verbes de l'exercice précédent au passé antérieur puis au futur antérieur.

677 Écrivez les verbes à la 3ᵉ personne du pluriel du plus-que-parfait de l'indicatif. Le sujet sera un nom féminin.

éteindre les bougies	aller au Portugal	grandir de cinq centimètres
découvrir l'Alsace	revenir par l'autoroute	naître un 1ᵉʳ janvier
étendre ses jambes	mûrir au soleil	tomber dans la flaque d'eau
remettre son devoir	défendre leurs idées	garnir le sapin de Noël
sourire gentiment	rompre leurs amarres	voir la fin du film

678 Écrivez les verbes entre parenthèses au temps composé qui convient.

Cet homme, sa femme, tous ces hommes, toutes ces femmes, vont maintenant devenir, pendant deux heures, exactement ce que l'auteur du film (vouloir) (R. Barjavel) — Le petit prince, alors, ne put contenir son admiration : « Que vous êtes belle ! – N'est-ce pas, répondit doucement la fleur. Et je (naître) en même temps que le soleil. » (A. de Saint-Exupéry) — Ses cheveux, qui d'abord tiraient sur le roux, (perdre) leur éclat, et on les (nouer) sur la nuque d'un court ruban. (H. Bosco) — Lobe (ouvrir) un réduit percé dans le mur du dernier étage et la poussière, accumulée depuis des années dans ce trou que personne n'explorait, (se répandre) partout. (L. Calaferte) — Il m'a tendu de côté sa main molle, qui (retomber) après que je l'(presser). (A. Gide) — Il regarde les entailles que de mauvais élèves (creuser) sur le rebord des tables. (J. Romains) — Quand elle (passer) l'angle de la dernière maison, Cosette s'arrêta. (V. Hugo)

679 Écrivez les verbes entre parenthèses au temps composé qui convient.

Il hésite encore, l'instituteur, il ne sait plus très bien où il (voir) déjà une bougie semblable plantée dans son bougeoir de cuivre guilloché. (H. Bazin) — Lorsque, à sept heures, tout (finir), je sortis de ma cachette et je me trouvai nez à nez avec le docteur, éreinté, qui s'épongeait le front. (S. Guitry) — C'est ici la Bretagne tragique. C'est ici que tant de vaisseaux (sombrer), que tant de mourants (mêler) leurs appels désespérés. (Michelet) — Vous (traîner) votre canoë… Vous (enlever) vos vêtements mouillés, que vous (jeter) pêle-mêle à ce bon serviteur, le soleil, pour qu'il se charge de les sécher. (Constantin-Weyer) — Quand j'ouvris ma fenêtre, les sauterelles (partir), mais quelle ruine elles (laisser) derrière elles. (A. Daudet) — Comment, c'est toi ? cria Mistral, la bonne idée que tu (avoir) de venir. (A. Daudet)

Les valeurs du présent du conditionnel

RÈGLE

Le conditionnel était anciennement un temps du mode indicatif.
Il a gardé, dans certains cas, la valeur d'un futur.
Le conditionnel exprime aussi des faits irréels ou possibles
dont la réalisation est soumise à une condition.
Le conditionnel peut donc marquer

1. un futur du passé :

> *Le vieux loup de mer parlait de la vie sur les cap-horniers comme d'une épreuve que les marins d'aujourd'hui ne connaîtraient jamais.*

L'imparfait *parlait* entraîne le conditionnel *connaîtraient*, tout comme le présent entraîne le futur.

(Le vieux loup de mer parle de la vie [...] que les marins d'aujourd'hui connaîtront.)

Le conditionnel a ici la valeur d'un futur qui, s'appuyant sur un passé, est appelé futur du passé.

2. des faits

• soumis à une condition exprimée ou non :

> *Je passerais vous voir si j'avais le temps.*
> *Vous entendez mille bruits qu'un Indien distinguerait les uns des autres et qu'il vous expliquerait en souriant.* (s'il était là) (CONSTANTIN-WEYER)

• supposés :

> *Une relecture de votre texte ne prendrait que quelques minutes.*

• désirés, souhaitables :

> *Je voudrais jouer du violoncelle comme Rostropovitch.*

• irréels, imaginaires, fictifs :

> *Nous rêvons tous d'un monde meilleur : il n'y aurait plus de guerre, la pauvreté, la souffrance et la maladie n'existeraient plus.*

Remarque : le conditionnel est le mode de la supposition alors que l'indicatif est le mode du réel.

EXERCICES

680 Indiquez les valeurs du présent du conditionnel.

En Amérique, je voudrais voir les chutes du Niagara et la presqu'île de Manhattan. — Parlons du barrage. Commandant, nous aimerions savoir ce que c'est exactement qu'un barrage. (AMADOU KONÉ) — J'attendais avec impatience le moment où une barbe piquante me hérisserait le menton. (A. FRANCE) — S'il était riche, il prendrait des leçons particulières, il se ferait expliquer les obscurités. (J. ROMAINS)

681 Indiquez les valeurs du présent du conditionnel.

Tu ne sais pas ce que je voudrais être ? dit Marinette […] Un cheval. Oui, j'aimerais bien être un cheval. J'aurais quatre bons sabots, une crinière, une queue en crins et je courrais plus fort que personne. Naturellement, je serais un cheval blanc. (M. Aymé) — Porthos espéra qu'avec du vin, du pain et du fromage, il dînerait, mais le vin manquait. (A. Dumas) — Ils parlaient de ce qu'ils feraient plus tard quand ils seraient sortis du collège. (Flaubert) — L'hippopotame accéléra sa course… Là, plongeant dans les pâturages natals, il réparerait sa blessure, il connaîtrait encore la douceur de vivre. (J.-H. Rosny aîné) — Bref, le village en avait pris un sacré coup dans la pipe. Il serait un jour rayé du cadastre et du globe. On le raserait, si nécessaire, pour édifier sur l'emplacement un hypermarché, sous condition que l'idée en paraisse rentable à quelque promoteur. (R. Fallet) — Les miroirs feraient bien de réfléchir un peu avant de renvoyer les images. (J. Cocteau)

682 Indiquez les valeurs du présent du conditionnel.

Elle imaginait la journée du baptême de son futur enfant. Elle descendrait à la salle à manger. Dans le creux de sa main palpiterait la tête duvetée du nouveau-né ; on se pencherait sur lui avec admiration en disant : « Quel beau bébé. » Elle serait la reine de la journée. De nombreux amis viendraient, les bras chargés de cadeaux. (D. Rolin) — Il voudrait courir dans cette direction, mais son élan se brise contre le vide. (B. Clavel) — Seules les souches sauvages et rustiques pourraient permettre de préparer des variétés nouvelles si d'aventure les conditions de l'agriculture, des climats, des sols venaient à changer. (F. Jacob)

683 Écrivez les verbes en bleu (conjugués à l'imparfait de l'indicatif) au présent de l'indicatif et les autres verbes (conjugués au conditionnel présent) au futur simple.

Si l'avant-centre tombait dans la surface de réparation, fauché par un arrière de l'équipe adverse, l'arbitre sifflerait alors un penalty. — Si vos parents acceptaient, vous organiseriez une grande fête pour la fin de l'année scolaire. — S'il faisait un double six, Gilbert rejouerait. — Si tu avais du courage, tu entreprendrais un nettoyage complet de ton VTT. — Tu devais bien te douter que jamais nous ne croirions une telle histoire. — Si je voulais faire de la voile, je devrais d'abord savoir nager ; on ne sait jamais, un bateau cela peut chavirer ! — Si les deux parties se mettaient d'accord sur les termes du contrat, elles signeraient un accord très prochainement. — Si nous nous hasardions dans les marais, nous verrions des canards sauvages et des hérons. — Elle courrait à sa rencontre et se jetterait dans ses bras s'il revenait aujourd'hui de son long voyage. — Prendriez-vous une autre tasse, si je refaisais du café ?

684 Vocabulaire à retenir

le baptême — la crêpe — le salpêtre — l'ancêtre — le carême — extrême
un cheval — une queue — une crinière — des sabots — des pattes

Le présent du conditionnel

couper	skier	bondir	tendre
je couperais	je skierais	je bondirais	je tendrais
tu couperais	tu skierais	tu bondirais	tu tendrais
elle couperait	elle skierait	elle bondirait	il tendrait
nous couperions	nous skierions	nous bondirions	nous tendrions
vous couperiez	vous skieriez	vous bondiriez	vous tendriez
ils couperaient	ils skieraient	ils bondiraient	elles tendraient

RÈGLE

1. Au présent du conditionnel, tous les verbes ont les mêmes terminaisons -ais, -ais, -ait, -ions, -iez, -aient, toujours précédées de la lettre r :
je couperais, je bondirais, je tendrais.

2. Au présent du conditionnel comme au futur simple, les verbes du 1er et du 2e groupe conservent généralement l'infinitif en entier :
je skier-ais, je bondir-ais.

Remarque : pour bien écrire un verbe au présent du conditionnel, il faut penser à l'infinitif, puis à la personne.

EXERCICES

685 Conjuguez au présent du conditionnel.

trier le courrier — secouer le tapis — exclure le tricheur
pétrir la pâte — coudre la doublure — évaluer une dépense
formuler des remarques — battre les cartes — réfléchir avant d'agir

686 Conjuguez à l'imparfait de l'indicatif et au présent du conditionnel.

saisir la perche — conduire un scooter — ouvrir une boîte de pâté
accomplir une mission — rire aux éclats — multiplier les succès

687 Écrivez les verbes au présent du conditionnel et indiquez l'infinitif entre parenthèses.

Je sci… les planches, si tu me prêtais ta scie électrique. — Tu noirci… la situation si les circonstances l'exigeaient. — Nous bâti… des châteaux en Espagne si nous avions le temps de rêver. — Il cri… pour encourager son équipe si le score n'était pas aussi large. — Nous guett… une éclaircie si tu décidais de nous accompagner. — Vous mett… une pile neuve si l'ancienne était hors d'usage. — Si je n'apercevais pas le sommet du col, je faibli… et je m'arrêt…. — Si j'étais plongée dans un bon livre, j'oubli… tous mes soucis. — Si le Soleil s'arrêtait de briller, toute vie disparaît… de la Terre. — Si Myriam s'entraînait davantage, elle obtiend… de meilleurs résultats.

Le présent du conditionnel ou le futur simple ?

RÈGLE

1. La 1ʳᵉ personne du singulier du futur simple et celle du conditionnel ont presque la même prononciation. Pour éviter la confusion,

• il faut se rapporter au sens de l'action :

> *Je n'oublierai jamais tout ce qu'il a fait pour nous : je serais ingrat de ne pas l'en remercier.* (oublierai marque la postériorité d'un fait, et serais l'hypothèse).

• on peut penser à la personne correspondante du pluriel :

> *j'oublierai* (nous oublierons, futur simple → rai)
>
> *je donnerais* (nous donnerions, présent du conditionnel → rais)

2. Avec la conjonction de condition **si**, le présent appelle le futur, l'imparfait appelle le présent du conditionnel :

> *Je te rosserai (nous te rosserons), si tu parles.* (MOLIÈRE)
>
> *Si j'avais à recommencer ma route, je prendrais (nous prendrions) celle qui m'a conduit où je suis.* (A. THIERRY)

EXERCICES

688 Écrivez les verbes entre parenthèses au temps qui convient (futur simple ou présent du conditionnel) et écrivez la personne correspondante du pluriel entre parenthèses.

Je suis pauvre, tu le sais, mais je (être) riche que je ne te (donner) pas les moyens de vivre sans rien faire. (A. FRANCE) — Comme je (vouloir) maintenant, quand ça me chante, retrouver Maman et m'ennuyer un peu auprès d'elle. (A. COHEN) — Je l'aime et le vénère, ce vieux mur. Je ne (souffrir) pas qu'on m'y fît le moindre changement et si on me le démolissait, je (sentir) comme l'effondrement d'un point d'appui. (P. LOTI) — Mon dîner fait, j'(aller) visiter la maison. (V. HUGO)

689 Écrivez les verbes entre parenthèses au temps qui convient (futur simple ou présent du conditionnel).

M. Couturat n'a aucune expérience et il (prétendre) nous donner les leçons. — Le reste, tu (s'en arranger). Tu (finir) bien par prouver que tu n'y es pour rien. (B. CLAVEL) — En recommençant mon journal, je ne pensais pas que j'(avoir) si tôt l'occasion d'y consigner ce fantastique événement. (R. QUENEAU) — Sa beauté triomphait de tout, et de quoi ne (triompher) pas, en effet, l'incomparable beauté de l'enfance ? (G. SAND) — Je ne me (couvrir), si vous ne vous couvrez. (MOLIÈRE) — M. Burns a raison ; je ne (perdre) pas mon temps si je l'écoute. (MAC ORLAN) — J'ignorais tout de cette contrée et j'étais sûr qu'en la voyant je la (reconnaître). (A. FRANCE)

Le présent du conditionnel de quelques verbes particuliers

appeler	jeter	acheter	marteler
j' appellerais nous appellerions	je jetterais nous jetterions	j' achèterais nous achèterions	je martèlerais nous martèlerions
nettoyer	**courir**	**mourir**	**acquérir**
je nettoierais nous nettoierions	je courrais nous courrions	je mourrais nous mourrions	j' acquerrais nous acquerrions
aller	**asseoir**		**faire**
j' irais nous irions	j' assiérais nous assiérions	j' assoirais nous assoirions	je ferais nous ferions
cueillir	**recevoir**	**devoir**	**mouvoir**
je cueillerais nous cueillerions	je recevrais nous recevrions	je devrais nous devrions	je mouvrais nous mouvrions
envoyer	**voir**	**pouvoir**	**savoir**
j' enverrais nous enverrions	je verrais nous verrions	je pourrais nous pourrions	je saurais nous saurions
tenir	**venir**	**valoir**	**vouloir**
je tiendrais nous tiendrions	je viendrais nous viendrions	je vaudrais nous vaudrions	je voudrais nous voudrions

RÈGLE

Les particularités et les irrégularités constatées au futur simple se retrouvent, compte tenu des terminaisons, au présent du conditionnel. (Voir leçons 128 et 129)

EXERCICES

690 Conjuguez les verbes au présent du conditionnel.

essuyer son front
traduire un texte
atteler le poney

accourir au signal
mourir de rire
cacheter la lettre

envoyer des fleurs
tutoyer ses amis
accueillir son frère

691 Écrivez à la **1ʳᵉ** personne du singulier et du pluriel de l'imparfait de l'indicatif et du présent du conditionnel.

sourire devant l'écran de télévision
mourir de peur en voyant les Martiens
envoyer des fusées de détresse

acquérir un peu d'expérience
jeter sa ligne à l'eau
savoir prendre le téléski

692 **Écrivez les verbes au présent du conditionnel.**

Tu ne croi… quand même pas encore au Père Noël ? — Si la récolte avait été meilleure, le moulin à huile broi… les noix. — Si je voulais vous convaincre, j'appui… mes propos par des exemples éclairants. — S'il avait fait plus frais, nous parcou… les bois à la recherche de cèpes. — Si Nadia était plus jeune, elle concou… dans la catégorie Juniors. — Si tu voyais une personne se noyer, tu appel… immédiatement les maîtres nageurs. — Si les moineaux laissaient quelques cerises, M. Monet en cueill… un panier. — Ce jeune pianiste doué acquer… une expérience irremplaçable, s'il consentait à s'exercer davantage.

693 **Écrivez les verbes entre parenthèses à l'imparfait de l'indicatif ou au présent du conditionnel.**

S'il pouvait s'entraîner plus régulièrement, M. Janvier (courir) le marathon de New York. — Si l'on procédait plus calmement et plus méticuleusement, on (obtenir) un bien meilleur résultat et la peinture ne (couler) pas. — Faute de trouver une sonnette, Michel (marteler) la porte à coup de poing. — Ainsi que Friquette, Champeau (courir) dans les chaumes et les betteraves, le nez au ras du sol. (Mac Orlan) — La ville (mourir) de faim sans la campagne. La campagne (devenir) sauvage sans la ville. (E. Perié) — J'ai chaud et je claque des dents. Si je (mourir) là, par aventure, qui le (savoir) ? Personne. (L.-F. Rouquette)

694 **Écrivez les verbes entre parenthèses au présent du conditionnel.**

Si vous mettiez des piles dans le robot, ses yeux (jeter) des éclairs. — Il (valoir) mieux que les automobilistes évitent de prendre l'autoroute car il y a un ralentissement de dix kilomètres. — Pour la première fois, je (devoir) prendre le métro. (P. Guth) — Un jour, peut-être, il (ressembler) à Simon et ce (être) vers lui que l'assemblée (se tourner). (P. Gamarra) — Et puis, il y avait les paquets du libraire qu'on (déficeler) impatiemment. (T. Bernard) — Les fées, s'écria-t-il, si elles avaient un peu de cœur, elles nous (envoyer) un bon déjeuner. (A. Theuriet)

695 **Écrivez les verbes entre parenthèses au temps qui convient.**

Vous ne (savoir) imaginer combien il est difficile de tenir en équilibre sur des patins à glace. — Si l'eau venait à manquer dans la plaine, les abricotiers (mourir) et ce (être) une catastrophe pour toute la région. — Rabiou n'avait pas prévu que je (devenir) un poète très distingué. (A. France) — Tous les enfants sont plus grands qu'elle. Pour les embrasser, elle se soulève sur la pointe des pieds. C'est dans cette attitude d'adoration que je l'(apercevoir) toujours. (G. Duhamel) — D'ailleurs, j'aime tellement mon bateau que je crois que je ne (se soucier) guère d'être sauvé s'il devait couler. (A. Gerbault) — « Tu ne t'ennuies pas, Wilfrida ? – Pourquoi (s'ennuyer)-je ? » (Van der Meersch)

696 Vocabulaire à retenir

le marathon — le mythe — le thermomètre — la menthe — l'enthousiasme l'abricotier — le cerisier — le bananier — le poirier — le prunier

Les temps composés du mode conditionnel

réciter			tomber		
Passé 1re forme			**Passé 1re forme**		
j'	aurais	récité	je	serais	tombé(e)
tu	aurais	récité	tu	serais	tombé(e)
il	aurait	récité	il	serait	tombé
elle	aurait	récité	elle	serait	tombée
nous	aurions	récité	nous	serions	tombé(e)s
vous	auriez	récité	vous	seriez	tombé(e)s
ils	auraient	récité	ils	seraient	tombés
elles	auraient	récité	elles	seraient	tombées
Passé 2e forme			**Passé 2e forme**		
j'	eusse	récité	je	fusse	tombé(e)
tu	eusses	récité	tu	fusses	tombé(e)
il	eût	récité	il	fût	tombé
elle	eût	récité	elle	fût	tombée
nous	eussions	récité	nous	fussions	tombé(e)s
vous	eussiez	récité	vous	fussiez	tombé(e)s
ils	eussent	récité	ils	fussent	tombés
elles	eussent	récité	elles	fussent	tombées

être			avoir		
Passé 1re forme			**Passé 1re forme**		
j'	aurais	été	j'	aurais	eu
Passé 2e forme			**Passé 2e forme**		
j'	eusse	été	j'	eusse	eu

RÈGLE

1. Le conditionnel passé 1re forme est formé du présent du conditionnel de l'auxiliaire **avoir** ou **être** et du participe passé du verbe conjugué :

Si je ne me retenais à cause de mes parents, il y a longtemps que j'aurais donné ma démission, je serais allé trouver le patron et je ne lui aurais pas mâché les choses. (F. KAFKA)

2. Le conditionnel passé 2e forme est en eusse avec l'auxiliaire *avoir* et en fusse avec l'auxiliaire *être* :

Je récitai donc comme j'eusse récité chez nous. (A. GIDE)

Remarque : le conditionnel passé 2e forme a la même conjugaison que le plus-que-parfait du subjonctif ; c'est un temps qui n'est plus guère utilisé.

EXERCICES

697 Conjuguez aux passés 1re et 2e formes du conditionnel.

flamber la volaille	ouvrir à un inconnu	apprendre un métier
se couper les ongles	rester en arrière	parvenir à ses fins
saisir l'occasion	omettre un détail	ne pas tricher au jeu
résister à la tentation	écrire à la machine	réussir à passer

698 Écrivez les verbes entre parenthèses au conditionnel passé 1re forme.

Vous savez que je me destinais, moi, à l'enseignement… J'(vouloir) être instituteur. J'(travailler) comme vous. Les enfants m'(aimer). Ils (se confier) à moi. Nous (mettre) le ciel dans la classe, ou la classe dans la cour. Nous (se prendre) les mains, nous (chanter), nous (former) une ronde et une couronne de vies. Et puis je les (abandonner). (A. Thierry) — J'(vouloir) vous entendre réciter ces vers de Racine. Ils sont si beaux… Mais je pense que vous (ne pas les dire), si vous ne les aimiez pas. (A. Gide) — Pour rien au monde elle n'(bouger) de sa cachette. (F. Deschamps)

699 Écrivez les verbes entre parenthèses au conditionnel passé 2e forme.

Qui (voir) Lionel Ravaute à l'âge de dix ans (ne pas imaginer) qu'il serait un jour capitaine d'une équipe de rugby. — Édouard refermait son carnet précipitamment comme s'il (retrouver) par mégarde un texte secret. (F. Sagan) — Le duc s'avançait avec une lenteur émerveillée et prudente comme s'il (craindre) de marcher sur les robes et de déranger les conversations. (M. Proust) — Ils parlent de moi, des aventures de ma jeunesse, de ma vie qui (s'écouler) calme et tranquille si, comme eux, je (rester) dans la maison où je suis né. (A. Dumas)

700 Écrivez les verbes entre parenthèses au conditionnel passé 1re forme (1) ou au conditionnel passé 2e forme (2).

Une poule parfois s'enfuyait en gloussant. J'(aimer, 1) la poursuivre. J'avais un jour essayé d'en prendre une à la course et j'y (parvenir, 2) peut-être sans l'apparition de ma mère. (H. de Régnier) — Qui m'(voir, 2) seul dans ma chambre, un gros livre d'analyse auprès de moi, (ne jamais croire, 1) que c'était là un jeune homme d'à peine vingt-deux ans. (P. Bourget) — Il peut sembler étrange qu'une personne haute comme une bouteille, et qui (disparaître, 1) dans la poche de ma redingote s'il n'(être pas, 2) irrévérencieux de l'y mettre, donnât précisément l'idée de la grandeur. (A. France) — Si c'(être, 2) l'œil droit, dit-il, je l'(guérir, 1), mais les plaies de l'œil gauche sont incurables. (Voltaire)

701 Vocabulaire à retenir

le détail — le bétail — le portail — le sérail — l'attirail — le journal
le jeu, le jouet, jouer, déjouer, rejouer, l'enjeu, le joueur, jouable, enjoué

eut, eût   fut, fût ?

RÈGLE

• **eut** ou **fut** (sans accent) est la 3e personne du singulier du passé antérieur (et du passé simple des verbes passifs).

• **eût** ou **fût** (avec accent) est la 3e personne du singulier du conditionnel passé 2e forme :

> *Quand elle* eut *tiré les provisions du panier, Stéphanette se mit à regarder curieusement autour d'elle.* (A. DAUDET)
>
> *Dès qu'il* fut *convaincu du bien-fondé de son projet, Yves consacra tout son temps à le réaliser.*
>
> *S'il avait correctement programmé son ordinateur, Justin* eût *obtenu de meilleurs résultats.*
>
> *S'il n'avait pas rencontré des encombrements, le routier* fût *arrivé à l'heure.*

Pour ne pas confondre ces deux formes,
il faut se rapporter au sens de l'action. On peut aussi remplacer
– le passé antérieur par un autre temps de l'indicatif ;
– le passé 2e forme par le passé 1re forme :

elle eut *tiré (elle* aura tiré*)*	passé antérieur	→ pas d'accent
il eût *obtenu (il* aurait obtenu*)*	conditionnel passé 2e forme	→ accent
il fut *convaincu (il* a été convaincu*)*	passé simple du passif	→ pas d'accent
il fût *arrivé (il* serait arrivé*)*	conditionnel passé 2e forme	→ accent

EXERCICES

702 **Complétez par** eut **ou** eût, fut **ou** fût, **puis écrivez chaque verbe à un autre temps de l'indicatif ou du conditionnel.**
Quand il ... fini son travail, il ... autorisé à lire. — S'il était parti plus tôt, il ... arrivé à temps. — Lorsque le plombier ... achevé son travail, il fallut nettoyer la cuisine de fond en comble. — Le campeur qui se ... risqué à planter sa tente au haut de la falaise, ... fait connaissance avec le vent du large !

703 **Complétez par** eut **ou** eût, fut **ou** fût ; **donnez le temps des verbes.**
Saïd faisait toujours celui qui comprenait, mais il ... préféré comprendre. (J. PEYRÉ) — J'aurais chéri Navarin, je l'aurais comblé de respect et d'égards, s'il l'... permis. (A. FRANCE) — Quand il ... fini, de petits mouvements saccadés agitèrent ses épaules. (P. LOTI) — Il ... donné n'importe quoi pour une lumière, pour une présence. (C. GONNET)

704 Vocabulaire à retenir
la falaise — la mortaise — la fraise — la punaise — le malaise
saccader — saccager — le sacrifice, le sacrement — la sacoche — le secret

EXERCICES

705 **Indiquez les valeurs du présent du conditionnel.**
De la fenêtre, garnie de rideaux blancs et bruns imitant la toile de Jouy, on découvrirait quelques arbres, un parc minuscule, un bout de rue. (G. Perec) — Ce projet me plaisait beaucoup, puisqu'il était entendu que Bricheny et moi ferions route ensemble. (Mac Orlan) — Jacquou plaçait des pièges dans les buissons, comptant que les oiseaux s'y engluéraient. (J. Jaubert) — On serait les rois des cavernes ! explique Maurice plein de son sujet. On aurait des chiens-lions, on pêcherait des poissons aveugles, on apprivoiserait les chauves-souris. (J.-H. Rosny aîné) — Je regrette la mer ; je voudrais parcourir encore ses flots immenses. (A. Gerbault)

706 **Conjuguez au présent du conditionnel.**

aller à la piscine	tenir sa parole	revenir du stade
entrevoir la vérité	vouloir réussir	recevoir un cadeau

707 **Écrivez les verbes entre parenthèses au temps qui convient (futur simple ou au présent du conditionnel).**
Je vais descendre dans le Midi ; je (trouver) une explication pour ma famille. (P. Hériat) — Si l'affaire allait au commissariat, si son père en était informé, il (payer) cher le plaisir d'un moment de violence. (M. Aymé) — Sa voix tremblait d'émotion… Ah ! je (s'en souvenir) de cette dernière classe. (A. Daudet) — J'(ignorer) toujours, je le sens bien, les délices de la vengeance. (G. Duhamel) — Si j'étais auteur dramatique, j'(écrire) pour les marionnettes. Je ne sais si j'(avoir) assez de talent pour réussir ; du moins la tâche ne me (faire) point trop peur. (A. France)

708 **Écrivez les verbes entre parenthèses au conditionnel passé 1re forme** (1) **ou au conditionnel passé 2e forme** (2).
S'il n'avait pas voulu sauter cette haie bien trop haute, le cavalier (ne pas tomber, 2) et son cheval (ne pas se casser, 1) la patte. — La vue de la petite madeleine ne m'avait rien rappelé avant que je n'y (goûter, 2). (M. Proust) — Je me suis promené à cheval à travers l'Europe, j'ai vu des gens et des pays que je (ne jamais voir, 1) si j'avais fait ce voyage en automobile ou même à bicyclette. (P. Bonte) — Si François Villon avait été marin, il nous (donner, 1) les plus beaux poèmes de la mer. (A. Gerbault)

709 **Complétez par** eut **ou** eût, fut **ou** fût ; **donnez le temps des verbes.**
S'il … écouté son impatience, Frédéric … parti à l'instant même. (Flaubert) — Un malade brusquement guéri de son mal n'… pas plus profondément soupiré de plaisir. (L. Delarue-Mardrus) — Lorsque le moment du départ … arrivé, ils montèrent à cinq dans le cabriolet. (R. Vincent) — Lorsqu'elle … atteint le coin de la rue, elle se réfugia sous les platanes. (D. Rolin) — Notre tente, maintenue par des pierres énormes, … secouée comme une voile. (G. de Maupassant)

L'impératif

profiter	étudier	cueillir	savoir	se remuer
profite	étudie	cueille	sache	remue-toi
profitons	étudions	cueillons	sachons	remuons-nous
profitez	étudiez	cueillez	sachez	remuez-vous

finir	asseoir		être	avoir
finis	assieds	assois	sois	aie
finissons	asseyons	assoyons	soyons	ayons
finissez	asseyez	assoyez	soyez	ayez

RÈGLE

1. L'impératif sert à exprimer un ordre, une prière, un conseil.
Il ne se conjugue qu'à trois personnes (2ᵉ personne du singulier,
1ʳᵉ et 2ᵉ personnes du pluriel), sans sujet exprimé :

> *Profite de ta liberté, cours, trotte, remue-toi. Tu peux rôder à ta guise,*
> *seulement prends bien garde aux vipères.* (É. MOSELLY)
> *Aie le respect de toi-même et de ton travail. Sois fier d'être un ouvrier.*
> (J. JAURÈS)
> *Veuillez agréer l'expression de mes respectueuses salutations.*

2. À la 2ᵉ personne du singulier du présent de l'impératif,
• les verbes du 1ᵉʳ groupe (et les verbes comme *offrir, cueillir, ouvrir, savoir*)
se terminent par e :

> *profite, étudie, cueille, ouvre, sache.*

Remarque : par euphonie (pour l'oreille), la 2ᵉ personne du singulier
prend un s quand le verbe est suivi des pronoms *en* ou *y* :

> *coupes-en, vas-y, retournes-y.*

• les autres verbes se terminent par s :

> *finis, cours, viens, réponds.*

Exceptions : *va (aller) ; aie (avoir).*

3. Le passé de l'impératif est formé de l'impératif de l'auxiliaire *avoir* ou
être et du participe passé du verbe conjugué. C'est un temps très peu
employé :

> *aie profité   sois venu.*

EXERCICES

710 **Conjuguez au présent de l'impératif.**

copier le résumé
servir le thé
ne pas trahir ses amis

se confier à un ami
ouvrir la fenêtre
ne pas s'énerver

avoir du courage
être bon et juste
saisir sa chance

711 Écrivez les verbes à la 2e personne du singulier du présent de l'impératif. Dans chaque expression, l'un des verbes sera à la forme négative.

Ex. :(être) franc,(dissimuler) la vérité →Sois franc, ne dissimule pas la vérité

(s'approcher),(avoir) peur   (manger) vite,(prendre) son temps
(se laisser) abattre,(réagir)   (écouter) calmement,(se fâcher)
(dire) la vérité,(mentir)   (courir) dans l'escalier,(marcher)
(crier),(parler) posément   (tergiverser),(aller) droit au but
(rouler) vite,(ralentir)   (encoller) le papier peint,(salir) le mur

712 Écrivez les verbes entre parenthèses au présent de l'impératif.
Le bonheur est dans le pré.(Courir) -y vite,(courir) -y vite. Le bonheur est dans le pré. (Courir) -y vite, il va filer. (P. Fort) — Vos acrobaties, j'en ai assez. (Retourner) à la piste.(Monter) lentement à deux cents mètres.(Virer) à plat. (Revenir) face au terrain. (Prendre) de très loin l'atterrissage. (J. Kessel) — (Aller) bravement faire tes études à Paris avec tes bourses et(ne pas te faire) de souci pour nous ! (H. Vincenot) —(Descendre) de ton siège.(Prendre) une lanterne et(marcher). (H. Troyat) — Si tu connais ce pays, cette maison champêtre, (retourner) -y. (Fromentin) —(Partir) ! Ne(se retourner) pas ! (J. Higelin)

713 Écrivez les verbes entre parenthèses au présent de l'impératif.
Les deux figurines du seigneur et de l'écuyer m'inspirent et me conseillent. Je crois les entendre. Don Quichotte me dit : « (Penser) fortement de grandes choses, et(savoir) que la pensée est la seule réalité du monde.(Hausser) la nature à ta taille et que l'univers entier ne soit pour toi que le reflet de ton âme héroïque.(Combattre) pour l'honneur et s'il t'arrive de recevoir des blessures, (répandre) ton sang comme une rosée bienfaisante et(sourire). » Sancho Pança me dit à son tour : «(Rester) ce que le Ciel t'a fait, mon compère.(Préférer) la croûte de pain qui sèche dans ta besace aux ortolans qui rôtissent dans la cuisine du seigneur.(Obéir) à ton maître sage ou fou.(Craindre) les coups, c'est tenter Dieu que chercher le péril. » Nous avons tous dans notre for intérieur, un Don Quichotte et un Sancho que nous écoutons...   (A. France)

714 Donnez des conseils à un ami (que vous tutoyez) qui veut acheter un vélo tout terrain :
Choisis un modèle ...

715 Donnez des conseils à un ami pour qu'il organise sa première randonnée :
Prends une carte, ...

716 Vocabulaire à retenir

cent mètres, deux cents mètres, deux cent un mètres
vingt minutes, quatre-vingts minutes, quatre-vingt-dix minutes

Le présent du subjonctif

RÈGLE

1. Le subjonctif exprime généralement un désir, un souhait, un ordre, un doute, un regret, un conseil, une supposition… Les personnes du subjonctif sont, le plus souvent, précédées de la conjonction de subordination **que** :

> *Je ne veux point qu'on me plaise, répondit le voyageur, je veux qu'on m'instruise.* (VOLTAIRE)
> *Il faut que nous marchions avec précaution car le sol est glissant.*

2. Au présent du subjonctif, tous les verbes (sauf *être* et *avoir*) prennent les mêmes terminaisons -e, -es, -e, -ions, -iez, -ent :

> *qu'il marche, qu'il finisse, qu'il coure, qu'il voie, qu'il plaise.*

Attention, il faut écrire *ayons, ayez* et *soyons, soyez,* sans **i** ; et *sois,* sans **e**.

3. Le subjonctif dépend généralement d'un verbe principal ; aussi s'emploie-t-il dans la proposition subordonnée.
Lorsque le verbe de la principale est au présent de l'indicatif, au futur simple (ou, plus rarement, au présent de l'impératif), le verbe de la subordonnée est au présent du subjonctif :

> Il faut
> Il faudra } *que nous marchions.*
> Suivez-moi

Remarque : le subjonctif s'emploie aussi avec ou sans *que*

- dans la proposition indépendante :
> *Que la fête commence !*
> *Vienne l'hiver ! Vive la France ! Vivent les vacances !*

- dans la proposition principale :
> *Puissions-nous avoir terminé notre travail dans les délais.*

EXERCICES

717 Conjuguez les verbes entre parenthèses au présent du subjonctif.

Il faut que (s'essuyer) le front
Il faut que (être attentif)
Il faut que (aller) au marché

Il faut que (savoir) cuisiner
Il faut que (avoir) confiance
Il faut que (conduire) lentement

718 Écrivez les verbes à la 2ᵉ personne du singulier et à la 1ʳᵉ et 3ᵉ personne du pluriel du présent du subjonctif.

Il faut que (peindre) les murs
Il faut que (boire) un verre d'eau
Il faut que (pouvoir) enregistrer ce texte
Il faut que (mettre) la viande au frais

Il faut que (faire) du sport
Il faut que (se résoudre) à sortir
Il faut que (se peigner)
Il faut que (rire) plus souvent

marcher		finir		prendre	
que je	marche	que je	finisse	que je	prenne
que tu	marches	que tu	finisses	que tu	prennes
qu'il	marche	qu'il	finisse	qu'il	prenne
que nous	marchions	que nous	finissions	que nous	prenions
que vous	marchiez	que vous	finissiez	que vous	preniez
qu'elles	marchent	qu'elles	finissent	qu'elles	prennent

rire		asseoir			
que je	rie	que j'	asseye	que j'	assoie
que tu	ries	que tu	asseyes	que tu	assoies
qu'il	rie	qu'il	asseye	qu'il	assoie
que nous	riions	que nous	asseyions	que nous	assoyions
que vous	riiez	que vous	asseyiez	que vous	assoyiez
qu'elles	rient	qu'elles	asseyent	qu'elles	assoient

courir		être		avoir	
que je	coure	que je	sois	que j'	aie
que tu	coures	que tu	sois	que tu	aies
qu'il	coure	qu'il	soit	qu'il	ait
que nous	courions	que nous	soyons	que nous	ayons
que vous	couriez	que vous	soyez	que vous	ayez
qu'elles	courent	qu'elles	soient	qu'elles	aient

EXERCICES *(suite)*

719 **Écrivez les verbes entre parenthèses au présent du subjonctif.**
Dans dix mille ans d'ici, je vous fais le pari que cette guerre, si remarquable
qu'elle nous (paraître) à présent, sera complètement oubliée. (L.-F. CÉLINE) — Je
veux qu'on (rire) / Je veux qu'on (danser) / Je veux qu'on (s'amuser) comme
des fous / Je veux qu'on (rire) / Je veux qu'on (danser) / Quand c'est qu'on me
mettra dans le trou. (J. BREL) — (Venir) la nuit (sonner) l'heure / Les jours s'en
vont je demeure. (G. APOLLINAIRE) — Il faut que je te (dire) aussi que la grande
habitante de notre maison, c'était l'ombre. (J. GIONO) — C'est vous-même qui
venez de me dicter ces paroles et je regrette qu'elles vous (avoir) offensée.
(G. BERNANOS) — Elle mit le livret au fond du tiroir en disant : « Regarde où je
le place pour que tu (pouvoir) le prendre, si tu en as envie, et que tu (se souvenir). » (É. ZOLA) — « Ce que j'ai fait, je le jure, jamais aucune bête ne
l'aurait fait. » Cette phrase, la plus noble que je (connaître), cette phrase qui
situe l'homme, qui l'honore, qui rétablit les hiérarchies vraies, me revenait à la
mémoire. (A. DE SAINT-EXUPÉRY)

720 **Vocabulaire à retenir**

le pari — le défi — le souci — l'oubli —le cabri — le moisi — l'infini
le regret, regretter, regrettable — régresser, la régression, régressif

L'imparfait du subjonctif

couper	finir	lire	asseoir
que je coupasse	que je finisse	que je lusse	que j' assisse
que tu coupasses	que tu finisses	que tu lusses	que tu assisses
qu'il coupât	qu'il finît	qu'il lût	qu'il assît
q. nous coupassions	q. nous finissions	q. nous lussions	q. nous assissions
q. vous coupassiez	q. vous finissiez	q. vous lussiez	q. vous assissiez
qu'elles coupassent	qu'elles finissent	qu'elles lussent	qu'elles assissent
venir	**faire**	**être**	**avoir**
que je vinsse	que je fisse	que je fusse	que j' eusse
que tu vinsses	que tu fisses	que tu fusses	que tu eusses
qu'il vînt	qu'il fît	qu'il fût	qu'il eût
q. nous vinssions	q. nous fissions	q. nous fussions	q. nous eussions
q. vous vinssiez	q. vous fissiez	q. vous fussiez	q. vous eussiez
qu'elles vinssent	qu'elles fissent	qu'elles fussent	qu'elles eussent

RÈGLE

1. L'imparfait du subjonctif se forme avec la même voyelle que celle du passé simple :

	couper	finir	lire	venir
Passé simple	*il coupa*	*il finit*	*il lut*	*il vint*
Imparfait du subjonctif	*qu'il coupât*	*qu'il finît*	*qu'il lût*	*qu'il vînt*

2. Si le verbe de la principale est à un temps passé de l'indicatif ou au conditionnel, le verbe de la proposition subordonnée est à l'imparfait du subjonctif :

Il fallait
Il a fallu } *qu'il coupât.*
Il faudrait

Remarque : l'imparfait du subjonctif est un temps que l'on rencontre seulement dans les textes littéraires (à la 3e personne du singulier essentiellement) ; il n'est plus employé à l'oral. À l'écrit, il est aujourd'hui admis d'employer à sa place le présent du subjonctif :

Il fallait, il a fallu, il faudrait qu'il coupe.

EXERCICES

721 **Conjuguez au passé simple puis à l'imparfait du subjonctif.**

Ex. : apprendre à patiner → J'appris à patiner. Il fallait que j'apprisse à patiner.

payer la facture	atteindre le but	maintenir son effort
refroidir le plat	recevoir un conseil	parcourir le journal
se lever tôt	rendre service	paraître satisfait

722 **Conjuguez au présent puis à l'imparfait du subjonctif.**

ralentir sa course	bâtir un projet	gravir la côte
moudre le grain	conclure l'affaire	mourir de faim
acquérir du savoir	tenir sa droite	conduire l'auto
être sûr de son fait	réussir à dormir	ne pas renoncer

723 **Écrivez les verbes entre parenthèses à l'imparfait du subjonctif.**

C'était la seule émission qui nous (faire) oublier tous nos soucis quotidiens et qui (pouvoir) nous distraire. — Je ne prétendais pas que la température de l'eau (être) agréable, mais nous étions au bord de la mer pour nous baigner, que diable ! — Comme il n'y avait aucune chance pour que le temps (se mettre) au beau, la randonnée fut annulée. — Bien que tu lui (écrire) régulièrement, Mourad ne répondait jamais.

724 **Écrivez les verbes entre parenthèses à l'imparfait du subjonctif.**

Lorsqu'on jouait seul, il pouvait cependant arriver qu'on (franchir) à l'improviste ce monde connu et généralement inoffensif, et que l'on (glisser) dans des conditions toutes différentes et soudain incommensurables. (L. Jouvet) — Les arbres que Lucien avait tant aimés quand il était enfant, les buissons où il avait joué, furent rasés pour que l'on (construire) des hangars. (Ph. Soupault) — Le surveillant voulait que l'on (conserver) de lui un bon souvenir. (R. Peyrefitte) — Il avait suffi qu'il (descendre) d'une petite crête pour que toute trace de vie (disparaître). (Frison-Roche) — Il voulait enfouir Belzébuth assez profondément pour que les bêtes ne (venir) pas la déterrer. (Th. Gautier) — Mais ce qui n'était pas douteux, c'est que ce trésor lui (appartenir). (Th. Gautier) — Nos voix étaient comme deux sources, il semblait qu'elles ne (devoir) point tarir. (A. Gheerbrant)

725 **Écrivez les verbes entre parenthèses à l'imparfait du subjonctif.**

Il arrivait que les rossignols « du quartier » se (taire) tous ensemble. (Colette) — J'attendis patiemment que les circonstances (venir) m'imposer une solution. (J. Perret) — J'aurais voulu que, du moins, il (marquer) un peu de regret de m'avoir causé tant de peine. (A. Gide) — Il était impossible de rencontrer deux figures qui (offrir) autant de contrastes. (Balzac) — Car, soit qu'il (être) formé par mon épouvante, soit qu'il (sortir) réellement des ténèbres, un vrai visage commençait à apparaître. (H. Bosco) — Il eût été bien naturel que Gustave (accourir) embrasser son père. (A. Gide) — Tout en me souhaitant du génie, ma mère se réjouissait que je (être) sans esprit. (A. France) — Il m'expliqua que son fils aîné se trouvait chez lui et que je n'(avoir) pas à me froisser de sa brusquerie. (P. Bourget) — Il fallait un homme de confiance qui (être) son mentor, son instructeur dans le milieu militaire, qui l'(aider). (G. Duby)

726 Vocabulaire à retenir

le mentor — le cor — l'essor — le décor — le major — le ténor — le rotor
la mensuration, incommensurable, mesurer, la mesure, mesurable, démesuré

Les temps composés du mode subjonctif

tousser			tomber		
Passé			**Passé**		
que j'	aie	toussé	que je	sois	tombé(e)
que tu	aies	toussé	que tu	sois	tombé(e)
qu'il	ait	toussé	qu'il	soit	tombé
qu'elle	ait	toussé	qu'elle	soit	tombée
que nous	ayons	toussé	que nous	soyons	tombé(e)s
que vous	ayez	toussé	que vous	soyez	tombé(e)s
qu'ils	aient	toussé	qu'ils	soient	tombés
qu'elles	aient	toussé	qu'elles	soient	tombées
Plus-que-parfait			**Plus-que-parfait**		
que j'	eusse	toussé	que je	fusse	tombé(e)
que tu	eusses	toussé	que tu	fusses	tombé(e)
qu'il	eût	toussé	qu'il	fût	tombé
qu'elle	eût	toussé	qu'elle	fût	tombée
que nous	eussions	toussé	que nous	fussions	tombé(e)s
que vous	eussiez	toussé	que vous	fussiez	tombé(e)s
qu'ils	eussent	toussé	qu'ils	fussent	tombés
qu'elles	eussent	toussé	qu'elles	fussent	tombées

RÈGLE

1. Le passé du subjonctif est formé du présent du subjonctif
de l'auxiliaire *avoir* ou *être* et du participe passé du verbe conjugué :
> *Je viens de parcourir treize mille kilomètres sans que le moteur ait toussé
> une fois, sans qu'un écrou se soit desserré.* (A. DE SAINT-EXUPÉRY)

2. Le plus-que-parfait du subjonctif est formé de l'imparfait
du subjonctif de l'auxiliaire *avoir* ou *être* et du participe passé
du verbe conjugué :
> *Il faudrait que j'eusse mis mes palmes avant de plonger.*

Remarques

1. Si le verbe de la principale est au présent de l'indicatif, au futur simple
ou au présent de l'impératif, le verbe de la subordonnée est au passé
du subjonctif :
> *Il faut (il faudra, attends) que j'aie mis mes palmes.*

2. Si le verbe de la principale est à un temps passé de l'indicatif ou
au conditionnel, le verbe de la subordonnée est au plus-que-parfait
du subjonctif :
> *Il fallait (il fallut, il faudrait) que j'eusse mis mes palmes.*

Ce temps est peu usité et il est admis aujourd'hui d'utiliser, dans ce cas,
le passé du subjonctif : *Il fallait (il fallut, il faudrait) que j'aie mis mes palmes.*

être		avoir	
Passé		**Passé**	
que j'	aie été	que j'	aie eu
Plus-que-parfait		**Plus-que-parfait**	
que j'	eusse été	que j'	eusse eu

EXERCICES

727 Conjuguez au passé et au plus-que-parfait du subjonctif.

Ex. : Il faut que j'aie éteint la lumière. Il fallait que j'eusse éteint la lumière.
Il faut que tu aies éteint la lumière. Il fallait que tu eusses éteint la lumière.

mélanger les couleurs   apprendre l'anglais   partir à l'entraînement
s'atteler au travail   émettre un avis   rester indifférent

728 Écrivez les verbes au passé du subjonctif.

Eh oui, mon vieux, si déshérité que vous (pouvoir) naître, vous êtes encore l'héritier d'une civilisation. (P.H. Simon) — Est-il possible que du parapet des ponts, il (guetter) l'éclair sombre d'une truite ? Qu'un soir d'automne il (prendre) et (poursuivre) dans un rayon de sa lanterne un grand lièvre affolé ? (J. Cressot) — Bien que je n'(atterrir) que depuis quelques jours j'aspire déjà à lever l'ancre. (A. Gerbault) — Je ne crois pas que figures humaines (exprimer) jamais quelque chose d'aussi menaçant. (Chateaubriand)

729 Écrivez les verbes au plus-que-parfait du subjonctif.

Le juge ordonna qu'il serait lié à la pierre, sans boire ni manger jusqu'à ce qu'il (rendre) les cinq cents onces. (Voltaire) — Pour commencer, on nous dicta un texte très simple. Quand le maître corrigea les copies, j'eus peine à comprendre qu'elles (pouvoir) fourmiller de tant de fautes. (Camara Laye) — Un chaudron bouillonnait soudain au-dessus de moi, sans qu'on (avoir) besoin de le prévenir qu'on venait de soulever le couvercle. (J. Gracq)

730 Écrivez les verbes au temps du subjonctif qui convient.

Il faudrait que M. Nallet (beaucoup maigrir) pour pouvoir porter ce costume serré à la taille. — Et je voudrais, Monsieur, que vous (avoir) toutes les maladies que je viens de dire, que vous (être abandonné) de tous les médecins, désespéré, à l'agonie, pour vous montrer l'excellence de mes remèdes, et l'envie que j'aurais de vous rendre service. (Molière) — Au bout d'un an, j'eus un troupeau de douze bêtes et deux ans après, j'en eus quarante-trois, quoique j'en (prendre) et (tuer) plusieurs pour ma nourriture. (D. Defoe)

731 Vocabulaire à retenir

fourmiller, la fourmi, le fourmilier, la fourmilière, le fourmillement
excellent — excité — excessif, l'excédent — l'exception, l'exclusive

Le présent du subjonctif ou le présent de l'indicatif ?

RÈGLE

Le présent de l'indicatif et le présent du subjonctif peuvent se prononcer parfois de la même façon, mais avoir des terminaisons différentes :

Qu'un vacancier coure un danger, aussitôt le maître nageur accourt.

1. Pour ne pas confondre ces formes, il faut se rapporter au sens de l'action ; on peut aussi penser à la 1ʳᵉ personne du pluriel ou remplacer le verbe employé par un autre verbe comme *finir, sentir, prendre, venir, aller...* dont les formes au présent de l'indicatif et du subjonctif sont différentes à l'oreille :

qu'un vacancier coure un danger

(*que nous courions un danger ; qu'un vacancier soit en danger* = présent du subjonctif : -e)

le maître nageur accourt

(*nous accourons ; le maître nageur vient* = présent de l'indicatif : -t)

2. Aux deux premières personnes du pluriel du subjonctif présent, il ne faut pas oublier le **i** de la terminaison des verbes en *-yer, -ier, -iller, -gner* :

Subjonctif :	*nous payions*	*nous triions*	*nous brillions*	*nous saignions*
Indicatif :	*nous payons*	*nous trions*	*nous brillons*	*nous saignons*

EXERCICES

732 Écrivez les verbes à la 1ʳᵉ et 3ᵉ personne du singulier et à la 1ʳᵉ personne du pluriel du présent de l'indicatif et du présent du subjonctif.

acquérir de l'expérience — sourire à la vie — écrire l'adresse
avoir confiance en soi — fuir les bavards — dormir au calme
ne pas mourir de faim — retenir son souffle — prévoir une seconde couche

733 Écrivez les verbes entre parenthèses au temps qui convient (présent de l'indicatif ou présent du subjonctif).

Ma mère est d'accord pour qu'on (faire) toutes les études qu'on (vouloir). Et on est huit enfants, nous ! (G. Finifter) — Je ne peux pas dire que je me (sentir) allégé ni content ; au contraire, ça m'écrase. (J.-P. Sartre) — Ma mère me disait : « Quel malheur que tu n'(avoir) pas les bras, car tu (avoir) le cœur de ton père. » (Lamartine) — Je vais vous dire ce que je (voir) quand je traverse le Luxembourg. (A. France) — Il n'est pas tolérable qu'un homme (mourir) de faim à côté du superflu des autres hommes. (L. Bourgeois) — Peut-être (valoir)-il mieux pour Dieu qu'on (ne pas croire) en lui et qu'on (lutter) de toutes ses forces contre la mort, sans lever les yeux vers le ciel où il (se taire). (A. Camus) — J'ai peur que vous (rire) de nous tous et de moi. (R. Boylesve) — Et moi, ma petite fille, ma mie, je veux que vous vous (marier), s'il vous plaît. (Molière)

L'imparfait du subjonctif ou le passé simple ?

RÈGLE

1. L'imparfait du subjonctif et le passé simple de l'indicatif se prononcent de la même façon à la 3e personne du singulier, mais ont des terminaisons différentes :

*Christophe était fier qu'on le trait*ât *en homme.*   (R. ROLLAND)
*Christophe était si réfléchi qu'on le trait*a *en homme.*

Remarque : pour les verbes des 2e et 3e groupes, seul l'accent distingue les deux formes : *qu'il v*înt, *il v*int ; *qu'il f*ît, *il f*it ; *qu'il f*ût, *il f*ut.

2. Pour ne pas confondre la 3e personne du singulier du passé simple avec la même personne de l'imparfait du subjonctif, qui prend un accent circonflexe, il faut se rapporter au sens de l'action. On peut aussi remplacer
• l'imparfait du subjonctif par un autre temps du subjonctif ;
• le passé simple par un autre temps de l'indicatif :

*il était fier qu'on le trait*ât	*(qu'on l'ait traité)*	subjonctif imparfait	→ traitât
*Il était si réfléchi qu'on le trait*a	*(qu'on l'a traité)*	passé simple	→ traita

EXERCICES

734 Écrivez les verbes à la 1re et 3e personne du singulier et à la 3e personne du pluriel du passé simple et de l'imparfait du subjonctif.

Ex. : boire du thé → Je bus du thé. Il fallait que je busse du thé.
Il but du thé. Il fallait qu'il bût du thé.
Ils burent du thé. Il fallait qu'ils bussent du thé.

prendre son temps	se nourrir de légumes	consulter les horaires
retenir le nom de la rue	traduire la lettre en anglais	vaincre sa peur

735 Écrivez les verbes entre parenthèses au temps qui convient : passé simple ou imparfait du subjonctif.

J'étais très étonnée que la neige (tomber) à si basse altitude. — Il marchait avec tant de précaution qu'on ne l'(entendre) pas entrer. — La sentinelle gardait le dépôt de munitions sans que l'on (deviner) sa présence. — En centre de vacances, Romuald (découvrir) la vie collective ; il (s'en souvenir) longtemps. — Alors, il y eut le réveil des hommes. Des buildings s'allumèrent bien qu'il (faire) assez jour. (P. GRANVILLE) — Ah ! pourquoi fallait-il qu'à la joie (se mêler) cette peine ? (P. GAMARRA) — Il monta de la terre un souffle si brûlant que l'on (sentir) tout défaillir. (A. GIDE) — Mais quand il (voir) la tête du chien et qu'il l'(entendre) gronder, il (cesser) de se frotter les mains. (M. AYMÉ) — Les enfants restaient derrière à jouer entre eux sans qu'on les (voir). (FLAUBERT) — Ensuite il (demander) qu'on lui (attacher) les mains. (P. MÉRIMÉE)

L'indicatif, le conditionnel ou le subjonctif : ai, aie eut, eût fut, fût

RÈGLE

Les verbes **être** et **avoir** ont des formes homophones à l'indicatif, au conditionnel et au subjonctif. Il ne faut pas les confondre :

Encore un joli coin que j'ai trouvé là pour rêver. (A. DAUDET)
C'est la meilleure solution que j'aie trouvée jusqu'à présent.
Quand il eut fini, il était minuit.
Ce nom banal entre tous, il ne l'eût changé contre aucun autre.
Bien qu'il eût dépassé la soixantaine, sa barbe était noire. (J. KESSEL)

1. Il faut écrire **aie** avec un **e** quand le pluriel est *ayons*, c'est le présent ou le passé du subjonctif. Si **ai** fait *avons*, c'est le présent de l'indicatif ou le passé composé :

un joli coin que j'ai trouvé (que nous avons trouvé), passé composé de l'indicatif → ai
la solution que j'aie trouvée (que nous ayons trouvée), passé du subjonctif → aie

2. Il faut écrire **eut** et **fut**, sans accent, quand le pluriel est *eurent* ou furent : c'est le passé simple ou le passé antérieur ;

• **eût** et **fût** sont accentués quand le pluriel est *eussent* ou *fussent* c'est le conditionnel passé 2e forme, le subjonctif imparfait ou le subjonctif plus-que-parfait :

quand il eut fini (quand ils eurent fini), passé antérieur → eut
il ne l'eût pas changé (ils ne l'eussent pas changé), passé 2e forme → eût
bien qu'il eût dépassé (ils eussent dépassé), plus-que-parfait du subjonctif → eût

3. Il est facile de reconnaître si **eût** et **fût** sont au conditionnel ou au subjonctif :

• au conditionnel, eût et fût peuvent être remplacés par *aurait* ou *serait*, parfois par *avait* ou *était* ;

• au subjonctif, eût peut être remplacé par *ait* et fût par *soit* :

S'il eût (avait) su cette nouvelle, il se fût (serait) révolté.
Il ne se plaignait jamais quoiqu'il eût (ait) de nombreux soucis.
Nous eussions accepté qu'il ne fût (soit) pas parmi nous ce soir.

EXERCICES

736 Complétez avec ai ou aie. Indiquez le temps entre parenthèses.

J' attendu ; la ouate grise en dessous de moi s'est déchirée, et j' aperçu au fond de ces crevasses des morceaux de campagne isolée. (S. DE BEAUVOIR) — Il est étrange que, pour quelques feuillets de vieux parchemin, j' perdu le repos. (A. FRANCE) — L'aérogare de Santiago est la plus spacieuse que j' vue. (P. MORAND)

737 Écrivez les verbes entre parenthèses au temps qui convient.

Il était presque blanc : le plus grand nocturne que j'(voir) ; un grand-duc plus haut qu'un chien de chasse. (Colette) — Il serait inexact de dire que j'(être) tout à fait un mauvais élève, inégal plutôt. (P. Loti) — La pensée que j'(avoir) dans l'âme ressemble au ciel que j'(avoir) sur la tête. (V. Hugo) — La pluie arrive sans que j'(avoir) le temps de chercher un abri. (J.M.G. Le Clézio) — Nous sommes tellement amis que j'(renoncer) à tous mes anciens camarades. (M. Achard) — Notez que je ne l'(pas connaître), encore que j'(avoir) l'âme assez vieille, mais j'(lire) ses ouvrages. (T. Derème)

738 Complétez avec eut ou eût, fut ou fût.
Indiquez le temps entre parenthèses.

Bien qu'il … entièrement enveloppé dans un manteau noir et … enfoncé son chapeau sur les yeux, je le reconnus immédiatement. (Tourgueniev) — Julie, donc, souriait. Bien qu'il n'y … pas matière à sourire. (D. Pennac) — Dès que Gisèle nous … laissées, je pressai maman contre moi. (A. Gide) — Je trichais d'une façon éhontée sans qu'il … l'air de s'en apercevoir. (A. Theuriet) — Il était contrarié que le poète n'… pas parlé de lui à propos de cette inscription. (A. France) — Si pauvre qu'il …, il trouvait moyen d'apporter un souvenir à chacun. (R. Rolland) — Quand tout … fini et que je me regardai dans une glace, j'avais changé d'identité. (H. Troyat) — S'il … perdu au jeu, s'il … appris que l'abbé Poitel passait chanoine, il … alors trouvé la pluie bien froide. (Balzac) — Robinson … un frisson de peur superstitieuse en songeant qu'il allait falloir côtoyer cette bête insolite, à moins de faire demi-tour. (M. Tournier) — Quoi qu'il en …, une Indienne mère, assez sorcière de son métier, avait jeté sur le malheureux navire un sort que les diables avaient pris au mot. (A. Maillet)

739 Écrivez les verbes entre parenthèses au temps qui convient.
Indiquez ce temps entre parenthèses.

J'étais tellement sûr de sa santé qu'il me semblait que seul un train entier lancé à toute vitesse (pouvoir) la réduire en miettes. (I. Svevo) — Il y (avoir) un orage effroyable à la tombée de la nuit. Il tonnait comme si on (tirer) des salves d'artillerie. (P. Loti) — Quand l'ouvrier (finir), il s'appuya une seconde sur son râteau. (L. Bertrand) — Avant que la foule (avoir) le temps de jeter un cri, il était sous la voiture. (V. Hugo) — Bien qu'on (être) en été, il faisait froid. (C. Gonnet) — Or un jour, comme à souhait, une lettre arriva qui (être) tout un événement dans la maison. (P. Loti) — La merveille, c'était le jardin. Le plus récalcitrant y (devenir) jardinier. (J. Cressot) — On avait recommandé à ma mère d'éviter soigneusement tout ce qui m'(coûter) quelque effort. (A. Gide) — Comment diantre se trouvait-il que Tartarin de Tarascon n'(quitter) jamais Tarascon ! (A. Daudet)

740 Vocabulaire à retenir

l'effroi, effrayant, la frayeur, effroyable — la honte, éhonté
diantre — récalcitrant — la salve — le chanoine — la miette

Le présent de l'impératif ou le présent de l'indicatif interrogatif ?

RÈGLE

Pour les verbes du 1er groupe, ainsi que pour *cueillir, ouvrir, offrir*, etc. il ne faut pas confondre le présent de l'impératif, qui n'a pas de sujet exprimé, avec le présent de l'indicatif interrogatif qui a un sujet :

> *Rappelle-toi tes promesses.*
> (Dans *rappelle-toi*, **toi** est un pronom complément, c'est le présent de l'impératif → e)

> *Comment t'appelles-tu ?*
> (Dans *t'appelles-tu*, **tu** est un pronom sujet, c'est le présent de l'indicatif → es)

EXERCICES

741 Écrivez les verbes au singulier du présent de l'impératif et à la 2ᵉ personne du présent de l'indicatif interrogatif, à la forme affirmative, puis à la forme négative.

Ex. : tourner la manivelle → Tourne la manivelle. Tournes-tu la manivelle ? Ne tourne pas la manivelle. Ne tournes-tu pas la manivelle ?

attacher tes cheveux	traîner des pieds	lancer une remarque
fermer le robinet	poivrer le gratin	barrer les mots inutiles
se sauver à toute allure	se chercher un abri	se plonger dans ce livre
s'amuser avec son chat	s'arrêter en chemin	se brouiller avec ses amis

742 Écrivez les verbes au présent de l'impératif ou au présent de l'indicatif interrogatif. Mettez la ponctuation qui convient.

Te lanc…-tu dans ce nouveau projet — Ne te lanc… pas dans cette affaire sans réfléchir — Pourquoi ne frapp…-tu pas la balle avec cette raquette — Frapp… fort et tu pourras enfoncer le clou — Coup…-toi une tranche de pain de seigle — Coup… ce fil qui dépasse de ton pantalon — Te coup…-tu un morceau de fromage — Va… vite à la poste et press…-toi car elle va fermer — Il y a un beau match au stade cet après-midi, y va…-tu — Retir…-toi sur la pointe des pieds, ton frère dort — Retir… ta main du four, tu risqu… de te brûler — Mang… ces poireaux à la vinaigrette, tu verras qu'ils sont délicieux — Mang…-tu volontiers des fruits tropicaux

743 Vocabulaire à retenir

aller, l'allure, l'allée, la contre-allée, l'allant
tropical, tropicaux — familial, familiaux — loyal, loyaux

744 Écrivez les verbes entre parenthèses au présent de l'impératif.

Conseils : (marcher) deux heures tous les jours, (dormir) sept heures toutes les nuits. (Se coucher) dès que tu auras envie de dormir ; (se lever) dès que tu t'éveilles ; (travailler) dès que tu es levé. (Ne manger) qu'à ta faim, (ne boire) qu'à ta soif, et toujours lentement. (Ne parler) que lorsqu'il le faut ; (n'écrire) que ce que tu peux signer, (ne faire) que ce tu peux dire. (N'estimer) l'argent ni plus ni moins qu'il ne vaut : c'est un bon serviteur et un mauvais maître. (Pardonner) d'avance à tout le monde, pour plus de sûreté. (Ne mépriser) pas les hommes, (ne pas les haïr) davantage et (ne pas rire) d'eux outre mesure, (les plaindre). Quand tu souffriras beaucoup, (regarder) ta douleur en face.

(A. DUMAS FILS, *Entractes*)

745 Écrivez les verbes entre parenthèses au présent de l'impératif.

(Quitter) ton atelier pour aller consulter la nature, (habiter) les champs, (aller) voir le soleil se coucher, se lever, se promener dans la prairie, voir les herbes brillantes de rosée ; le matin (devancer) le retour du soleil, (précipiter) tes pas, (grimper) sur quelque colline élevée, et, de là, (découvrir) toute la scène de la nature éclairée de lumière, (se hâter) de revenir, (prendre) le pinceau que tu viens de tremper dans la lumière, dans les eaux, dans les nuages. (DIDEROT)

746 Écrivez les verbes entre parenthèses au présent de l'indicatif ou au présent de l'impératif.

Non, mon fils, reprit la mère, tu ne (aller) rien casser du tout et tu ne (aller) tuer personne. (Se calmer) et (écouter)-moi. (Avoir)-tu déjà entendu parler de *l'enfant endormi* ? (TAHAR BEN JELLOUN) — « Tu (exagérer), Daisy, (regarder)-les bien. – Ne (être) pas jaloux, mon chéri. (Pardonner)-moi aussi. » (E. IONESCO) — (Appliquer)-toi à bien faire plus encore qu'à faire vite. (J. JAURÈS) — Comment la (trouver)-tu, François ? demanda ma mère. (A. FRANCE) — (Reculer)-toi, lui dit M. Lepic, tu es trop près. (J. RENARD) — (Attendre). Ne m'(emporter)-tu rien ? (MOLIÈRE)

747 Écrivez les verbes entre parenthèses au temps du subjonctif qui convient.

En 1935, les Paulistes se vantaient qu'on (construire) dans leur ville, en moyenne, une maison par heure. (C. LÉVI-STRAUSS) — Il ne faut jamais vendre la peau de l'ours qu'on ne l'(mettre) par terre. (LA FONTAINE) — Il n'y avait pas de rats dans la maison. Il fallait donc qu'on (apporter) celui-ci du dehors. (A. CAMUS) — Est-il vrai que j'(voir) ce policier et qu'il m'(parler) ainsi ? (V. HUGO) — Avant qu'il (revenir) de son étourdissement, je lui avais tiré ses bottes. (A. DUMAS) — Il faut que je vous (faire) une confidence. Je suis amoureux d'une personne de grande qualité, et je souhaiterais que vous m'(aider) à lui écrire quelque chose dans un petit billet que je veux laisser tomber à ses pieds. (MOLIÈRE) — Bien que ces pieuses gens (être) pressées et (tenir) à observer l'itinéraire le plus strict, ils (suivre) néanmoins les Pédauques dans l'invraisemblable labyrinthe du pays brionnais. (H. VINCENOT)

La forme pronominale

RÈGLE

1. Un verbe pronominal est un verbe qui s'emploie avec deux pronoms de la même personne, ou un nom sujet et un pronom représentant le même être ou la même chose :

Je me lève = je lève moi (c'est moi que je lève).

Pierre se lève.

Les temps composés d'un verbe pronominal se construisent toujours avec l'auxiliaire être :

La lune s'est levée ronde et brillante. (R. ROLLAND)

2. Les variations de sens du deuxième pronom font distinguer quatre sortes de verbes pronominaux :

• Les verbes essentiellement pronominaux

Ces verbes (comme s'*emparer, se blottir, s'enfuir*) ne s'emploient qu'à cette forme :

Ils se sont enfuis en entendant le bruit.

Certains verbes (comme s'*apercevoir de, s'attendre à, se douter de, se garder de, s'occuper de,* etc.) ont à la forme pronominale un sens assez différent de celui du verbe actif.

Ils doivent être considérés comme des verbes essentiellement pronominaux. Dans les verbes essentiellement pronominaux, le deuxième pronom fait corps avec le verbe et ne s'analyse pas.

• Les verbes pronominaux de sens passif

Dans ces verbes, le sujet ne fait pas l'action, il la subit ; le deuxième pronom ne s'analyse pas :

Cette jeune enfant se nommera Béatrice, comme sa grand-mère.

(= elle sera nommée).

• Les verbes accidentellement pronominaux de sens réfléchi

Dans ces verbes, l'action se retourne, se réfléchit sur le sujet :

Le matin je me lave et je m'habille (= je lave moi, j'habille moi).

• Les verbes accidentellement pronominaux de sens réciproque

Dans ces verbes, l'action faite par plusieurs êtres ou plusieurs choses s'exerce l'un sur l'autre ou les uns sur les autres :

Les deux amis se téléphonent (= ils téléphonent l'un à l'autre).

Remarques

1. Le deuxième pronom ne s'analyse que dans les verbes accidentellement pronominaux. Il peut être :

• complément d'objet direct : *Je me lave.*

• complément d'objet indirect : *Ils se nuisent.*

• complément d'attribution (ou d'objet second) : *Il s'est offert un livre.*

2. L'accord du participe passé des verbes pronominaux observe des règles particulières (voir leçon 89).

Présent de l'indicatif			Passé composé de l'indicatif			
je	me	lève	je	me	suis	levé(e)
tu	te	lèves	tu	t'	es	levé(e)
il	se	lève	il	s'	est	levé
elle	se	lève	elle	s'	est	levée
nous	nous	levons	nous	nous	sommes	levé(e)s
vous	vous	levez	vous	vous	êtes	levé(e)s
ils	se	lèvent	ils	se	sont	levés
elles	se	lèvent	elles	se	sont	levées

verbes essentiellement pronominaux		verbes accidentellement pronominaux		
s'accouder	s'évanouir	s'apitoyer	se battre	s'instruire
se cabrer	s'évertuer	s'assagir	s'éteindre	se pencher
se démener	s'extasier	s'asseoir	se faire	se perdre
s'écrouler	s'immiscer	s'assoupir	se frapper	se poursuivre
s'envoler	s'ingénier	s'atteler	se heurter	se quereller

EXERCICES

748 Conjuguez au présent et à l'imparfait de l'indicatif.
se jouer des difficultés   se vexer pour un rien   se plaindre du froid

749 Conjuguez au passé simple et au futur simple.
se tuer à l'ouvrage   se fier à ses amis   s'expliquer clairement

750 Conjuguez au passé composé et au passé antérieur.
se lier d'amitié   se nourrir de légumes   se casser le bras

751 Conjuguez au plus-que-parfait de l'indicatif et au futur antérieur. Pour les troisièmes personnes, écrivez un sujet masculin, puis un sujet féminin.
se charger de l'envoi   s'efforcer de bien faire   se lancer le ballon

752 Écrivez à la 1re et à la 3e personne du pluriel du passé composé de l'indicatif.

couper le pain	entendre d'étranges bruits	saluer le public
se couper le doigt	s'entendre à merveille	se saluer chaleureusement
poursuivre ses études	répondre à l'appel	ridiculiser l'adversaire
se poursuivre en vain	se répondre en écho	se ridiculiser sur scène

753 Vocabulaire à retenir

plaindre, la plainte, plaintif — le doigt, le doigté, digital
vain, la vanité, vaniteux — la scène, le scénario — la science

La forme pronominale (suite) : s'en aller

Indicatif			
Présent	**Passé simple**	**Passé composé**	**Passé antérieur**
je m'en vais	je m'en allai	je m'en suis allé(e)	je m'en fus allé(e)
ns ns en allons	ns ns en allâmes	ns ns en sommes allé(e)s	ns ns en fûmes allé(e)s
ils s'en vont	ils s'en allèrent	elles s'en sont allées	ils s'en furent allés
Imparfait	**Futur simple**	**Plus-que-parfait**	**Futur antérieur**
je m'en allais	je m'en irai	je m'en étais allé(e)	je m'en serai allé(e)
ns ns en allions	ns ns en irons	ns ns en étions allé(e)s	ns ns en fussions allé(e)s
ils s'en allaient	elles s'en iront	ils s'en étaient allés	elles s'en seront allées

Conditionnel		
Présent	**Passé 1re forme**	**Passé 2e forme**
je m'en irais	je m'en serais allé(e)	je m'en fusse allé(e)
ns ns en irions	ns ns en serions allé(e)s	ns ns en fussions allé(e)s
ils s'en iraient	elles s'en seraient allées	ils s'en fussent allés

Impératif	Subjonctif	
Présent	**Présent**	**Passé**
va-t'en	que je m'en aille	que je m'en sois allé(e)
allons-nous-en	qu'elle s'en aille	qu'il s'en soit allé
allez-vous-en	que ns ns en allions	que ns ns en soyons allé(e)s
	qu'ils s'en aillent	qu'elles s'en soient allées
	Imparfait	**Plus-que-parfait**
	que je m'en allasse	que je m'en fusse allé(e)
	qu'il s'en allât	qu'elle s'en fût allée
	que ns ns en allassions	que ns ns en fussions allé(e)s
	qu'elles s'en allassent	qu'ils s'en fussent allés

Infinitif		Participe	
Présent	**Passé**	**Présent**	**Passé**
s'en aller	s'en être allé(e)	s'en allant	s'en étant allé(e), en allé(e)

RÈGLE

s'en aller se conjugue comme *s'en repentir, s'en moquer, s'en sortir* ;
en reste toujours placé près du pronom réfléchi :

> *je m'en vais, je m'en suis allé ; ils s'en allaient, ils s'en étaient allés.*

> *je m'en repens, je m'en suis repenti ; ils s'en repentaient, ils s'en étaient repentis.*

Remarque

Dans *s'en aller*, *en* est adverbe ; *en* fait partie du verbe et ne s'analyse pas.

EXERCICES

754 Conjuguez au présent, au passé composé
et au plus-que-parfait de l'indicatif.

s'en moquer de choquer par son attitude
s'en aller par monts et par vaux
s'en retourner bredouille

s'en réjouir bruyamment
s'en féliciter immédiatement
s'en défaire sur l'instant

755 Écrivez les verbes entre parenthèses au temps qui convient.

M. Henry déposa sa lettre de réclamation au guichet et (s'en aller) sans dire un
seul mot. — La neige a fondu et les pistes sont caillouteuses ; les skieurs ont
chargé leur véhicule et (s'en aller) à regret. — Pour enfiler son aiguille, Pauline
(s'en vouloir) car elle a oublié ses lunettes. — Plus il parlait, plus le récit de
Jo paraissait invraisemblable, il ne (s'en sortir) pas. — Combien de marins bre-
tons (s'en aller) en mer d'Islande pêcher la morue ? — Quand le taxi (s'en
aller), M. Védrine s'aperçut qu'il avait oublié sa valise sur la banquette arrière.

756 Écrivez les verbes à la 1re et 3e personne du pluriel
du plus-que-parfait de l'indicatif.

frapper à la porte
se frapper le front
couvrir la casserole
se couvrir les épaules

appuyer sur une touche
s'appuyer contre le mur
dire la vérité
se dire ses quatre vérités

mordre la poussière
se mordre la langue
offrir des cadeaux
s'offrir un livre

757 Écrivez les verbes pronominaux entre parenthèses au présent
de l'indicatif et donnez-en le sens (essentiellement pronominaux,
de sens réfléchi, de sens réciproque ou de sens passif).

Les deux avions (s'envoler) à quelques minutes d'intervalle. — Les garçons
(se construire) une cabane au milieu de la forêt et ils (s'y cacher). — Nous
(s'approcher) du bord du puits et nous pouvons voir qu'il est très profond. —
Mes cousins (se plaire) au centre de vacances et ils souhaitent y retourner l'an
prochain. — Les Agenais (bien se battre) mais ils (s'incliner) dans les dernières
minutes de la partie. — Au xxe siècle, les guerres (se succéder) en Europe. —
Quelquefois même les oiseaux-mouches (se livrer) entre eux de vifs combats.
(BUFFON) — La consonne D, par exemple, (se prononcer) en donnant du bout de
la langue au-dessus des dents d'en haut. (MOLIÈRE) — Les flocons (s'embrouiller)
et refluent, (s'envoler). (G. DUHAMEL) — La vague énorme (se dresser), elle éclate,
son sommet (s'écrouler) avec fracas. (FLAMMARION) — À l'intention des plus petits
que les parents laissent parfois seuls à la maison, le professeur a inventé des
allumettes qui ne (s'enflammer) pas. (S. LEM)

758 Vocabulaire à retenir

le caillou, caillouteux — l'abri, abriter — le brin, la brindille
le favori, favoriser — le bazar, bazarder — le numéro, la numérotation

La forme négative

Présent de l'indicatif	Plus-que-parfait	Infinitif présent
je **ne** parle **pas**	je **n'**avais **pas** parlé	**ne pas** parler

RÈGLE

1. Pour mettre un verbe à la forme négative, on ajoute à la forme affirmative une locution adverbiale de négation comme : *ne... pas* – *ne... plus* – *ne... jamais* – *ne... point* – *ne... que* – *ne... guère* – *ne... rien* – *ne... nullement* – *ne... personne* – *ne... ni...* – etc. :

> *Quelle avait pu être sa jeunesse ? Elle n'en parlait jamais. On ne la questionnait pas. Savait-on seulement son prénom ? Personne au monde ne l'appelait plus par son prénom.* (R. Martin du Gard)

Remarques :

• La locution *ne... que* signifie généralement « seulement » :
> *Cette chanson n'a qu'un couplet.*
> *M. Arbant ne peint que les montants de la porte d'entrée.*

• La locution *ne... goutte* est devenue rare aujourd'hui :
> *Je n'y comprends goutte.*

2. Le deuxième terme de la locution négative peut parfois être placé avant *ne* :
> *Jamais un combat de boxe n'avait été aussi violent.*

3. Parfois, la négation comprend un seul terme : *ne*.
> *Il n'est pire eau que l'eau qui dort.   Qu'à cela ne tienne.*

• notamment dans des expressions telles que : *il ne cesse de...*, *je n'ose y croire, je ne peux...* :
> *Je ne peux laisser circuler de telles rumeurs.*

4. Il ne faut pas oublier dans la phrase négative, la négation *n'* après **on** lorsque le verbe commence par une voyelle ou est précédé de **y** ou de **en**. (voir leçons n° 94 et 100) :
> *La pièce est très bien insonorisée : **on** n'entend rien.*
> *On entend le téléphone sonner.*

5. *ne* peut aussi se trouver seul dans une proposition subordonnée introduite par *de crainte que, de peur que, à moins que, avant que*, etc. :
> *Le cheval filait vite et Christophe riait de joie, à moins qu'on ne vînt à croiser d'autres promeneurs.* (R. Rolland)
> *De peur que Clément ne prît froid, je le couvris de mon chapeau tyrolien.*
> (A. France)
> *Je crains un peu que le chien Black ne s'abandonne à quelque fantaisie brutale...* (G. Duhamel)

Remarque : dans ce cas, *ne* n'est pas la négation et sa présence n'est pas obligatoire : *Je crains qu'il ne parte.* (ou *Je crains qu'il parte.*)

EXERCICES

759 **Conjuguez à la forme négative au présent puis au futur simple.**

accepter le défi   présenter son projet   accueillir ses amis
articuler ses paroles   se vexer inutilement   braver la tempête

760 **Conjuguez à la forme négative au passé composé et au plus-que-parfait de l'indicatif.**

répondre vivement   rayer un mot   craindre l'effort
se garer sur le trottoir   gaspiller l'énergie   hocher la tête

761 **Écrivez à la forme négative et complétez à votre convenance.**

Nous sommes allés au spectacle… — J'ai arrosé les fleurs… — Tu as gâché toutes tes chances… — La secrétaire modifie toujours la présentation de ses lettres… — Je boirai de l'eau glacée… — La pêche a été bonne… — Les chiens ont aboyé… — Le frein fonctionne… — Je perds patience… — Vous tutoyez toutes les personnes que vous rencontrez…

762 **Relevez les locutions négatives.**

Il ne fait aucune bêtise, ne profère aucun juron, il demeure dignement assis dans son fauteuil, ouvre le journal, lit l'article de fond. (D. Buzzati) — Nul ne s'avoue que cette guerre ne ressemble à rien, que rien n'a de sens, qu'aucun schéma ne s'adapte, que l'on tire gravement des fils qui ne communiquent plus avec des marionnettes. (A. de Saint-Exupéry) — Vous pouvez être tranquille, je n'en dirai mot. (G. Sand) — Mes enfants, ne pleurez goutte. (Rabelais).

763 **Complétez par** on **ou** on n'.

Par économie,… ouvre, pour la maison entière, qu'un seul radiateur. —… éprouve du regret quand… a pas pris de photographies en souvenir. — Il fait beau,… arrivera à temps au refuge. — La route est longue,… en voit pas le bout. — La rentrée des classes est loin,… y pense pas. — Le jardin est bien entretenu.… insiste guère pour qu'… y joue. — Pour aller en Angleterre,… est nullement obligé de prendre un bateau puisqu'… a un tunnel à notre disposition. —… espace un peu nos visites.

764 **Écrivez trois phrases dans lesquelles vous emploierez :**

nul, nulle part, aucun.

765 **Écrivez quatre phrases dans lesquelles vous emploierez :**

à moins que, de peur que, de crainte que, dans la crainte que.

766 Vocabulaire à retenir

tutoyer — vouvoyer — apitoyer — zézayer — bégayer — embrayer
le refuge — le juge, le préjugé — le déluge — la purge, expurger

La forme interrogative

Présent de l'indicatif	Futur simple	Passé composé
oublié-je[1] ?	oublierai-je ?	ai-je oublié ?
oublie-t-il ?	oubliera-t-il ?	a-t-il oublié ?
oublient-ils ?	oublieront-ils ?	ont-ils oublié ?

Imparfait de l'indic.	Passé antérieur	Conditionnel présent
oubliais-je ?	eus-je oublié ?	oublierais-je ?

RÈGLE

1. À la forme interrogative,
• on place le pronom sujet après le verbe ou après l'auxiliaire, dans les temps composés. On lie le pronom sujet au verbe par un trait d'union :
oublies-tu ? as-tu oublié ?
• on peut aussi faire précéder le verbe employé à la forme affirmative de l'expression *est-ce que...* :
Est-ce que j'oublie ? Est-ce que j'oublierai ?
Pour l'oreille, on préférera : *Est-ce que je cours ?* (au lieu de *cours-je ?*)

2. Pour éviter la rencontre
• de deux syllabes muettes, on met un accent aigu sur le **e** muet terminal de la 1ʳᵉ personne du singulier du présent de l'indicatif des verbes en -er et du conditionnel passé 2ᵉ forme de tous les verbes :
oublié-je ? eussé-je ? fussé-je né ?
Quant à la perte que j'avais faite, comment l'eussé-je réalisée ? (A. GIDE)
• de deux voyelles, on place un **t** euphonique après e ou a à la 3ᵉ personne du singulier :
oublie-t-il ? oubliera-t-il ? a-t-il oublié ?

3. Lorsque le sujet du verbe est un nom, on répète le pronom équivalent du nom :
Pourquoi les aspirateurs-traîneaux se vendent-ils si mal ? (G. PEREC)

4. L'interrogation peut être marquée par des mots interrogatifs : pronom, déterminant, adverbe... :
Qui *est là ?* **Quelle** *heure est-il ?*
Où *courir ?* **Où** *ne pas courir ?* (MOLIÈRE)

5. L'interrogation peut s'exprimer par un verbe à la forme affirmative, par un simple mot. L'intonation seule marque l'interrogation :
Il criait : « Votre nom ?
— Laïla.
— Vous êtes majeure ?
— Je ne sais pas. Oui. Non. Peut-être. » (J.M.G. LE CLÉZIO)

1. C'est aujourd'hui un archaïsme littéraire, très peu usité.

EXERCICES

767 Conjuguez à la **1**^{re} personne du singulier,
à la forme interrogative, au présent, à l'imparfait, au futur simple,
au passé composé et au plus-que-parfait de l'indicatif.

parler posément	hasarder une réponse	courir vite
ranger les outils	blâmer cette attitude	réussir son examen
intervenir à temps	apprendre le chinois	avertir les voisins
signer un chèque	envisager une solution	flairer un piège
commettre une erreur	enregistrer ses bagages	s'inscrire au tournoi

768 Écrivez les verbes, à la forme interrogative, à la **1**^{re} et
à la **3**^e personne du singulier ainsi qu'à la **3**^e personne du pluriel,
du présent de l'indicatif et du futur antérieur.

garder une poire pour la soif	gagner quelques points supplémentaires
employer une perceuse électrique	essayer la robe ou le tailleur
achever le puzzle en deux heures	se soigner par acupuncture
chanter en duo ou en solo	tailler les crayons avec un couteau
réclamer une réduction	essuyer les taches de graisse
imaginer une autre issue	se lasser de cette collection de livres

769 Écrivez les phrases à la forme interrogative.
Tu entends le klaxon de l'autocar. — J'ai fermé le robinet du gaz. — Il a verrouillé la porte de la cave. — J'aperçois un ami, je cours lui parler. — Le téléphone a sonné plusieurs fois ce matin. — Les ouvriers ont rangé leurs outils. — J'appuie mes propos avec assez de fermeté. — C'est le chant de la pluie ou le bruissement du feuillage que j'entends. — Il aura pensé à prendre son maillot de bain. — C'était une fumée ou un nuage. — Aux Jeux olympiques, l'athlète russe lance le poids à plus de vingt mètres. — Les femmes conduisent plus prudemment que les hommes.

770 Écrivez sept phrases interrogatives qui débuteront chacune
par : quand, lequel, qui, comment, quel(le)s, que, où.

771 Écrivez trois phrases interrogatives, avec des verbes de votre
choix employés à la **1**^{re} personne du singulier du présent de l'indicatif.

772 Écrivez trois phrases interrogatives qui débuteront
par la tournure : est-ce que… ; **vous choisirez le temps.**

773 Vocabulaire à retenir
l'athlète, l'athlétisme, athlétique — un outil — le fusil — le persil
le supplément, supplémentaire — le supplice — le support
la supposition — le suppléant, la suppléance, un supplétif

La forme interro-négative

Présent de l'indicatif	Imparfait de l'indicatif	Passé simple
n'osé-je **pas** ?	n'osais-je **pas** ?	n'osai-je **pas** ?
Futur simple	**Passé composé**	**Conditionnel présent**
n'oserai-je **pas** ?	n'ai-je **pas** osé ?	n'oserais-je **pas** ?

RÈGLE

La forme interro-négative est la combinaison de la forme interrogative et de la forme négative :

> *J'étais un assez bon élève. Pourquoi n'osé-je pas dire un très bon ?* (A. GIDE)
>
> osé-je ? + je n'ose **pas** → n'osé-je **pas** ?

Remarque : les verbes ne peuvent s'écrire sous la forme interrogative ou interro-négative qu'aux modes indicatif et conditionnel.

EXERCICES

774 Conjuguez à la forme interro-négative, à la 2ᵉ personne du singulier, du présent, du futur simple, de l'imparfait et du passé simple de l'indicatif.

ôter son bonnet	rentrer la voiture	essuyer la vaisselle
fredonner un air connu	user le moteur	enrouler le tuyau

775 Conjuguez à la forme interro-négative, à la 3ᵉ personne du pluriel, du passé composé et du conditionnel présent.

commettre une erreur	garder la clé	freiner trop tard
critiquer ce film	écourter sa visite	danser bien

776 Écrivez à la forme interrogative, puis à la forme interro-négative.
Tu as rendu le livre qu'on t'avait prêté. — Ils collectionnaient les timbres-poste d'aviation. — C'était une comète. — C'est le merle qui a sifflé. — Ce sera curieux d'écouter ses explications. — Je parle suffisamment fort. — Nous irons cet après-midi au terrain de sport.

777 Écrivez à la forme interro-négative.
J'entends chanter le grillon. — C'était toi qui chantonnais dans la cour. — Vous avez fait une bonne cueillette de champignons. — Il se rappelait ses promesses. — Tu as réparé la porte de la cave. — Les enfants jouent au grand air. — Le juge a mis en examen le principal suspect. — Willy avait modifié plusieurs fois sa réponse. — M. Bourse nous a vanté les mérites d'une vie saine et sportive. — En posant les rallonges, tu as rayé le plateau de la table. — Fabiola a heurté le pied du guéridon, ce qui a déséquilibré le vase de fleurs.

La forme impersonnelle

Présent de l'indicatif	Imparfait de l'indicatif	Passé simple	Futur simple
il neige	**il** neigeait	**il** neigea	**il** neigera

RÈGLE

1. Un verbe impersonnel est un verbe dont le sujet ne représente
ni une personne, ni un animal, ni une chose définie.
Les verbes impersonnels ne se conjuguent qu'à la 3ᵉ personne du singulier,
avec le sujet **il**, du genre neutre :

Il neigeait quand nous sommes arrivés à la station.
Que lui est-il arrivé ?

2. Il y a des verbes essentiellement impersonnels comme *pleuvoir, falloir…*
Mais certains verbes peuvent être accidentellement impersonnels :

Pascal arrive demain. (forme personnelle)
Que lui est-il arrivé ? (forme impersonnelle).

Remarques

1. Dans une tournure impersonnelle, **il** est le *sujet apparent*,
et le complément d'objet est le *sujet réel* avec lequel
le verbe ne s'accorde pas :

Quand la chaussée se rétrécit, il se forme des encombrements.
(= quand la chaussée se rétrécit, des encombrements se forment.)

2. Les verbes essentiellement impersonnels peuvent s'employer comme
verbes personnels dans un contexte figuré :

La manifestation est émaillée d'incidents ; les insultes pleuvent !

EXERCICES

778 Conjuguez aux temps simples du mode indicatif.

pleuvoir à verse   bruiner sans arrêt   venter avec violence

779 Écrivez les verbes entre parenthèses à l'imparfait de l'indicatif.
Il (décoller) de Roissy un avion toutes les trois minutes. — Il (courir) des bruits
inquiétants au sujet de la sécurité dans ce stade. — Il lui (venir) parfois des
étourdissements comme s'il avait été ivre. — Il me (prendre) souvent l'envie de
partir seul sur les mers du globe. — À la cour des princes italiens, il (être) des
secrets qu'il ne (valoir) mieux ne pas connaître si vous vouliez rester en vie. —
Certains soirs, il me (venir) des idées de voyages au long cours. — La semaine
dernière, il (souffler) des vents violents sur la côte atlantique. — Les tableaux
étaient déballés avec précaution. Il (s'agir) de célèbres toiles de Cézanne. — Il
(faire) très chaud, très calme, d'innombrables grillons chantaient. (P. Loti)

La voix passive

Présent	Imparfait	Passé simple	Passé composé
il est fendu	elle était fendue	il fut fendu	elle a été fendue

RÈGLE

Un verbe est à la voix passive quand le sujet subit l'action.
Le complément d'objet direct du verbe actif devient le sujet du verbe passif et le sujet de l'actif devient le complément d'agent du passif :

> *La vitre est fendue par une estafilade.* (D. DECOIN)
> (Une estafilade fend la vitre)
> *Les champs étaient couverts de criquets énormes.* (A. DAUDET)
> (Des criquets énormes couvraient les champs)

L'agent désigne l'être ou la chose qui fait l'action, qui agit.

Remarques

1. Le complément d'agent est souvent introduit par les prépositions **par** ou **de**.

2. En général, il n'y a que les verbes transitifs directs qui puissent être employés à la voix passive, puisque c'est leur complément d'objet qui devient sujet.
Cependant, *obéir* et *pardonner*, peuvent s'employer au passif avec pour sujet le complément d'objet indirect qu'ils ont à l'actif :

> *On pardonne aux enfants.* → *Les enfants seront pardonnés.*

3. Les verbes comme *tomber*, *arriver*, etc. dont la conjugaison se fait toujours avec l'auxiliaire *être*, ne sont jamais passifs.

4. Le verbe pronominal peut avoir le sens passif :

> *Pendant la période des soldes, certaines robes se vendent à moitié prix.*
> (= sont vendues)

5. Il ne faut pas confondre le verbe passif avec le verbe *être* suivi d'un participe passé, marquant l'état :

> *La vitre est transparente et fendue.*
> (*transparente* et *fendue* marquent l'état : ils sont attributs du sujet).
> *La vitre est fendue par une estafilade.*
> (le complément d'agent fait l'action ; *est fendue* : verbe passif *être fendu*).

6. Au passif, tous les verbes sont conjugués avec l'auxiliaire **être**.

Présent de l'indicatif du passif :	présent de être	+ participe passé
	Les champs sont	couverts
Passé simple du passif :	passé simple de être	+ participe passé
	Les champs furent	couverts
Passé composé du passif :	passé composé de être	+ participe passé
	Les champs ont été	couverts.

EXERCICES

780 Conjuguez à l'imparfait de l'indicatif et au passé antérieur.

être gagné par la crainte   être entouré d'amis
être soigné par le médecin   être émerveillé par le feu d'artifice
être renversé par une moto   être dépassé par les événements

781 Écrivez les verbes de ces phrases à la voix passive.
Soulignez les compléments d'agent.
La Compagnie des eaux envoie périodiquement à ses abonnés les relevés de leur consommation. — La foule obstruait le café de part et d'autre de l'entrée. (M. Duras) — Soufflés par l'explosion, deux ou trois mille ballons nous cachent le Magasin. (D. Pennac) — Un architecte a tracé le plan de la maison, un carrier a éventré la terre pour prendre les moellons, un tuilier a moulé les tuiles, un bûcheron a coupé des arbres. (E. About) — Les dettes ravageaient l'oncle Arthur. (L.-F. Céline) — Un beau rayon de soleil buvait les vapeurs matinales. (E. Quinet) — Apporte-t-on la pâtée dans l'écuelle ? (G. Ponsot) — Les convives complimentèrent la pâtissière et demandèrent la recette. (A. Theuriet) — Fabrizio hissa une vigie dans le mât d'avant. (J. Gracq)

782 Écrivez les verbes de ces phrases à la voix active.
Respectez le temps.
Ce sont les villes qui ont été créées par les hommes pour s'abriter de la nature. (B. Oudin) — Le ruban de son chapeau était remplacé par une ficelle tressée. (R. Queneau) — Nous sommes enveloppés d'un nuage d'insectes ivres de fureur et continuons en souriant. (Maeterlinck) — Ces énormes rochers avaient été arrachés puis roulés par les eaux. (J. Giono) — La plupart de ses arbres étaient déjà parés de petites feuilles d'un vert tendre. (C. Vildrac) — Les bruits de notre marche furent couverts par une rumeur étrange. (G. Duhamel) — Nous sommes nourris, vêtus, abrités, éclairés, transportés et même instruits par le travail des machines. (A. Carrel) — Ce personnage avait été pris par hasard sur une photo. (N. Hunter)

783 Recopiez les verbes pronominaux qui ont un sens passif.
Les premières bandes dessinées que publia Olivier se vendirent en peu de temps. — Les lézards verts se levaient sous les pas et se glissaient entre les pierres. (J. Peyré) — Le train se vida de ses occupants. (Préjelan) — Le trou se creusait toujours, il en avait jusqu'aux épaules. (G. Sand) — On serra les bêtes ; les hommes se blottirent contre elles. (Frison-Roche)

784 Vocabulaire à retenir
obstruer, l'obstacle — l'observateur — l'objectif, l'objet — obliquer
l'obligation, obligatoire, obliger, l'obligeance
la moelle, moelleux, le moellon — un carrier — un tuilier

▶ Révision

785 Écrivez les verbes pronominaux entre parenthèses
à l'imparfait de l'indicatif et donnez-en le sens.

Deux pigeons (s'aimer) d'amour tendre. (LA FONTAINE) — Sa voix vibrait si fort
en cette fin de matinée que le sens de ses paroles (se perdre) dans l'air.
(P.-J. HÉLIAS) — La porte semblait adhérer à la muraille. M. Langlade (se méfier)
tellement des voleurs. (R. ESCHOLIER) — Moi, j'écoutais le vent qui (se démener)
dehors dans les platanes. (ERCKMANN-CHATRIAN) — Comme il arrive lorsqu'on
se hâte, l'hôtel (se vider) lentement. (V. HUGO) — À chaque minute, une glace
(se baisser), une voix demandait pourquoi l'on ne partait pas. (É. ZOLA) — Les
respirations de Marie-Anne et de son fils, régulières, (se répondre) comme
un battement d'ailes. (R. BAZIN) — Julie tirait avec une colère qu'elle ne
(se connaître) pas, son corps arc-bouté encaissant le recul formidable de sa
pétoire. (D. PENNAC)

786 Écrivez à la 3ᵉ personne du pluriel du passé composé.
Le sujet sera un nom.

se donner le bras	se bercer d'illusions	s'interdire d'abandonner
s'emballer pour un rien	s'installer sur le sable	se souvenir de leurs vacances
se réjouir de ce succès	s'habiller pour la soirée	s'isoler pour se concentrer
s'apercevoir d'une erreur	se protéger du vent	s'enfuir à toutes jambes

787 Écrivez les verbes entre parenthèses au plus-que-parfait
de l'indicatif et justifiez l'orthographe des participes passés.

Les naufragés (se retrouver) sur la côte déserte et il n'y avait pas une seule voile
à l'horizon — Roméo et Juliette (se plaire) au premier regard et ce fut le
drame ! — Son pinceau n'ayant plus de poils, Sandra (se résoudre) à en acheter un neuf. — Des fumées toxiques (s'échapper) des cuves de l'usine pétro-
chimique de Feyzin ; il a fallu prendre des précautions pour limiter la circulation autour du site. — Elle avait dit oui, puis elle (se raviser) et avait fini par
refuser notre proposition.

788 Imaginez un dialogue entre une vendeuse et vous-même dans
un magasin de votre choix. **Les tournures affirmatives, négatives,
interrogatives, interro-négatives seront judicieusement employées.**

789 Conjuguez au pluriel du futur simple puis du futur antérieur.

relever une erreur	se relever	être relevé par les infirmiers
prendre le café	se prendre au sérieux	être pris par la passion du jeu

790 Écrivez l'infinitif des verbes, ainsi que leur voix, entre parenthèses.

La Méditerranée a toujours été sillonnée par des millions de navires, de la plus
petite chaloupe jusqu'aux pétroliers géants. — Voici le jeune printemps, il est
né, le soleil revient. (G. GEOFFROY) — Les quatre roues sont tournées vers le ciel,
des lambeaux de pneus accrochés aux jantes. Les moteurs sont arrachés.
(J.M.G. LE CLÉZIO) — Je suis allé chercher du travail de ville en ville. (WALZ)

Tableau des terminaisons

	1er gr.	2e gr.	3e gr.			1er gr.	2e gr.	3e gr.
INDICATIF		**Présent**			**SUBJONCTIF**		**Présent**	
je	-e[1]	-s	-s	-x	je	-e	-e	-e
tu	-es	-s	-s	-x	tu	-es	-es	-es
il	-e	-t	-t	-t	elle	-e	-e	-e
nous	-ons	-ons	-ons	-ons	nous	-ions	-ions	-ions
vous	-ez	-ez	-ez	-ez	vous	-iez	-iez	-iez
elles	-ent	-ent	-ent	-ent	ils	-ent	-ent	-ent

	1er gr.	2e gr.	3e gr.			1er gr.	2e gr.	3e gr.	
INDICATIF		**Imparfait**			**SUBJONCTIF**		**Imparfait[3]**		
je	-ais	-ais	-ais		je	-asse	-isse	-isse	-usse
tu	-ais	-ais	-ais		tu	-asses	-isses	-isses	-usse
elle	-ait	-ait	-ait		elle	-ât	-ît	-ît	-ût
nous	-ions	-ions	-ions		nous	-assions	-issions	-issions	-ussions
vous	-iez	-iez	-iez		vous	-assiez	-issiez	-issiez	-ussiez
ils	-aient	-aient	-aient		ils	-assent	-issent	-issent	-ussent

	1er gr.	2e gr.	3e gr.			1er gr.	2e gr.	3e gr.
INDICATIF		**Passé simple[2]**			**IMPÉRATIF**		**Présent**	
je	-ai	-is	-is	-us				
tu	-as	-is	-is	-us		-e[4]	-s	-s
il	-a	-it	-it	-ut				
nous	-âmes	-îmes	-îmes	-ûmes		-ons	-ons	-ons
vous	-âtes	-îtes	-îtes	-ûtes		-ez	-ez	-ez
elles	-èrent	-irent	-irent	-urent				

	1er gr.	2e gr.	3e gr.			1er gr.	2e gr.	3e gr.
INDICATIF		**Futur simple**			**CONDITIONNEL**		**Présent**	
je	-rai	-rai	-rai	je	-rais	-rais	-rais
tu	-ras	-ras	-ras	tu	-rais	-rais	-rais
elle	-ra	-ra	-ra	il	-rait	-rait	-rait
nous	-rons	-rons	-rons	nous	-rions	-rions	-rions
vous	-rez	-rez	-rez	vous	-riez	-riez	-riez
ils	-ront	-ront	-ront	elles	-raient	-raient	-raient

Remarques

1. Les verbes du 3e groupe tels que *offrir, couvrir, ouvrir, souffrir, cueillir, assaillir, défaillir* et ceux de leur famille ont les terminaisons du 1er groupe au présent de l'indicatif.

2. Les verbes *tenir, venir* et ceux de leur famille ont des terminaisons en -in- au passé simple : -ins, -ins, -int, -înmes, -întes, inrent.

3. Les verbes *tenir, venir* et ceux de leur famille ont des terminaisons en -in- à l'imparfait du subjonctif : -insse, -insses, -înt, -inssions, -inssiez, inssent.

4. Les verbes du 3e groupe cités dans la remarque 1 ne prennent pas de s à l'impératif singulier.

Conjugaison du verbe être

INDICATIF

Présent	Imparfait	Passé simple	Futur simple
je suis	j' étais	je fus	je serai
tu es	tu étais	tu fus	tu seras
il est	elle était	elle fut	il sera
nous sommes	nous étions	nous fûmes	nous serons
vous êtes	vous étiez	vous fûtes	vous serez
elles sont	ils étaient	ils furent	elles seront

Passé composé	Plus-que-parfait	Passé antérieur	Futur antérieur
j' ai été	j' avais été	j' eus été	j' aurai été
tu as été	tu avais été	tu eus été	tu auras été
elle a été	il avait été	il eut été	il aura été
nous avons été	nous avions été	nous eûmes été	nous aurons été
vous avez été	vous aviez été	vous eûtes été	vous aurez été
ils ont été	elles avaient été	elles eurent été	ils auront été

SUBJONCTIF

Présent	Passé
que je sois	que j' aie été
que tu sois	que tu aies été
qu' il soit	qu' elle ait été
que nous soyons	que nous ayons été
que vous soyez	que vous ayez été
qu' elles soient	qu' ils aient été

Imparfait	Plus-que-parfait
que je fusse	que j' eusse été
que tu fusses	que tu eusses été
qu' elle fût	qu' il eût été
que nous fussions	que nous eussions été
que vous fussiez	que vous eussiez été
qu' ils fussent	qu' elles eussent été

CONDITIONNEL

Présent	Passé 1re forme

Présent	Passé 1re forme
je serais	j' aurais été
tu serais	tu aurais été
il serait	elle aurait été
nous serions	nous aurions été
vous seriez	vous auriez été
elles seraient	ils auraient été

PARTICIPE

Présent
étant

Passé
été
ayant été

Passé 2e forme

j' eusse été
tu eusses été
il eût été
nous eussions été
vous eussiez été
ils eussent été

IMPÉRATIF

Présent	Passé
sois	aie été
soyons	ayons été
soyez	ayez été

INFINITIF

Présent	Passé
être	avoir été

Conjugaison du verbe avoir

INDICATIF

Présent	Imparfait	Passé simple	Futur simple
j' ai	j' avais	j' eus	j' aurai
tu as	tu avais	tu eus	tu auras
il a	elle avait	elle eut	il aura
nous avons	nous avions	nous eûmes	nous aurons
vous avez	vous aviez	vous eûtes	vous aurez
elles ont	ils avaient	ils eurent	elles auront

Passé composé	Plus-que-parfait	Passé antérieur	Futur antérieur
j' ai eu	j' avais eu	j' eus eu	j' aurai eu
tu as eu	tu avais eu	tu eus eu	tu auras eu
elle a eu	il avait eu	il eut eu	elle aura eu
nous avons eu	nous avions eu	nous eûmes eu	nous aurons eu
vous avez eu	vous aviez eu	vous eûtes eu	vous aurez eu
ils ont eu	elles avaient eu	elles eurent eu	ils auront eu

SUBJONCTIF

Présent	Passé
que j' aie	que j' aie eu
que tu aies	que tu aies eu
qu' il ait	qu' elle ait eu
que nous ayons	que nous ayons eu
que vous ayez	que vous ayez eu
qu' elles aient	qu' ils aient eu

Imparfait	Plus-que-parfait
que j' eusse	que j' eusse eu
que tu eusses	que tu eusses eu
qu' elle eût	qu' il eût eu
que nous eussions	que nous eussions eu
que vous eussiez	que vous eussiez eu
qu' ils eussent	qu' elles eussent eu

CONDITIONNEL

Présent	Passé 1re forme
j' aurais	j' aurais eu
tu aurais	tu aurais eu
il aurait	elle aurait eu
nous aurions	nous aurions eu
vous auriez	vous auriez eu
elles auraient	ils auraient eu

PARTICIPE

Présent
ayant

Passé
eu, eue
ayant eu

Passé 2e forme
j' eusse eu
tu eusses eu
il eût eu
nous eussions eu
vous eussiez eu
ils eussent eu

IMPÉRATIF

Présent	Passé
aie	aie eu
ayons	ayons eu
ayez	ayez eu

INFINITIF

Présent	Passé
avoir	avoir eu

Verbes en -er et en -ir

Infinitif	Indicatif			
Présent	Présent	Imparfait	Passé simple	Futur simple
(s'en) aller	je m'en vais	je m'en allais	je m'en allai	je m'en irai
envoyer	j' envoie tu envoies ns envoyons	j' envoyais ns envoyions	j' envoyai ns envoyâmes	j' enverrai ns enverrons
acquérir	j' acquiers ns acquérons ils acquièrent	j' acquérais ns acquérions ils acquéraient	j' acquis ns acquîmes ils acquirent	j' acquerrai ns acquerrons ils acquerront
assaillir	j' assaille ns assaillons	j' assaillais ns assaillions	j' assaillis ns assaillîmes	j' assaillirai ns assaillirons
bouillir	je bous ns bouillons	je bouillais ns bouillions	je bouillis ns bouillîmes	je bouillirai ns bouillirons
courir	je cours ns courons	je courais ns courions	je courus ns courûmes	je courrai ns courrons
cueillir	je cueille ns cueillons	je cueillais ns cueillions	je cueillis ns cueillîmes	je cueillerai ns cueillerons
dormir	je dors ns dormons	je dormais ns dormions	je dormis ns dormîmes	je dormirai ns dormirons
fuir	je fuis il fuit ns fuyons	je fuyais ns fuyions	je fuis il fuit ns fuîmes	je fuirai ns fuirons
haïr	je hais il hait ns haïssons	je haïssais ns haïssions	je haïs il haït ns haïmes	je haïrai ns haïrons
mourir	je meurs ns mourons	je mourais ns mourions	je mourus ns mourûmes	je mourrai ns mourrons
offrir	j' offre ns offrons	j' offrais ns offrions	j' offris ns offrîmes	j' offrirai ns offrirons
partir	je pars ns partons	je partais ns partions	je partis ns partîmes	je partirai ns partirons
servir	je sers ns servons	je servais ns servions	je servis ns servîmes	je servirai ns servirons
tenir	je tiens ns tenons	je tenais ns tenions	je tins ns tînmes	je tiendrai ns tiendrons
venir	je viens ns venons	je venais ns venions	je vins ns vînmes	je viendrai ns viendrons
vêtir	je vêts elle vêt ns vêtons ils vêtent	je vêtais ns vêtions	je vêtis il vêtit ns vêtîmes	je vêtirai ns vêtirons

Conditionnel	Subjonctif		Impératif	Participe	
Présent	Présent	Imparfait	Présent	Présent	Passé
je m'en irais	que je m'en aille	que je m'en allasse qu'il s'en allât	va-t'en	s'en allant	en allé, en allée
j' enverrais	que j' envoie	que j' envoyasse qu'il envoyât	envoie	envoyant	envoyé, envoyée
ns enverrions	que ns envoyions	que ns envoyassions	envoyons		
j' acquerrais	que j' acquière	que j' acquisse	acquiers	acquérant	acquis,
ns acquerrions	que ns acquérions	que ns acquissions	acquérons		acquise
ils acquerraient	qu'ils acquièrent	qu'ils acquissent			
j' assaillirais	que j' assaille	qu'il assaillît	assaille	assaillant	assailli,
ns assaillirions	que ns assaillions	que ns assaillissions	assaillons		assaillie
je bouillirais	que je bouille	qu'il bouillît	bous	bouillant	bouilli,
ns bouillirions	que ns bouillions	que ns bouillissions	bouillons		bouillie
je courrais	que je coure	qu'il courût	cours	courant	couru,
ns courrions	que ns courions	que ns courussions	courons		courue
je cueillerais	que je cueille	qu'il cueillît	cueille	cueillant	cueilli,
ns cueillerions	que ns cueillions	que ns cueillissions	cueillons		cueillie
je dormirais	que je dorme	qu'il dormît	dors	dormant	dormi
ns dormirions	que ns dormions	que ns dormissions	dormons		
je fuirais	que je fuie qu'il fuie	que je fuisse qu'il fuît	fuis	fuyant	fui, fuie
ns fuirions	que ns fuyions	que ns fuissions	fuyons		
je haïrais	que je haïsse qu'il haïsse	que je haïsse qu'il haït	hais	haïssant	haï, haïe
ns haïrions	que ns haïssions	que ns haïssions	haïssons		
je mourrais	que je meure	qu'il mourût	meurs	mourant	mort,
ns mourrions	que ns mourions	que ns mourussions	mourons		morte
j' offrirais	que j' offre	qu'il offrît	offre	offrant	offert,
ns offririons	que ns offrions	que ns offrissions	offrons		offerte
je partirais	que je parte	qu'il partît	pars	partant	parti,
ns partirions	que ns partions	que ns partissions	partons		partie
je servirais	que je serve	qu'il servît	sers	servant	servi,
ns servirions	que ns servions	que ns servissions	servons		servie
je tiendrais	que je tienne	qu'il tînt	tiens	tenant	tenu,
ns tiendrions	que ns tenions	que ns tinssions	tenons		tenue
je viendrais	que je vienne	qu'il vînt	viens	venant	venu,
ns viendrions	que ns venions	que ns vinssions	venons		venue
je vêtirais	que je vête	que je vêtisse qu'il vêtît	vêts	vêtant	vêtu, vêtue
ns vêtirions	que ns vêtions qu'ils vêtent	que ns vêtissions qu'ils vêtissent	vêtons		

Verbes en -oir

Infinitif	Indicatif			
Présent	Présent	Imparfait	Passé simple	Futur simple
devoir	je dois il doit ns devons	je devais ns devions	je dus il dut ns dûmes	je devrai ns devrons
mouvoir	je meus elle meut ns mouvons	je mouvais ns mouvions	je mus il mût ns mûmes	je mouvrai ns mouvrons
pourvoir	je pourvois ns pourvoyons	je pourvoyais ns pourvoyions	je pourvus il pourvut ns pourvûmes	je pourvoirai ns pourvoirons
pouvoir	je peux ou je puis tu peux il peut ns pouvons	je pouvais ns pouvions	je pus il put ns pûmes	je pourrai ns pourrons
prévaloir	je prévaux il prévaut ns prévalons ils prévalent	je prévalais ns prévalions	je prévalus ns prévalûmes	je prévaudrai ns prévaudrons
prévoir	je prévois il prévoit ns prévoyons	je prévoyais ns prévoyions	je prévis il prévit ns prévîmes	je prévoirai ns prévoirons
recevoir	je reçois il reçoit ns recevons	je recevais ns recevions	je reçus il reçut ns reçûmes	je recevrai ns recevrons
savoir	je sais il sait ns savons	je savais ns savions	je sus il sut ns sûmes	je saurai ns saurons
surseoir	je sursois ns sursoyons vs sursoyez	je sursoyais ns sursoyions vs sursoyiez	je sursis ns sursîmes vs sursîtes	je surseoirai ns surseoirons vs surseoirez
valoir	je vaux ns valons	je valais ns valions	je valus ns valûmes	je vaudrai ns vaudrons
voir	je vois ns voyons elles voient	je voyais ns voyions ils voyaient	je vis ns vîmes ils virent	je verrai ns verrons ils verront
vouloir	je veux il veut ns voulons ils veulent	je voulais ns voulions	je voulus il voulut ns voulûmes ils voulurent	je voudrai ns voudrons

Conditionnel	Subjonctif		Impératif	Participe	
Présent	Présent	Imparfait	Présent	Présent	Passé
je devrais	que je doive	que je dusse	(inusité)	devant	dû, due
		qu'il dût			dus, dues
ns devrions	que ns devions	que ns dussions			
je mouvrais	que je meuve	que je musse	meus	mouvant	mû, mue
	qu'il meuve	qu'il mût			mus, mues
ns mouvrions	que ns mouvions	que ns mussions	mouvons		
		(peu usité)	(peu usité)		
je pourvoirais	que je pourvoie	que je pourvusse	pourvois	pourvoyant	pourvu,
	qu'il pourvoie	qu'il pourvût			pourvue
ns pourvoirions	que ns pourvoyions	que ns pourvussions	pourvoyons		
je pourrais	que je puisse	que je pusse	(inusité)	pouvant	pu
	qu'il puisse	qu'il pût			
ns pourrions	que ns puissions	que ns pussions			
je prévaudrais	que je prévale	que je prévalusse	prévaux	prévalant	prévalu,
	que tu prévales	qu'il prévalût			prévalue
ns prévaudrions	que ns prévalions	que ns prévalussions	prévalons		
	qu'ils prévalent	qu'ils prévalussent	(peu usité)		
je prévoirais	que je prévoie	que je prévisse	prévois	prévoyant	prévu,
	qu'il prévoie	qu'il prévît			prévue
ns prévoirions	que ns prévoyions	que ns prévissions	prévoyons		
je recevrais	que je reçoive	que je reçusse	reçois	recevant	reçu,
	qu'il reçoive	qu'il reçût			reçue
ns recevrions	que ns recevions	que ns reçussions	recevons		
je saurais	que je sache	que je susse	sache	sachant	su,
	qu'il sache	qu'il sût			sue
ns saurions	que ns sachions	que ns sussions	sachons		
je surseoirais	que je sursoie	qu'il sursît	sursois	sursoyant	sursis,
ns surseoirions	que ns sursoyions	que ns sursissions	sursoyons		sursise
vs surseoiriez	que vs sursoyiez	que vs sursissiez	sursoyez		
je vaudrais	que je vaille	que je valusse	vaux	valant	valu,
	que tu vailles	qu'il valût			value
ns vaudrions	que ns valions	que ns valussions	valons		
	qu'ils vaillent	qu'ils valussent	(peu usité)		
je verrais	que je voie	qu'il vît	vois	voyant	vu,
ns verrions	que ns voyions	que ns vissions	voyons		vue
ils verraient	qu'ils voient	qu'ils vissent			
je voudrais	que je veuille	que je voulusse	veuille	voulant	voulu,
	qu'il veuille	qu'il voulût	veuillez		voulue
ns voudrions	que ns voulions	que ns voulussions	(autres		
	qu'ils veuillent	qu'ils voulussent	formes		
			inusitées)		

Verbes en -re

Infinitif	Indicatif			
Présent	Présent	Imparfait	Passé simple	Futur simple
battre	je bats il bat ns battons	je battais ns battions	je battis il battit ns battîmes	je battrai ns battrons
boire	je bois, il boit ns buvons	je buvais ns buvions	je bus ns bûmes	je boirai ns boirons
conclure	je conclus il conclut ns concluons	je concluais ns concluions	je conclus il conclut ns conclûmes	je conclurai ns conclurons
conduire	je conduis ns conduisons	je conduisais ns conduisions	je conduisis ns conduisîmes	je conduirai ns conduirons
confire	je confis ns confisons	je confisais ns confisions	je confis ns confîmes	je confirai ns confirons
connaître	je connais ns connaissons	je connaissais ns connaissions	je connus ns connûmes	je connaîtrai ns connaîtrons
coudre	je couds, il coud ns cousons	je cousais ns cousions	je cousis ns cousîmes	je coudrai ns coudrons
craindre	je crains il craint ns craignons	je craignais ns craignions	je craignis il craignit ns craignîmes	je craindrai ns craindrons
croire	je crois elle croit ns croyons	je croyais ns croyions	je crus il crut ns crûmes	je croirai ns croirons
croître	je croîs tu croîs il croît ns croissons	je croissais ns croissions	je crûs tu crûs il crût ns crûmes	je croîtrai ns croîtrons
cuire	je cuis, il cuit ns cuisons	je cuisais ns cuisions	je cuisis ns cuisîmes	je cuirai ns cuirons
dire	je dis elle dit ns disons vs dites	je disais ns disions vs disiez	je dis il dit ns dîmes vs dîtes	je dirai ns dirons
écrire	j' écris il écrit ns écrivons	j' écrivais ns écrivions	j' écrivis il écrivit ns écrivîmes	j' écrirai ns écrirons
faire	je fais ns faisons vs faites elles font	je faisais ns faisions	je fis ns fîmes vs fîtes ils firent	je ferai ns ferons
lire	je lis il lit ns lisons	je lisais ns lisions	je lus il lut ns lûmes	je lirai ns lirons

Conditionnel	Subjonctif		Impératif	Participe	
Présent	Présent	Imparfait	Présent	Présent	Passé
je battrais ns battrions	que je batte qu'il batte que ns battions	que je battisse qu'il battît que ns battissions	bats battons	battant	battu, battue
je boirais ns boirions	que je boive que ns buvions	qu'il bût que ns bussions	bois buvons	buvant	bu, bue
je conclurais ns conclurions	que je conclue qu'il conclue que ns concluions	que je conclusse qu'il conclût que ns conclussions	conclus concluons	concluant	conclu, conclue
je conduirais ns conduirions	que je conduise que ns conduisions	qu'il conduisît que ns conduisissions	conduis conduisons	conduisant	conduit, conduite
je confirais ns confirions	que je confise que ns confisions	qu'il confît que ns confissions	confis confisons	confisant	confit, confite
je connaîtrais ns connaîtrions	que je connaisse que ns connaissions	qu'il connût que ns connussions	connais connaissons	connaissant	connu, connue
je coudrais ns coudrions	que je couse que ns cousions	qu'il cousît que ns cousissions	couds cousons	cousant	cousu, cousue
je craindrais ns craindrions	que je craigne qu'il craigne que ns craignions	que je craignisse qu'il craignît que ns craignissions	crains craignons	craignant	craint, crainte
je croirais ns croirions	que je croie qu'il croie que ns croyions	que je crusse qu'il crût que ns crussions	crois croyons	croyant	cru, crue
je croîtrais ns croîtrions	que je croisse que tu croisses qu'il croisse que ns croissions	que je crûsse que tu crûsses qu'il crût que ns crûssions	croîs croissons	croissant	crû crue crus crues
je cuirais ns cuirions	que je cuise que ns cuisions	qu'il cuisît que ns cuisissions	cuis cuisons	cuisant	cuit, cuite
je dirais ns dirions	que je dise qu'il dise que ns disions que vs disiez	que je disse qu'il dît que ns dissions que vs dissiez	dis disons dites	disant	dit, dite
j' écrirais ns écririons	que j' écrive qu'il écrive que ns écrivions	que j' écrivisse qu'il écrivît que ns écrivissions	écris écrivons	écrivant	écrit, écrite
je ferais ns ferions	que je fasse que ns fassions que vs fassiez qu'ils fassent	qu'il fît que ns fissions que vs fissiez qu'ils fissent	fais faisons faites	faisant	fait, faite
je lirais ns lirions	que je lise qu'il lise que ns lisions	que je lusse qu'il lût que ns lussions	lis lisons	lisant	lu, lue

Verbes en -re

Infinitif	Indicatif			
Présent	Présent	Imparfait	Passé simple	Futur simple
maudire	je maudis elle maudit ns maudissons	je maudissais ns maudissions	je maudis il maudit ns maudîmes	je maudirai ns maudirons
médire	je médis vs médisez	je médisais vs médisiez	je médis vs médîtes	je médirai vs médirez
mettre	je mets il met ns mettons	je mettais ns mettions	je mis il mit ns mîmes	je mettrai ns mettrons
moudre	je mouds il moud ns moulons	je moulais ns moulions	je moulus il moulut ns moulûmes	je moudrai ns moudrons
naître	je nais elle naît ns naissons	je naissais ns naissions	je naquis il naquit ns naquîmes	je naîtrai ns naîtrons
nuire	je nuis ns nuisons	je nuisais ns nuisions	je nuisis ns nuisîmes	je nuirai ns nuirons
plaire	je plais il plaît ns plaisons	je plaisais ns plaisions	je plus il plut ns plûmes	je plairai ns plairons
prendre	je prends elle prend ns prenons ils prennent	je prenais ns prenions	je pris il prit ns prîmes	je prendrai ns prendrons
rendre	je rends ns rendons	je rendais ns rendions	je rendis ns rendîmes	je rendrai ns rendrons
résoudre	je résous ns résolvons	je résolvais ns résolvions	je résolus ns résolûmes	je résoudrai ns résoudrons
rire	je ris ns rions	je riais ns riions	je ris ns rîmes	je rirai ns rirons
rompre	je romps il rompt ns rompons	je rompais ns rompions	je rompis il rompit ns rompîmes	je romprai ns romprons
suffire	je suffis ns suffisons	je suffisais ns suffisions	je suffis ns suffîmes	je suffirai ns suffirons
suivre	je suis ns suivons	je suivais ns suivions	je suivis ns suivîmes	je suivrai ns suivrons
taire	je tais ns taisons	je taisais ns taisions	je tus ns tûmes	je tairai ns tairons
vaincre	je vaincs elle vainc ns vainquons	je vainquais ns vainquions	je vainquis il vainquit ns vainquîmes	je vaincrai ns vaincrons
vivre	je vis il vit ns vivons	je vivais ns vivions	je vécus il vécut ns vécûmes	je vivrai ns vivrons

Conditionnel	Subjonctif		Impératif	Participe	
Présent	Présent	Imparfait	Présent	Présent	Passé
je maudirais ns maudirions	que je maudisse qu'il maudisse que ns maudissions	que je maudisse qu'il maudît que ns maudissions	maudis maudissons maudissez	maudissant	maudit, maudite
je médirais vs médiriez	que je médise que vs médisiez	qu'il médît que vs médissiez	médis médisez	médisant	médit
je mettrais ns mettrions	que je mette qu'il mette que ns mettions	que je misse qu'il mît que ns missions	mets mettons mettez	mettant	mis, mise
je moudrais ns moudrions	que je moule qu'il moule que ns moulions	que je moulusse qu'il moulût que ns moulussions	mouds moulons moulez	moulant	moulu, moulue
je naîtrais ns naîtrions	que je naisse qu'il naisse que ns naissions	que je naquisse qu'il naquît que ns naquissions	nais, naissons naissez (peu usité)	naissant	né, née
je nuirais ns nuirions	que je nuise que ns nuisions	qu'il nuisît que ns nuisissions	nuis, nuisons nuisez	nuisant	nui
je plairais ns plairions	que je plaise qu'il plaise que ns plaisions	que je plusse qu'il plût que ns plussions	plais plaisons	plaisant	plu
je prendrais ns prendrions	que je prenne qu'il prenne que ns prenions	que je prisse qu'il prît que ns prissions	prends prenons prenez	prenant	pris, prise
je rendrais ns rendrions	que je rende que ns rendions	qu'il rendît que ns rendissions	rends rendons	rendant	rendu, rendue
je résoudrais ns résoudrions	que je résolve que ns résolvions	qu'il résolût que ns résolussions	résous résolvons	résolvant	résolu, résolue
je rirais ns ririons	que je rie que ns riions	qu'il rît que ns rissions	ris rions	riant	ri
je romprais ns romprions	que je rompe qu'il rompe que ns rompions	que je rompisse qu'il rompît que ns rompissions	romps rompons	rompant	rompu, rompue
je suffirais ns suffirions	que je suffise que ns suffisions	qu'il suffît que ns suffissions	suffis suffisons	suffisant	suffi
je suivrais ns suivrions	que je suive que ns suivions	qu'il suivît que ns suivissions	suis suivons	suivant	suivi, suivie
je tairais ns tairions	que je taise que ns taisions	qu'il tût que ns tussions	tais taisons	taisant	tu, tue
je vaincrais ns vaincrions	que je vainque qu'il vainque que ns vainquions	que je vainquisse qu'il vainquît que ns vainquissions	vaincs vainquons	vainquant	vaincu, vaincue
je vivrais ns vivrions	que je vive qu'il vive que ns vivions	que je vécusse qu'il vécût que ns vécussions	vis vivons	vivant	vécu, vécue

Verbes défectifs

Les verbes défectifs sont des verbes auxquels certains temps ou certaines personnes font défaut. Les verbes défectifs sortent peu à peu de l'usage.

Infinitif	Indicatif			
Présent	Présent	Imparfait	Passé simple	Futur
absoudre	j' absous ns absolvons	j' absolvais ns absolvions		j' absoudrai ns absoudrons
advenir[1]	il advient ils adviennent	il advenait ils advenaient	il advint ils advinrent	il adviendra ils adviendront
braire[1]	il brait ils braient	il brayait ils brayaient *(rare)*		il braira ils brairont
bruire[1]	il bruit ils bruissent	il bruissait ils bruissaient		
clore	je clos tu clos il clôt	*(inusité)*	*(inusité)*	je clorai, tu ... *(rare)*
déchoir	je déchois ns déchoyons ils déchoient		je déchus ns déchûmes	je déchoirai ou je décherrai *(rare)*
échoir[1]	il échoit ils échoient	il échoyait *(rare)*	il échut ils échurent	il échoira il écherra *(rare)*
faillir	*(inusité)*	*(inusité)*	je faillis ns faillîmes	je faillirai ns faillirons
falloir[2]	il faut	il fallait	il fallut	il faudra
frire[3]	je fris, tu fris il frit			je frirai *(rare)*
gésir	je gis il gît ns gisons vs gisez	je gisais ns gisions		
neiger[2]	il neige	il neigeait	il neigea	il neigera
paître[4]	je pais ns paissons	je paissais ns paissions		je paîtrai ns paîtrons
pleuvoir[2]	il pleut	il pleuvait	il plut	il pleuvra
résulter[1]	il résulte ils résultent	il résultait ils résultaient	il résulta ils résultèrent	il résultera ils résulteront
traire	je trais ns trayons ils traient	je trayais ns trayions ils trayaient	*(inusité)*	je trairai ns trairons
seoir	il sied ils siéent	il seyait ils seyaient		il siéra ils siéront

1. À l'infinitif et aux troisièmes personnes seulement. — 2. Verbe impersonnel. À l'infinitif et à la 3e personne du singulier seulement.

Conditionnel	Subjonctif		Impératif	Participe	
Présent	Présent	Imparfait	Présent	Présent	Passé
j' absoudrais ns absoudrions	que j' absolve que ns absolvions		absous absolvez	absolvant	absous, absoute
il adviendrait ils adviendraient	qu'il advienne qu'ils adviennent	qu'il advînt qu'ils advinssent		advenant	advenu, advenue
il brairait ils brairaient				brayant	brait
	qu'il bruisse qu'ils bruissent			bruissant	
je clorais, tu ... (rare)	que je close		clos	closant (rare)	clos, close
je déchoirais ou je décherrais (rare)	que je déchoie que ns déchoyions	qu'il déchût que ns déchussions	déchois déchoyons		déchu, déchue
il échoirait il écherrait (rare)	qu'il échoie	qu'il échût		échéant	échu, échue
je faillirais ns faillirions	(inusité)	qu'il faillît que ns faillissions			failli
il faudrait	qu'il faille	qu'il fallût			fallu
je frirais (rare)			fris (rare)		fri, frite
				gisant	
il neigerait	qu'il neige	qu'il neigeât		neigeant	neigé
je paîtrais ns paîtrions	que je paisse que ns paissions		pais paissons	paissant	
il pleuvrait	qu'il pleuve	qu'il plût		pleuvant	plu
il résulterait ils résulteraient	qu'il résulte qu'ils résultent	qu'il résultât qu'ils résultassent		résultant	résulté
je trairais ns trairions	que je traie que ns trayions qu'ils traient	(inusité)	trais trayons trayez	trayant	trait, traite
il siérait ils siéraient	qu'il siée qu'ils siéent			seyant	sis, sise

3. *frire* s'emploie plutôt à l'infinitif précédé du verbe *faire* : *je fais frire, nous faisons frire, je faisais frire...* — **4.** *paître* n'a pas de participe passé, donc pas de temps composés.

Verbes particuliers et verbes difficiles

1. MODÈLES DE CONJUGAISON

(Le verbe en italique sert de modèle et figure dans les tableaux de conjugaison des pages 248 à 257)

abattre	: *battre*	débattre	: *battre*	entendre	: *rendre*	plaindre	: *craindre*
abstraire	: *traire*	décevoir	: *recevoir*	entreprendre	: *prendre*	pondre	: *rendre*
accourir	: *courir*	découdre	: *coudre*	entretenir	: *tenir*	pourfendre	: *rendre*
accueillir	: *cueillir*	découvrir	: *offrir*	entrevoir	: *voir*	poursuivre	: *suivre*
adjoindre	: *craindre*	décrire	: *écrire*	entrouvrir	: *offrir*	prédire	: *médire*
admettre	: *mettre*	dédire	: *médire*	épandre	: *rendre*	pressentir	: *partir*
apercevoir	: *recevoir*	déduire	: *conduire*	équivaloir	: *valoir*	prétendre	: *rendre*
apparaître	: *connaître*	défaillir	: *assaillir*	éteindre	: *craindre*	prévenir	: *venir*
appartenir	: *tenir*	défaire	: *faire*	étendre	: *rendre*	produire	: *conduire*
apprendre	: *prendre*	démentir	: *partir*	étreindre	: *craindre*	promettre	: *mettre*
asservir	: *finir*	démettre	: *mettre*	exclure	: *conclure*	proscrire	: *écrire*
assortir	: *finir*	démordre	: *rendre*	extraire	: *traire*	provenir	: *venir*
astreindre	: *craindre*	départir (se)	: *partir*	feindre	: *craindre*	rabattre	: *battre*
atteindre	: *craindre*	dépeindre	: *craindre*	fendre	: *rendre*	réapparaître	: *connaître*
attendre	: *rendre*	dépendre	: *rendre*	fondre	: *rendre*	reconnaître	: *connaître*
bruiner	: *neiger*	déplaire	: *plaire*	geindre	: *craindre*	reconstruire	: *conduire*
brumer	: *neiger*	désapprendre	: *prendre*	geler	: *neiger*	recoudre	: *coudre*
ceindre	: *craindre*	descendre	: *rendre*	grêler	: *neiger*	recourir	: *courir*
circonscrire	: *écrire*	desservir	: *servir*	impartir	: *finir*	recouvrir	: *offrir*
circonvenir	: *venir*	déteindre	: *craindre*	inscrire	: *écrire*	récrire	: *écrire*
combattre	: *battre*	détendre	: *rendre*	instruire	: *conduire*	recroître	: *croître*
commettre	: *mettre*	détenir	: *tenir*	interdire	: *médire*	recueillir	: *cueillir*
comparaître	: *connaître*	détordre	: *rendre*	interrompre	: *rompre*	recuire	: *cuire*
complaire	: *plaire*	détruire	: *conduire*	intervenir	: *venir*	redescendre	: *rendre*
comprendre	: *prendre*	devenir	: *venir*	introduire	: *conduire*	redevenir	: *venir*
compromettre	: *mettre*	dévêtir	: *vêtir*	investir	: *finir*	redevoir	: *devoir*
concevoir	: *recevoir*	disconvenir	: *venir*	joindre	: *craindre*	redire	: *dire*
concourir	: *courir*	discourir	: *courir*	maintenir	: *tenir*	réduire	: *conduire*
condescendre	: *rendre*	disjoindre	: *craindre*	méconnaître	: *connaître*	refaire	: *faire*
confondre	: *rendre*	disparaître	: *connaître*	mentir	: *partir*	refendre	: *rendre*
conquérir	: *acquérir*	dissoudre	: *absoudre*	mévendre	: *rendre*	refondre	: *rendre*
consentir	: *partir*	distendre	: *rendre*	mordre	: *rendre*	rejoindre	: *craindre*
construire	: *conduire*	distraire	: *traire*	obtenir	: *tenir*	relire	: *lire*
contenir	: *tenir*	éclore	: *clore*	omettre	: *mettre*	remettre	: *mettre*
contraindre	: *craindre*	élire	: *lire*	ouvrir	: *offrir*	remordre	: *rendre*
contredire	: *médire*	émettre	: *mettre*	paraître	: *connaître*	rendormir	: *dormir*
contrefaire	: *faire*	empreindre	: *craindre*	parcourir	: *courir*	renvoyer	: *envoyer*
contrevenir	: *venir*	enceindre	: *craindre*	parvenir	: *venir*	repaître	: *connaître*
convaincre	: *vaincre*	enclore	: *clore*	peindre	: *craindre*	répandre	: *rendre*
convenir	: *venir*	encourir	: *courir*	pendre	: *rendre*	reparaître	: *connaître*
correspondre	: *rendre*	endormir	: *dormir*	percevoir	: *recevoir*	repartir	: *partir*
corrompre	: *rompre*	enduire	: *conduire*	perdre	: *rendre*	répartir	: *finir*
couvrir	: *offrir*	enfreindre	: *craindre*	permettre	: *mettre*	repeindre	: *craindre*

verbe	modèle	verbe	modèle	verbe	modèle	verbe	modèle
repenare	: *renare*	reveur	: *veur*	s'eprendre	: *prendre*	suspendre	: *rendre*
reperdre	: *rendre*	revendre	: *rendre*	se repentir	: *partir*	teindre	: *craindre*
répondre	: *rendre*	revivre	: *vivre*	se ressouvenir	: *venir*	tendre	: *rendre*
reprendre	: *prendre*	revoir	: *voir*	se souvenir	: *venir*	tondre	: *rendre*
reproduire	: *conduire*	rouvrir	: *offrir*	sortir	: *partir*	tonner	: *neiger*
requérir	: *acquérir*	s'abstenir	: *tenir*	souffrir	: *offrir*	tordre	: *rendre*
ressentir	: *partir*	satisfaire	: *faire*	soumettre	: *mettre*	traduire	: *conduire*
resservir	: *servir*	s'ébattre	: *battre*	sourire	: *rire*	transcrire	: *écrire*
ressortir	: *partir*	secourir	: *courir*	souscrire	: *écrire*	transmettre	: *mettre*
ressortir	: *finir*	séduire	: *conduire*	soustraire	: *traire*	transparaître	: *connaître*
(terme judiciaire)		se méprendre	: *prendre*	soutenir	: *tenir*	travestir	: *finir*
restreindre	: *craindre*	se morfondre	: *rendre*	subvenir	: *venir*	tressaillir	: *assaillir*
reteindre	: *craindre*	s'enfuir	: *fuir*	surfaire	: *faire*	vendre	: *rendre*
retendre	: *rendre*	s'enquérir	: *acquérir*	surprendre	: *prendre*	venter	: *neiger*
retenir	: *tenir*	sentir	: *partir*	survenir	: *venir*		
retordre	: *rendre*	s'entremettre	: *mettre*	survivre	: *vivre*		

2. VERBES AYANT DES PARTICULARITÉS PAR RAPPORT À LEUR MODÈLE DE CONJUGAISON

(Le verbe en italique sert de modèle et figure dans les tableaux de conjugaison des pages 248 à 257)

accroître : *croître*, participe **accru**, sans accent.

circoncire : *suffire*, participe **circoncis** en s.

décroître : *croître*, participe **décru**, sans accent.

émouvoir : *mouvoir*, participe **ému**, sans accent.

fleurir : fait **florissait, florissant**, dans le sens de splendeur.

forfaire : *faire*, usité à l'infinitif et aux temps composés.

importer : *neiger*, impersonnel dans le sens de « être • important ».

luire : *conduire*, sauf pour le passé simple (je **luis**, ils luirent).

parfaire : *faire*, usité à l'infinitif et aux temps composés.

promouvoir : *mouvoir*, usité à l'infinitif, aux participes (promouvant, promu) et aux temps composés.

reluire : *luire*

renaître : *naître*, mais pas de participe passé, pas de temps composés.

revaloir : *valoir*, usité au futur, au conditionnel.

saillir : dans le sens de « sortir, jaillir », se conjugue comme *finir*.

saillir : dans le sens de « être en saillie, s'avancer au-dehors, déborder », se conjugue comme *cueillir*. S'emploie à l'infinitif et aux troisièmes personnes seulement (rare).

s'agir : *finir*, impersonnel

s'ensuivre : *suivre*, à l'infinitif et aux 3es personnes de chaque temps.

3. VERBES DÉFECTIFS PEU USITÉS

(Employés seulement aux temps indiqués et dans des formes figées)

accroire : à l'infinitif, dans **en faire accroire à quelqu'un.**

il appert (apparoir) : = il est évident.

bayer : dans **bayer aux corneilles.**

bienvenir : au participe **bienvenu** et à l'infinitif dans **se faire bienvenir.**

chaut (chaloir) : dans **peu me chaut** (= peu m'importe).

choir (tomber) : à l'infinitif, au participe (**chu**) et au futur (**cherra** ou **choira**).

déclore : à l'infinitif

émoulu (émoudre) : au participe dans : être frais **émoulu** du collège.

ester : dans : **ester en justice.**

férir : (frapper) à l'infinitif dans : **sans coup férir** et au participe dans : **être féru de.**

forclore : à l'infinitif et au participe : **forclos** (= avoir perdu ses droits).

mécroire : à l'infinitif.

ouïr : à l'infinitif, dans **ouï-dire** et dans **oyons, oyez.**

poindre : dans **le jour point, poindra.**

quérir : à l'infinitif.

ravoir : à l'infinitif.

sourdre : à l'infinitif et dans **l'eau sourd.**

transir : seulement au présent de l'indicatif, aux temps composés et à l'infinitif.

▶ Révision

791 Écrivez les verbes entre parenthèses aux temps indiqués.

Dès que Ferdinand entendra le bruit des chaînes du fantôme, qu'il (fuir, présent du subjonctif) à toute allure, s'il ne veut pas mourir de peur ! — Les chanteurs (saluer, passé simple) le public debout et puis ils (se taire, passé simple) ; les spectateurs (se retirer, passé simple) un peu déçus que le concert (s'achever, imparfait du subjonctif) si tôt. — Ne (rire, présent de l'impératif) pas ainsi, vous (distraire, présent de l'indicatif) vos compagnes. (D. ROLIN) — Soit qu'il (falloir, subjonctif présent) régner, soit qu'il (falloir, subjonctif présent) périr, au tombeau comme au trône, on me (voir, futur simple) courir. (CORNEILLE) — Le plancher sur lequel je (gésir, présent de l'indicatif) vient de décrire une embardée terrible. (F. DARD) — Il (vouloir, plus-que-parfait de l'indicatif) un chat pour se distraire et le matou passait des journées entières sur le lit. (J. MITTERRAND) — Cent fois, ils (croire, plus-que-parfait de l'indicatif) qu'ils rouleraient à la mer. (R. VERCEL) — Mes yeux (savoir, futur simple) le voir sans verser une larme. (CORNEILLE) — Godefroid (s'enquérir, passé simple) si la maison était habitée par des gens tranquilles. (BALZAC) — Elle (appeler, conditionnel présent) Luis et elle (trouver, conditionnel présent) des mots pour le convaincre. (P. GAMARRA)

792 Écrivez les verbes au temps qui convient.
Indiquez ce temps entre parenthèses.

Je ferais les rues ni trop larges ni trop droites, mais je les (tracer) suivant une perspective harmonieuse et prudente, qui (mettre) en vue et en pleine lumière les angles des palais, l'arrière-plan d'une église, d'un mur, d'une place. (C. MALAPARTE) — Taisez-vous, mes enfants, que je (voir) clair. (G. DUHAMEL) — Eh bien, insista Zadig, permettez que je (plaider) votre cause devant le juge. (VOLTAIRE) — Parce que vous êtes un grand seigneur, vous (se croire) un grand génie. (BEAUMARCHAIS) — Le rossignol, bien qu'il ne (connaître) pas le ton, ni le rythme et que l'on ne (pouvoir) point écrire ce qu'il (chanter), moduler sa berceuse… car il ne chante qu'à la saison des nids. (J. DE PESQUIDOUX) — Pour qu'il les (connaître) et (s'attacher) plus vite à eux, les maîtres laissèrent dormir Miraut sur le coussin de la salle à manger. (L. PERGAUD) — Nous vécûmes ainsi sans qu'il (survenir) aucun changement dans la maison. (LAMARTINE)

793 Écrivez les verbes au temps composé qui convient.
Indiquez ce temps entre parenthèses.

Je n'avais que quelques années quand j'(voir) naître une usine toute neuve. (A. STIL) — Elle m'a serrée contre elle. Elle essayait de me consoler avec de bonnes paroles mais je voyais bien qu'elle (décider) tout. (J.M.G. LE CLÉZIO) — L'auto démarra à grand bruit. Olympe la suivit du regard jusqu'à ce qu'elle (tourner) le coin de la rue. (D. ROLIN) — Dès qu'elle (vider) son écuelle et (boire) l'eau à la gourde, Louise se blottit contre les jambes de son père. (B. CLAVEL) — J'avais pris aux poètes, dès le collège, un goût que j'(garder) heureusement. (A. FRANCE) — Une vieille dame s'approcha de moi sans que j'(entendre) la porte s'ouvrir. (P. LOTI) — Quand Bouboule (s'installer) sur la banquette rembourrée, le père Tabuze poussa un long soupir. (H. TROYAT)

Vocabulaire

Les homonymes

RÈGLE

1. Les homonymes sont des mots qui ont la même prononciation mais qui ont le plus souvent une orthographe différente. Il faut donc chercher le sens de la phrase pour écrire le mot correctement :

Continuez ainsi, vous êtes sur la bonne voie.
Le chanteur fait une mise en voix avant son récital.

2. Lorsque des homonymes ont la même orthographe, on les appelle des *homographes* :

une raie (une ligne) — *une raie* (un poisson) — *je raie* (verbe *rayer*).

EXERCICES

794 **Complétez par un de ces mots :** une raie, une raie, raie (il/elle), un rai, un rets.

Le diamant ... le verre. — Je portais donc des chaussettes à ... . (A. GIDE) — En riant, les mousses triaient à la volée, les espèces par tas distincts, les luxueux turbots, les ...visqueuses aux piqûres sournoises. (P. HAMP) — Le soleil lança un ..., puis deux et, glorieux d'apparaître, monta derrière une crête d'ajoncs. (L. WEISS) — Cependant il advint qu'au sortir des forêts ce lion fut pris dans des ... . (LA FONTAINE)

795 **Cherchez dans un dictionnaire le sens de ces mots et employez-les dans une courte phrase.**

ancre, encre — balai, ballet — faix, fait — pousse, pouce — forêt, foret — palais, palet — écho, écot — houx, houe — brocard, brocart.

796 **Écrivez tous les homonymes possibles de ces mots et employez-les dans de courtes phrases.**

mai	l'amende	le pain	quand	tant	la joue
le verre	le cou	la cour	le conte	la main	le signe
cher	le lait	le flan	la mort	le cœur	la boue
le cor	la paire	le poids	le seau	le vice	le coin
le chant	la tante	la date	le chêne	la faim	vingt

797 **Employez ces homonymes dans de courtes phrases.**

censé, sensé — chat, chas — cession, session — balade, ballade

798 **Employez les formes verbales homonymes dans des phrases.**

Ex. : vaincre → Il vainc son appréhension. — venir → Il vint à ma rencontre.

dorer	partir	serrer	lier	peindre
dormir	parer	servir	lire	peigner

799 **Complétez par un de ces mots** : tain, thym, teint, tint, tînt, teint ;
repère, repaire.

M. Delarue a des cheveux blancs, par coquetterie, il les … en noir. — Le …
parfume les garrigues du sud de la France. — L'espion observe ses ennemis derrière une glace sans … . — Je ne voudrais pas que l'on … des propos désobli-
geants sur mes amis. — Ce tissu grand … résiste au lavage, il conservera ses
couleurs. — Après avoir installé son ordinateur, Pierre … à nous faire une
démonstration. — Perdu dans les alpages, Valérian cherche en vain des points
de … . — Le bateau pirate a regagné son … dans une île de la mer des Caraïbes.

800 **Complétez par un de ces mots** : dessein, dessin ; alêne, haleine ;
héros, héraut ; lice, lys.

Les enfants de l'école maternelle ont exposé leurs … . — J'ai choisi à … une
voiture avec une boîte de vitesses automatique. — Utilisez ce dentifrice men-
tholé et vous aurez toujours l'… fraîche. — Autrefois, les cordonniers
maniaient l'… avec dextérité. — Les vainqueurs de la Coupe de France ont été
accueillis en … par une foule en délire. — Le … annonce le début du tournoi ;
les chevaliers vont s'affronter. — C'est le moment tant attendu : le matador
entre en … . — La fleur de … était l'emblème de la royauté française.

801 **Complétez par un de ces mots** : sein, seing ; peine, pêne, penne ;
haie, ait, est.

Nourri au …, l'enfant est généralement prémuni contre les maladies infantiles.
— M. Héron a signé un bail sous … privé lorsqu'il a emménagé. — Le … de
la serrure est bloqué ; Jérémie ne peut pas rentrer. — Ta décision de renoncer à
m'accompagner m'a fait beaucoup de … mais je la comprends. — Robin des
Bois portait toujours une … de faisan à son chapeau. — Pour entrer à
l'Université, il faut que Romain … son baccalauréat. — Le roquefort … une
spécialité des Causses et le régal des amateurs de fromages. — À l'approche de
la dernière …, le cheval se cabra et refusa d'avancer.

802 **Complétez par un de ces mots** : jean, djinn ; cal, cale ; crêt, craie ;
mas, mât.

Le … de la Neige est le point culminant du Jura. — Les fillettes tracent une
marelle à la … sur le sol de la cour. — Le navigateur a cassé son … ; il rentre
au port comme il peut ! — Monsieur Ravat s'est retiré dans un … provençal
pour peindre à loisir. — Pour être plus à l'aise, Marie-Charlotte porte un … et
un tee-shirt. — En un instant, le … ramène Aladin au marché de Bagdad. —
Pour équilibrer l'armoire, Monsieur Avakian place une … sous le socle. — Les
karatékas ont le tranchant des mains couvert de … .

803 Vocabulaire à retenir

un verre de lait — un ver de terre — vers la sortie — le tapis vert
la cour du collège — le cours d'anglais — le court de tennis — il court vite

Noms homonymes de genres différents

RÈGLE

Certains homonymes ont des genres différents. Selon que l'on a affaire au nom masculin ou au nom féminin, le sens ne sera pas le même :
Le manche de la casserole se démonte. (le manche : la queue).
Il a fait un trou à sa manche (la manche : la partie de vêtement).

noms masculins	noms féminins
aide : celui qui aide, qui prête son concours à un autre.	**aide :** 1. celle qui aide. 2. action d'aider. 3. secours ou subside accordé aux personnes démunies.
cache : feuille ou autre objet servant à cacher la lecture d'une information.	**cache :** lieu où l'on peut cacher quelque chose, se cacher.
carpe : ensemble des os du poignet.	**carpe :** poisson d'eau douce.
cartouche : 1. ornement sculpté. 2. encadrement.	**cartouche :** étui contenant la charge d'une arme à feu ou un produit qui nécessite une protection.
crêpe : 1. tissu de soie brute ou de laine très fine. 2. étoffe de deuil.	**crêpe :** fine galette plate et ronde.
critique : celui qui juge une œuvre.	**critique :** art de juger une œuvre.
enseigne : officier chargé de porter le drapeau → *enseigne de vaisseau* : officier de marine.	**enseigne :** 1. drapeau. 2. emblème placé en façade d'un établissement commercial.
garde : 1. celui qui garde, qui surveille → *un garde forestier*. 2. soldat d'une garde.	**garde :** 1. action de surveiller, de protéger, d'interdire l'accès. 2. celle qui garde. 3. groupe de soldats.
gîte : 1. lieu où l'on habite, où l'on couche → *un gîte rural*. 2. lieu où se retire un animal. 3. morceau de viande de bœuf.	**gîte :** inclinaison d'un navire sur le côté.
greffe : lieu où sont conservés les archives des tribunaux, les minutes des jugements, les actes des procédures.	**greffe :** 1. œil, branche ou bourgeon détaché d'une plante pour être inséré sur une autre. 2. en chirurgie, transplantation d'un tissu, d'un organe.
livre : assemblage de feuilles formant un volume broché ou relié.	**livre :** 1. unité de masse (poids) valant un demi-kilogramme → *une livre de cerises*. 2. unité monétaire → *la livre sterling* (monnaie du Royaume-Uni).
manche : 1. partie d'un instrument, d'un outil par lequel on le tient. 2. partie allongée d'instrument de musique.	**manche :** 1. partie du vêtement qui recouvre le bras. 2. partie d'un jeu, d'une compétition.

manœuvre : ouvrier sans qualification particulière.

mémoire : dissertation sur un sujet d'étude, relation écrite d'événements.

mode :1. forme, procédé → *un mode de vie*. 2. catégorie grammaticale → *le mode subjonctif*. 3. en musique, système d'organisation des sons, des gammes → *le mode mineur*.

moule : modèle creux destiné à donner une forme à une matière.

mousse : jeune apprenti marin.

ombre : poisson salmonidé (genre de saumon).

page : jeune noble au service d'un seigneur ou d'un souverain.

parallèle :1. cercle fictif de la sphère terrestre parallèle au plan de l'équateur → *le 37ᵉ parallèle*. 2. comparaison.

pendule : corps mobile autour d'un point fixe à oscillations régulières.

physique : apparence, aspect extérieur d'une personne.

poêle : appareil de chauffage.

politique : personne qui s'applique à la connaissance des affaires publiques et du gouvernement des États.

poste : 1. fonction à laquelle on est nommé. 2. lieu où on l'exerce. 3. appareil de radio, de télévision...

pupille :1. enfant mineur sous l'autorité d'un tuteur. 2. enfant orphelin dont l'éducation est assurée par une collectivité.

solde : 1. terme de comptabilité. 2. *soldes :* marchandises vendues au rabais.

somme : petit moment de sommeil.

tour :1. mouvement circulaire. 2. parcours. 3. action malicieuse, farce. 4. machine-outil.

manœuvre :1. action ou opération. 2. exercice militaire. 3. intrigue.

mémoire :1. faculté mentale. 2. souvenir.

mode :1. manière de vivre, de penser, usages propres à une région, à un groupe social. 2. tendance vestimentaire, manière de s'habiller adoptée par un groupe social.

moule : mollusque marin bivalve de forme oblongue.

mousse :1. plante. 2. écume, produit moussant. 3. en cuisine : sorte de pâté ; crème → *mousse au chocolat*.

ombre : 1. obscurité. 2. image, silhouette sombre. 3. fantôme, apparence.

page :1. côté d'un feuillet de papier. 2. texte écrit, imprimé sur une page.

parallèle : ligne droite ou courbe, ou surface, dont tous les points sont également distants d'une autre ligne, d'une autre surface.

pendule : horloge d'intérieur.

physique : science qui a pour objet l'étude des propriétés de la matière et des lois qui la régissent.

poêle : ustensile de cuisine.

politique : art de gouverner un État, de conduire des affaires publiques.

poste : bureau ouvert au public, où l'on va expédier ou retirer du courrier.

pupille :1. enfant mineure sous l'autorité d'un tuteur. 2. enfant orpheline. 3. orifice circulaire au centre de l'iris de l'œil.

solde : paie des militaires et de certains fonctionnaires.

somme :1. résultat d'une addition. 2. quantité d'argent.

tour :1. bâtiment élevé. 2. pièce de jeu d'échecs.

vapeur : bateau mû par la vapeur.	**vapeur :** nuage, exhalaison gazeuse.
vase : récipient.	**vase :** dépôt de terre et de matières organiques au fond des eaux calmes.
voile : 1. pièce d'étoffe destinée à couvrir, à protéger ou à cacher un objet ou une partie du corps. 2. tissu fin et léger.	**voile :** 1. toile résistante attachée aux vergues d'un navire. 2. un voilier. 3. pratique de la navigation à la voile.

EXERCICES

804 **Employez successivement ces noms au masculin et au féminin. Précisez le sens à l'aide d'un complément.**

Ex. : le mousse du chalutier — la mousse du champagne

mode	livre	page	manche	poêle	enseigne
crêpe	tour	voile	pendule	vase	mémoire

805 **Employez ces noms avec un adjectif qualificatif.**

la greffe	une ombre	une pupille	la manœuvre	la garde
une aide	un somme	la poste	un physique	une cache

806 **Employez le nom homonyme de l'autre genre dans de courtes phrases.**

un cartouche   la vapeur   la solde   le carpe   un foudre   le moule

807 **Complétez avec l'article qui convient.**
Les employés de l'hôtel se chargent de … garde des bagages. — Autrefois, … garde champêtre surveillait les voleurs de pommes ! — Mère Suzette donne une tape à la queue de … poêle et fait sauter … crêpe. — M. Fourrier occupe … poste stratégique au sein de cette entreprise. — Attendez-moi un instant devant … poste, j'ai besoin d'acheter des timbres. — … critique est aisée et l'art est difficile. (Destouches)

808 **Complétez avec l'article qui convient.**
Prisonnière dans … tour du château, la princesse espère la venue du prince charmant. — Ghislain a fait … tour du quartier sans trouver une seule boulangerie ouverte. — Rapporte-moi … livre de beurre salé ! — … livre fut, et reste, un formidable moyen de s'instruire.

809 **Complétez avec l'article qui convient.**
Intimidé, … page dévore la reine des yeux. — On dit toujours que les romanciers ont l'angoisse de … page blanche. — Denis a mal équilibré son bateau, … gîte est importante. — Les lois de l'hospitalité veulent que l'on offre … gîte et le couvert à celui qui frappe à votre porte. — … voile fut créée pour suppléer la rame, libérer l'homme de sa tâche épuisante de moteur marin. (R. Vercel) — … voile des ténèbres s'efface et tombe. (J.-J. Rousseau)

Les paronymes

RÈGLE

Les paronymes sont des mots qui présentent une ressemblance plus ou moins grande par leur forme et leur prononciation. Ils ont parfois la même étymologie. Il ne faut pas employer l'un pour l'autre :

Le fossile *affleurait* à la surface de la terre retournée.
Le toréador sentit la corne du taureau *effleurer* sa hanche.
Le conducteur évita de *justesse* la collision ; il eut un réflexe étonnant.
Il faut lui rendre cette *justice* : jamais il n'a médit de ses camarades.

Quelques paronymes

acceptation : action d'accepter.
acception : égard, préférence ; sens qu'on donne à un mot.

affleurer : mettre de niveau deux choses contiguës, être au niveau de.
effleurer : toucher, examiner légèrement.

allocation : action d'allouer une somme, une indemnité ; la somme elle-même.
allocution : discours de peu d'étendue.

allusion : mot, phrase qui fait penser à une chose, à une personne sans qu'on en parle.
illusion : erreur des sens ou de l'esprit qui fait prendre l'apparence pour la réalité.

anoblir : donner un titre de noblesse.
ennoblir : donner de la noblesse morale, de la dignité.

amnistie : pardon collectif accordé par le pouvoir législatif.
armistice : suspension des hostilités.

astrologue : personne qui étudie l'influence des astres sur le comportement et le destin de l'homme.
astronome : savant qui étudie les mouvements, la constitution des astres et la structure de l'Univers.

avènement : venue, arrivée, élévation à une dignité suprême.
événement : issue, fait, incident remarquable.

collision : choc, affrontement.
collusion : entente secrète entre deux parties ou deux personnes pour tromper un tiers.

colorer : donner de la couleur *(le soleil colore les fruits)* ; présenter sous un jour favorable *(colorer un mensonge, une injure)*.
colorier : appliquer des couleurs sur un objet *(colorier une carte, un dessin)*.

conjecture : supposition, opinion établie sur des probabilités *(faire des conjectures, se livrer aux conjectures, se perdre en conjectures)*.
conjoncture : concours de circonstances, occasion.

consommer : détruire par l'usage, achever, accomplir *(consommer du pain, un sacrifice)*.
consumer : détruire purement et simplement, faire dépérir *(l'incendie consume la forêt)*.

déchirure : rupture faite en déchirant.
déchirement : action de déchirer, grand chagrin, discorde.

écharde : petit corps qui est entré dans la chair.
écharpe : bande d'étoffe qui se porte sur les épaules ou à la ceinture.

éclaircir : rendre clair *(éclaircir la voix, une sauce, une forêt ; éclaircir un fait, une question, un mystère, un texte)*.

éclairer : répandre de la lumière sur *(le lampadaire éclaire la rue ; éclairer la conscience, la raison).*

effraction : fracture des clôtures d'un lieu habité.

infraction : violation d'une loi, d'un ordre, d'un traité ; action d'enfreindre.

éminent : qui s'élève ; qui est plus haut que le reste *(un lieu éminent, un homme éminent).*

imminent : qui menace ; très prochain *(un péril imminent, un départ imminent).*

éruption : sortie instantanée et violente *(éruption volcanique, éruption de dents, de boutons).*

irruption : entrée soudaine d'ennemis dans un pays, de gens dans un lieu ; débordement des eaux *(l'irruption des barbares, de la foule, de l'océan).*

gradation : accroissement ou décroissement progressif *(la gradation des difficultés).*

graduation : action de graduer, état de ce qui est gradué *(la graduation d'un thermomètre).*

habileté : qualité de celui qui est habile.

habilité : qualité qui rend apte à...

inanité : état de ce qui est inutile et vain.

inanition : épuisement par défaut d'absorption de nourriture.

inclinaison : état de ce qui est incliné *(l'inclinaison d'un toit, d'un terrain).*

inclination : action de pencher la tête ou le corps en signe d'acquiescement ou de respect ; affection.

inculper : accuser quelqu'un d'une faute.

inculquer : faire entrer une chose dans l'esprit de quelqu'un.

infecter : gâter, corrompre, contaminer.

infester : ravager, tourmenter par des brigandages ; se dit des animaux nuisibles qui abondent en un lieu.

justesse : qualité de ce qui est approprié, juste, exact *(la justesse d'un assemblage, d'un raisonnement, d'une remarque).*

justice : bon droit.

papillonner : voltiger, passer d'objet en objet comme un papillon.

papilloter : se dit d'un mouvement continuel des yeux qui les empêche de se fixer.

percepteur : fonctionnaire qui perçoit les impôts directs.

précepteur : personne qui enseigne à un enfant qui ne fréquente pas une école.

prescription : précepte, ordre formel *(les prescriptions du médecin, de la loi).*

proscription : mesure violente contre les personnes, condamnation, bannissement ; abolition *(proscription d'un usage).*

prolongation : accroissement dans le temps *(prolongation d'un match, d'un congé).*

prolongement : accroissement dans l'espace *(prolongement d'un mur, d'un chemin).*

raisonner : faire usage de sa raison.

résonner : renvoyer le son, retentir.

recouvrer : rentrer en possession de ce qu'on a perdu *(recouvrer la vue).*

recouvrir : couvrir de nouveau.

souscription : engagement pris par écrit ou par simple signature.

suscription : adresse écrite sur l'extérieur d'un pli.

suggestion : action sur l'esprit pour imposer une pensée.

sujétion : domination qui subjugue ; état de celui qui est sujet d'un chef *(mettre sous sa sujétion ; tenir en sujétion).*

tendresse : sentiment d'amour, d'amitié, témoignage d'affection.

tendreté : qualité de ce qui est tendre en parlant des viandes des légumes.

EXERCICES

Utilisez votre dictionnaire

810 Cherchez un paronyme de chacun de ces mots et employez-le dans une phrase pour en préciser le sens.

l'évasion	l'excursion	apurer	une stalactite	une pédale
épancher	l'affluence	précéder	différent	l'excès

811 Cherchez le sens de ces paronymes dans un dictionnaire et employez chacun d'eux dans une phrase.

affilé	l'incident	la lagune	l'assertion	le risque
effilé	l'accident	la lacune	l'insertion	la rixe
égaler	contester	enduire	vénéneux	émerger
égaliser	constater	induire	venimeux	immerger

812 Complétez par un de ces mots : prolongement, prolongation – prescription, proscription – justesse, justice.

la ... de Saint Louis   la ... d'une permission   la ... d'un médicament
la ... d'une observation   le ... d'une avenue   la ... d'un usage

813 Complétez par un de ces mots : cimeterre, cimetière – ennoblir, anoblir – consommer, consumer.

Le chanteur Elton John et les Beatles ont été ... par la reine d'Angleterre. — Le sauvetage du navigateur solitaire par l'un de ses concurrents ... cette confrontation sportive. — Les Américains ... beaucoup trop de boissons gazeuses et sucrées. — Le facteur Cheval ... sa vie à construire un château fantastique édifié avec les pierres qu'il ramassait chaque jour au long de sa tournée. — Les guerriers cosaques serraient leur ... sur leur riche pelisse. (E.-M. DE VOGÜÉ) — Il y avait beaucoup de monde au ... . Les uns venaient pour les morts, les bras chargés de fleurs. Les autres venaient pour les vivants. (D. ROLIN)

814 Complétez par un de ces mots : conjoncture, conjecture – colorier, colorer – déchirure, déchirement.

Lorsque son père partit travailler au Niger, la séparation fut pour Marie un ... . — Le navigateur est inquiet ; la ... de la voile est importante. — Dans la ... présente, il est difficile de dire quels seront les métiers de demain. — Les journalistes se perdent en ... ; la vedette a disparu et nul ne sait où elle est partie en vacances ! — Mme Raoul rêve d'un soleil qui ... le couchant au bord d'une plage tropicale. — Nous avions le droit de puiser à notre guise dans la bibliothèque, de dessiner et de ... des oiseaux, des paysages. (J. CRESSOT)

815 Vocabulaire à retenir

la collision — la collusion — l'amnistie — l'armistice
l'allocation — l'allocation — l'effraction — l'infraction
infecter — infester — l'éruption — l'irruption

Le verbe et la préposition

RÈGLE

1. Certains verbes se construisent indifféremment avec à ou de devant un infinitif complément. Il n'y a aucune nuance de sens entre *commencer à* et *commmencer de, continuer à* et *continuer de, contraindre à* et *contraindre de, forcer à* et *forcer de, obliger à* et *obliger de* :

> *Le bois continue à brûler.* ou *Le bois continue de brûler.*

En revanche, certains verbes se construisent avec à ou de devant l'infinitif complément quand ils veulent marquer un sens différent :

> *Il s'occupe à ranger ses vêtements.*
> *s'occuper à* : c'est travailler matériellement à une chose.

> *Il s'occupe d'écrire un roman.*
> *s'occuper de* : c'est penser à une chose, c'est se livrer à une opération intellectuelle.

2. Quand le complément est un nom, certains verbes peuvent également, sans nuance de sens, se construire avec des prépositions différentes. On dit indifféremment : *se fiancer à* ou *avec quelqu'un...*

En revanche, le sens peut commander un changement de préposition :

> *Il rêve à ses vacances.*
> *rêver à quelque chose* : c'est méditer à l'état de veille, songer à.

> *Il rêve de ses vacances.*
> *rêver de quelque chose* : c'est voir pendant le sommeil.

> *Il rit à Claude.*
> *rire à quelqu'un* : c'est lui sourire avec bienveillance.

> *Il rit de Claude.*
> *rire de quelqu'un* : c'est se moquer de lui.

EXERCICES

816 **Complétez par la préposition qui convient.**

monter ... cheval	aller ... bicyclette	aller ... le médecin
monter ... avion	aller ... bois	aller ... la poste
partir ... champs	partir ... Paris	descendre ... skis
lire ... le journal	lire ... un livre	lire ... une affiche
parler ... un ami	s'asseoir ... le fauteuil	s'asseoir ... une chaise
causer ... un camarade	vendre ... vil prix	battre ... retraite
sortir ... son rôle	souffrir ... un rien	se battre ... quelqu'un

817 Vocabulaire à retenir

le rôle, enrôler — drôle, la drôlerie — le trône, trôner — frôler
vil, avilir, l'avilissement, vilipender — chez soi — la soie
le verglas, verglacé, le glacier, glaciaire — le glacis

PETIT DICTIONNAIRE DES DIFFICULTÉS
DE LA LANGUE FRANÇAISE

à prép. **Ne dites pas** : *en bicyclette.*
Dites : *aller, monter à bicyclette, à cheval, en voiture, en auto, en avion.*

à ce que loc. conj. → *que, de façon que, de manière que.*

à court de loc. prép. On dit indifféremment : *être à court de* ou *être court de. Être à court d'idées, d'argent. Être court d'idées, d'argent.*

à l'envi loc. adv. **à l'envi de** loc. prép. Retenez bien l'orthographe de *envi,* sans e.

à nouveau loc. adv. De façon complètement différente, d'une autre manière.
de nouveau loc. adv. *Une nouvelle fois, de la même manière.* ► *De nouveau* marque seulement la **répétition**. *Le champion olympique est français, La Marseillaise retentit de nouveau. L'élève a mal conduit son raisonnement, il fait à nouveau son problème.*

à travers loc. adv., **au travers de** loc. prép. Ces deux expressions ont le même sens : *à travers* s'emploie sans *de ; au travers* s'emploie toujours avec *de. À travers les nuages. Au travers de la tempête.*

achalandé adj. Vient de *chaland,* « client ». Un magasin *achalandé* n'est

pas celui qui forcément regorge de marchandises mais est celui qui a de nombreux *chalands,* c'est-à-dire de nombreux clients.

acquis n.m. De la famille de *acquisition, acquérir,* signifie : « instruction acquise, savoir, expérience ». On dit : *avoir de l'acquis ; cette personne a beaucoup d'acquis.*

acquit n.m. De la famille de quittance, acquitter. Terme de finance, « décharge ». *Donner un acquit, pour acquit.* Retenez ces expressions : *par acquit de conscience ; pour l'acquit de sa conscience.*

affaire n.f. *Avoir affaire à quelqu'un ou avec quelqu'un,* c'est avoir à lui parler, à débattre avec lui d'une affaire. *Avoir affaire,* c'est être occupé par un travail, par une affaire. Dans ces expressions, *affaire* s'écrit en un seul mot. Mais on écrira en employant le verbe *faire* : *J'ai un travail, un devoir, une démarche à faire* parce que l'on fait un travail, un devoir, une démarche.

aimer v. Ne dites pas : *aimer à ce que.* Dites : *aimer que.*

aller v. Dites : *aller au marché, aller aux champs, à Paris, en Suède.* → *partir.*

alternative n.f. Succession de deux choses qui reviennent tour à tour. Option entre deux choses, deux propositions. Ne dites pas : *une double alternative,* puisque l'alternative comprend deux termes. Dites : *être placé devant une alternative, être en face d'une alternative ou avoir le choix entre deux solutions.*

amener v. Mener vers, conduire. Se dit plutôt des êtres. *On amène quelqu'un à dîner.* On dit aussi : *amener l'eau dans une ville, amener la maladie, le bonheur.* **apporter** v. Porter en lieu où se trouve une personne. Se dit des choses. Dites : *apporter les plats, le courrier, une précision.*

amphitryon n.m. Personne chez laquelle on dîne.

ABRÉVIATIONS	
adj.	adjectif
adv.	adverbe
conj.	conjonction
conj. de coord.	conjonction de coordination
loc. adv.	locution adverbiale
loc. conj.	locution conjonctive
loc.prép.	locution prépositive
n.	nom
n.f.	nom féminin
n.m.	nom masculin
part.	participe
plur.	pluriel
prép.	préposition
pron.	pronom
pron. dém.	pronom démonstratif
pron. indéf.	pronom indéfini
pron. rel.	pronom relatif
sing.	singulier
v.	verbe

Difficultés de la langue française *(suite)*

apporter v. → amener.

après prép. → contre.

aujourd'hui adv. *Jusqu'à aujourd'hui, jusqu'aujourd'hui* sont des constructions également correctes. **Dans** *au jour d'aujourd'hui,* l'idée de « jour présent » est exprimée trois fois. **On évitera ce pléonasme populaire.**

auquel pron. rel. S'applique indifféremment aux personnes et aux choses. *(à qui* ne s'emploie que pour les personnes). *L'ami à qui* **(ou** *auquel)* *je pense…*

avatar n.m. Dans la religion indienne, descente d'un dieu sur la terre. Par analogie « transformation, métamorphose ». *Avatar* n'a jamais le sens de « aventure, d'ennui, d'avarie ». On peut dire : *les avatars d'un comédien, d'un politicien.* On doit dire : *nous avons eu des aventures, des ennuis pendant notre voyage.*

avec prép. Il faut éviter de terminer une phrase par la préposition *avec.*

avérer (s') v. Donner la certitude qu'une chose est vraie. Ne dites pas : *cette nouvelle s'avère fausse.* Dites simplement : *cette nouvelle est fausse.*

aveuglément adv. Signifie « agir comme un aveugle, sans discernement, sans discussion, sans examen, sans réflexion ».

aveuglement n.m. Privation de la vue, cécité ; égarement, obscurcissement de la raison.

bâiller v. Respirer en ouvrant convulsivement la bouche. *Je bâille.* Être entrouvert, mal joint. *La porte bâille.* **bayer** v. Tenir la bouche ouverte en regardant quelque chose. Se retrouve seulement dans la locution figée *bayer aux corneilles.* ▶ Autre forme de *bayer* : *béer* qu'on retrouve dans *bouche bée, dans béant.*

bénit et **béni** part. passés de *bénir. Bénit* avec un t se dit des choses et des personnes sur lesquelles le prêtre a donné *la bénédiction. Du pain bénit, de l'eau bénite. Béni* est le participe normal de *bénir. J'ai béni.*

bien adv. L'usage fait aujourd'hui synonymes les expressions : *bien vouloir* et *vouloir bien.*

bien que loc. conj. Ne dites pas : *Malgré qu'il fût fatigué, il termina la course.* Dites : *Bien qu'il fût fatigué… ou quoiqu'il fût fatigué… Malgré que* n'est pas correct.

bon marché loc. adv. Dites : *acheter, vendre à bon marché* ou *acheter, vendre bon marché.* Il semble plus correct de dire : *à bon marché* comme on dit : *à bon compte, à vil prix.*

but n.m. Point que l'on vise, fin qu'on se propose, intention qu'on a. En principe, un but étant fixe, il est incorrect de dire : *poursuivre un but.* On ne dit pas non plus : *remplir, réaliser un but.* Dites : *se proposer, atteindre un but ; courir, parvenir au but.*

capable adj. On est capable de donner et de faire. *Capable* a un sens actif.
susceptible adj. On est susceptible de recevoir certaines qualités, de prendre, d'éprouver, de subir. *Susceptible* a un sens passif. *Le verre est susceptible d'être travaillé. Le maître verrier est capable de lui donner les formes les plus variées. Ces paroles sont capables de le chagriner.* ▶ *Susceptible* veut dire, également, « d'une sensibilité très vive ».

caparaçon n.m. Équipement d'ornement d'un cheval. Ne dites pas *carapaçon. (caparaçon* n'a rien à voir avec la *carapace).*

car conj. coord. et **en effet** loc. adv. sont généralement synonymes. C'est une faute de les employer ensemble. Ne dites pas : *Rentrons, car en effet la nuit tombe.* Dites : *Rentrons car la nuit tombe* ou *rentrons, en effet la nuit tombe.*

causer v. S'entretenir familièrement : *on cause de quelque chose avec quelqu'un.* Ne dites pas : *je cause à mon frère* ou *je lui cause.* Dites : *je cause avec mon frère* ou *je cause avec lui.* On peut dire aussi : *causer sport, politique, art, littérature…* → parler.

celui, celle(s), ceux pron. dém. Doivent être complétés et ne peuvent être employés qu'avec la préposition *de* ou les pronoms relatifs *qui, que, dont* ; il en résulte qu'ils ne peuvent être suivis d'un adjectif ou d'un participe passé. Ne dites pas : *Ces rues sont barrées. Celles empruntées sont parfaitement dégagées.* Dites : *Ces rues sont barrées. Celles que nous empruntons sont parfaitement dégagées. – Ces rues sont barrées. Celles qui ont été empruntées par les automobilistes sont dégagées.*

chacun pron. indéf. Ne dites pas : *Ces livres valent cinquante francs chaque.* Dites : *Ces livres valent cinquante francs chacun.*

changer v. Céder une chose pour une autre, remplacer un objet. **échanger** v. Donner une chose contre une autre, donner ou recevoir par échange. Ces deux verbes sont parfois assez proches l'un de l'autre. Dites : *on change de linge, de cravate, on change les draps de son lit, un pneu de son auto, ses habitudes. On échange des marchandises, des livres avec un ami, quelques propos avec quelqu'un.*

chez prép. Ne dites pas : *aller au dentiste.* Dites : *aller chez le dentiste,* comme vous dites : *aller chez le boucher, chez le photographe. On va chez quelqu'un.* Vous pouvez dire : *aller à la boulangerie, aller à la pêche.*

clé n.f. Ne dites pas : *la clé est après l'armoire.* Dites : *la clé est à l'armoire, sur l'armoire. La clé est dans la serrure.*

conséquent adj. Qui suit ou qui se suit, logique, qui juge bien, qui raisonne bien. Conforme à, en parlant des personnes et des choses. *Conséquent* n'a jamais le sens de « important », ni de « considérable ». Ne dites pas : *un travail conséquent, une maison conséquente,* dites : *un travail important, une maison importante ; un esprit conséquent, être conséquent avec soi-même, avoir une conduite conséquente à ses convictions.*

contre prép. Ne dites pas : *furieux après quelqu'un.* Dites : *furieux contre quelqu'un.*

couper v. Ne dites pas : *couper quelqu'un.* Dites : *couper la parole à quelqu'un* ou *interrompre quelqu'un.*

courbatu adj. On devrait dire : *je suis courbatu,* mais on admet : *je suis courbaturé.*

dans prép. Ne dites pas : *sur un fauteuil.* Dites : *dans un fauteuil, sur une chaise, sur un divan, sur un canapé.* ► Ne dites pas : *lire sur le journal.* Dites : *lire dans le journal, lire dans un livre, lire dans un magazine,* mais dites : *lire sur une affiche.*

d'autant plus loc. adv. Ne dites pas : *ce voyage en autobus nous parut long surtout que nous étions debout.* Dites : *d'autant plus que nous étions debout.* Évitez de dire : *surtout que.*

de façon que loc. conj. Prenez le chemin habituel de façon à ne pas vous égarer. *De façon à* est correct, mais *de façon à ce que* est incorrect. Ne dites pas : *il étudie de façon à ce qu'il puisse réussir.* Dites : *il étudie de façon qu'il puisse réussir.*

de manière que loc. conj. Ne dites pas : *de manière à ce que.* Dites : *de manière que.*

de prép. Ne dites pas : *le jean à Mélanie.* Dites : *le jean de Mélanie, la montre de Ségolène, l'appartement de mon oncle…*

décade n.f. Période de dix jours.
décennie n.f. Période de dix ans.

défier (se) v. Se fier moins.
méfier (se) v. Se fier mal.
Ces deux verbes ont des sens très proches. La nuance qui les sépare est très ténue. L'usage les confond souvent.

dentition n.f. Époque de l'apparition des dents ; **denture** n.f. Ensemble des dents. Il ne faut pas confondre ces deux mots. Dites : *la première dentition, une dentition précoce* et *une belle denture, une denture éclatante.*

départ n.m. → partir.

difficile adj. Qui n'est pas facile, qui est pénible. **difficultueux** adj. Qui est enclin à élever ou à faire des difficultés à tout propos. Se dit seulement des personnes. Ne dites pas : *une tâche difficultueuse*, dites : *un homme, un esprit difficultueux*. *Difficile* convient aux personnes et aux choses. Employez-le vous serez toujours correct. On peut dire : *un travail, un parcours difficile, un homme, un caractère difficile.*

disputer v. Examiner, débattre, avoir une vive discussion sur une chose. *On dispute de quelque chose* comme on dirait *on discute*. Faire de quelque chose l'objet d'une lutte avec quelqu'un. *Ce coureur a disputé la première place. Les Hollandais disputent la terre à la mer.* Ne dites pas : *disputer quelqu'un*. Dites : *gronder, quereller quelqu'un, se quereller, se disputer avec quelqu'un pour quelque chose.*

dites-le-moi Lorsque le verbe est suivi de deux pronoms compléments, le pronom complément direct se place le plus près du verbe. Dites : *Rendez-les-moi, dites-le-moi.*

dont pron. rel. Équivalent de *de qui, de quoi, duquel, de laquelle, desquels,* etc., s'applique aux personnes et aux choses. *J'aime ma mère dont le sourire est si bon. Voici le disque dont je vous ai parlé.* ► *Dont* peut être complément d'un verbe, d'un nom, d'un adjectif. ► Le nom qui doit être complété par *dont* ne peut être précédé ni d'un adjectif possessif, ni d'une préposition. Ne dites pas : *Le peintre dont nous admirons ses tableaux fait de beaux ciels. La maison dont à la façade grimpe un rosier abrita la jeunesse du poète.* Dites : *Le peintre dont nous admirons les tableaux fait de beaux ciels. La maison à la façade de laquelle grimpe un rosier abrita la jeunesse du poète.*

échanger v. → changer.

émotionner v. → émouvoir.

émouvoir v. Ne dites pas : *je suis émotionné, c'est émotionnant*. Dites : *je suis ému, c'est émouvant.*

en effet loc. adv. → car.

en prép. → à.

en prép. On dit *en skis* ou *à skis*. Il semble préférable de dire *en skis*, comme on dit *en sandales, en bottes,* mais les deux tournures sont acceptables.

ennuyant adj. Qui cause de l'ennui par occasion. **ennuyeux** adj. Qui cause de l'ennui d'une manière constante.

entrer v. Passer du dehors au dedans : *entrer dans le magasin, dans l'ascenseur.* **rentrer** v. Entrer après être sorti, entrer de nouveau. *Rentrer chez soi, la rentrée des classes, la rentrée universitaire.*

envi (à l') → à l'envi.

escalier n.m. Dites : *monter l'escalier* et non : *monter les escaliers.*

éviter v. Se détourner des personnes ou des objets. *Éviter quelque chose (pour soi). Éviter un ennui, un danger, quelqu'un.* Ne dites pas : *éviter quelque chose à quelqu'un ; je vous ai évité cette peine.* Dites : *épargner un ennui à quelqu'un ; je vous ai épargné cette peine.*

excuser v. *Excusez-moi, vous m'excuserez, je vous prie de m'excuser* sont des formules de civilité. *Je m'excuse* est correct, mais ne marque pas de nuance de déférence, de politesse.

faire v. Ne dites pas : *percer ses dents.* Dites : *faire ses dents.* Ne dites pas : *faire ses chaussures.* Dites : *cirer ses chaussures.*

faute n.f. Ne dites pas : *c'est de ma faute.* Dites : *c'est ma faute.*

fauteuil n.m. → dans.

filtre n.m. Étoffe, papier, linge, corps poreux à travers lequel on fait passer un liquide ; passoire. **philtre** : breuvage ayant un pouvoir magique.

fond n.m. Ce qu'il y a de plus bas dans une cavité, dans une chose creuse ou profonde. *Le fond d'un vase, d'un sac, d'un abîme.* ► La partie la plus profonde, la plus reculée, la plus cachée. *Le fond de la forêt, le fond du cœur, le fond de l'âme.* ► Le fond d'une chose est aussi la matière par opposition à la forme.

fonds n.m. Sol d'un champ, domaine, capital par opposition au revenu.

Cultiver un fonds, dissiper le fonds et le revenu. Un fonds de commerce, un fonds d'épicier. Être en fonds signifie « avoir de l'argent ». ▶ Ensemble de qualités. Un fonds de savoir, de probité. En résumé, fonds s'écrit avec un s dans le sens de « capital, terres, argent, richesse ». On écrit aussi le tréfonds.

fonts n.m. plur. Bassin qui contient l'eau du baptême : les fonts baptismaux.

for n.m. Ne s'utilise que dans l'expression son for intérieur : « sa conscience ».

former v. Concevoir en parlant des idées, des sentiments. Dites : former des vœux, des soupçons, des craintes, des projets.

formuler v. Énoncer avec la précision d'une formule. Dites : formuler sa pensée, des griefs.

fortuné adj. Ne doit pas être employé pour riche, c'est une faute qui provient de ce que fortune, entre autres significations, a celle de « richesse ». Un homme fortuné est celui qui est favorisé par le sort. Un homme riche est celui qui possède de grands biens.

franquette n.f. Vient de franc et signifie « franchement, loyalement, sans façon ». Usité seulement dans l'expression familière à la bonne franquette.

grand adj. Ne dites pas : de gros progrès, de gros efforts, dites plutôt : de grands progrès, de grands efforts.

habiter v. Ne dites pas : habiter en face l'église. Dites : habiter en face de l'église ou vis-à-vis de l'église. On peut dire : habiter près de l'église, ou près l'église.

hibernant adj. Se dit des animaux tels que le loir et la marmotte qui restent engourdis pendant l'hiver. **hivernant** adj. Se dit des personnes qui passent l'hiver dans les régions où le climat est doux.

hôte n.m. Désigne : à la fois la personne qui offre l'hospitalité à quelqu'un et celle qui est reçue. Le sens général de la phrase permet de faire la distinction. hôte a également le sens de « habitant, voyageur ».

hypnotiser v. Ne dites pas hynoptiser.

ignorer v. Ne dites pas : tu n'es pas sans ignorer. Dites : tu n'es pas sans savoir ou plus simplement tu n'ignores pas.

impoli adj. Qui n'est pas poli (malpoli n'existe pas) ; dites : un enfant impoli.

insulter v. Offenser par des outrages en actes ou en paroles. Dites : insulter quelqu'un. Dites aussi : insulter à la misère, à la douleur.

invectiver v. Dire des paroles peu amènes, violentes, injurieuses contre quelqu'un ou contre quelque chose. Invectiver peut être transitif ou intransitif. On peut dire invectiver quelqu'un ou invectiver contre quelqu'un.

jadis adv. Signifie : « il y a fort longtemps », marque un passé lointain. **naguère** adv. Signifie : « il y a peu de temps, il n'y a guère de temps » ; marque un passé récent et doit s'employer au sens de « récemment » ; naguère s'oppose à jadis, à autrefois. Ne dites pas : Paris, naguère, s'appelait Lutèce. Dites : Paris, jadis, s'appelait Lutèce. Ces arbres naguère chargés de fleurs sont maintenant dénudés. ▶ Rappelons que antan (qui est un nom peu usité aujourd'hui) signifie : « l'année qui précède celle qui court ».

jouir v. Tirer plaisir. Jouir impliquant une satisfaction, une idée de joie, ne se dit pas des choses mauvaises. Ne dites pas : il jouit d'une mauvaise santé, d'une mauvaise réputation. Dites : il a une mauvaise santé, une mauvaise réputation ou il ne jouit pas d'une bonne santé, d'une bonne réputation.

journal n.m. → dans.

lacs n.m. Écrivez : tomber dans le lac, si cette expression a le sens de « tomber à l'eau », mais écrivez lacs avec un s si ce mot a le sens de « piège, embarras ». Tomber dans le lacs, être dans le lacs. Du reste, dans ce sens, lacs se prononce : [la].

longtemps adv. Ne dites pas : il y a longtemps que je ne l'ai rencontré. La négation *ne* est inutile. Dites : *il y a long-temps que je l'ai rencontré, que je l'ai vu, que je lui ai parlé.*

malgré que loc. conj. → bien que.

marmotter v. Parler confusément entre ses dents. **marmonner** v. A un sens proche de *marmotter*, mais appartient au langage familier.

martyr(e) n.m. et n.f. Celui, celle qui a souffert la mort pour sa religion ou ses opinions. Personne qui souffre.

martyre n.m. Supplice enduré, grande souffrance du corps ou de l'esprit. *Souffrir le martyre.*

matinal adj. Qui appartient au matin, qui s'est levé matin. *La brise matinale, la rosée matinale.* **matineux** adj. Qui a l'habitude de se lever matin. *Matinal et matineux* sont synonymes dans le sens « qui se lève matin ». On peut dire : *le coq matineux* ou *le coq matinal.*

méfier (se) v. → défier (se).

midi n.m. Étant du masculin, dites, écrivez : *midi précis, midi sonné.*

naguère adv. → jadis.

notable adj. Digne d'être noté, considérable, grand, remarquable, qui occupe un rang considérable. Se dit des choses et des personnes. Dites : *un intérêt notable, un écrivain notable.* **notoire** adj. Qui est à la connaissance du public. Se dit seulement des choses. Dites : *un fait notoire, une probité notoire.*

nouveau → à nouveau.

ombragé adj. Placé sous un ombrage. *Un chemin ombragé.* **ombrageux** adj. Qui a peur de son ombre. *Un cheval ombrageux.* Qui est soupçonneux. *Un esprit ombrageux.* **ombreux** adj. Qui fait de l'ombre. *La forêt ombreuse.*

ou conj. coord. Faut-il employer *à*, faut-il employer *ou* entre deux nombres marquant une approximation ? On emploie *ou* si les deux nombres sont consécutifs et se rapportent à des êtres ou à des choses qui ne peuvent se divi-ser en fractions. *Trois ou quatre enfants, cinq ou six chemises ; quatre ou cinq albums, huit ou neuf litres.* ► On emploie généralement *à* dans les autres cas, c'est-à-dire si les nombres ne sont pas consécutifs ou si étant consécutifs, ils se rapportent à des choses qui peuvent se diviser en fractions. *Quatorze à dix-huit francs, cinq à sept points, deux à trois heures, trente à quarante kilos, sept à huit cents habitants.* Mais on peut très bien écrire : *trente ou quarante kilos, sept ou huit cents habitants.*

où pron. On emploie *d'où* à la place de *dont* quand il faut marquer le lieu. *La ville dont j'admire les monuments est un centre culturel. La ville d'où je viens possède de riches musées.*

pallier v. Couvrir d'une excuse, dissimuler sous une apparence ; *pallier* est un verbe transitif. Ne dites pas : *pallier à un défaut, à un inconvénient.* Dites : *pallier un défaut, un inconvénient.* → remédier.

panacée n.f. Remède universel contre tous les maux. Ne dites pas : *panacée universelle,* puisque l'idée d'universel est contenue dans panacée.

pardonner v. Ne dites pas : *pardonner quelqu'un.* Dites : *pardonner quelque chose à quelqu'un, pardonner à quelqu'un. Je lui pardonne. Je leur pardonne.*

parler v. On parle à quelqu'un. Dites : *je parle à mon frère, je lui parle* ou *je cause avec mon frère, je cause avec lui.* ► Ne dites pas : *j'ai entendu parler que, je vous ai parlé que.* Dites : *j'ai entendu parler de, je vous ai parlé de* ou *j'ai entendu dire que, je vous ai dit que.*

partir v. Ne dites pas : *partir au marché, à Paris, en Suède.* Dites : *partir pour le marché, partir pour Paris, pour la Suède.* Dites également : *je prépare mon départ pour Paris, pour la Suède.* → aller.

partisan n.m. Pris comme nom n'a pas de féminin. Ne dites ni *partisane,* ni *partisante.* L'adjectif *partisane* est correct.

passager adj. Qui ne s'arrête pas, qui ne dure pas. *Une averse passagère, un* *malaise passager.* **passant** adj. Où il passe beaucoup de monde. *Un lieu passant.* Ne dites pas : *une rue passagère,* dites : *une rue passante.*

pécuniaire adj. Qui a rapport à l'argent. *Embarras pécuniaire, perte pécuniaire.* N'employez pas *pécunier,* ce mot n'existe pas.

percer v. → faire.

périple n.m. Étymologiquement : « naviguer autour ». Voyage en bateau autour d'une mer, des côtes d'un pays ; *périple* ne peut s'employer en parlant d'un voyage à l'intérieur d'un pays.

philtre n.m. → filtre.

pied n.m. Écrivez *pied* au singulier dans *perdre pied, lâcher pied, être sur pied ; aller, voyager à pied ; au pied des monts, des arbres* (chaque montagne, chaque arbre n'a qu'une base, qu'un pied). Mais on écrira : *se jeter aux pieds de quelqu'un.* Retenez ces deux expressions : *pied-bot* et *plain-pied.*

pire adj. Comparatif de l'adjectif *mauvais.* Il accompagne le nom : *Il n'est pire eau que l'eau qui dort. Les pires sottises.*
pis adv. et adj. Comparatif de l'adverbe *mal. Pis* peut être adverbe ou adjectif, il ne s'emploie jamais avec un nom. Il s'emploie après les verbes *avoir, être, aller, faire.* ► *Pis* et *pire* peuvent s'employer comme noms. *Il ne peut pas faire pis. Aller de mal en pis. C'est pis, tant pis, au pis aller, de pis en pis. En mettant les choses au pis. Il n'est point de degrés du médiocre au pire.* (Boileau)

populaire adj. Qui appartient au peuple, qui est du peuple, qui concerne le peuple. *Une opinion populaire, un homme populaire, un sentiment populaire, une fête populaire.* **populeux** adj. Très peuplé. *Une rue populeuse, un quartier populeux.*

possible adj. Reste généralement invariable après une locution comme *le plus, le moins, le mieux, le meilleur. Relisez votre travail pour faire le moins d'erreurs possible.* Il est variable quand il se rapporte

à un nom. *Cherchez toutes les acceptions possibles de ce mot.*

quant à loc. prép. Ne dites pas : *tant qu'à moi.* Dites : *quant à moi.*

que conj. Dites : *consentir que, demander que, prendre garde que, s'attendre que, informer que, se rendre compte que, se plaindre que.* Mais ne dites pas : *veiller que.* Dites : *veiller à ce que.*

qui pron. La construction la plus correcte et la plus claire veut que le pronom sujet *qui* ne soit pas séparé de son antécédent. Ne dites pas : *J'ai vu des phares dans le noir qui brillaient.* Dites : *J'ai vu des phares qui brillaient dans le noir. Qui* peut être séparé de son antécédent dans certains cas, mais il faut qu'il n'y ait pas d'équivoque. *Voici mon ami, je l'entends qui monte l'escalier.* ► *Qui* précédé d'une préposition *à, de, sur,* etc., est complément et ne s'emploie pas en parlant des choses. Ne dites pas : *le livre de qui vous parlez…, le voyage à qui je pense…* Dites : *le livre dont vous parlez…, le voyage auquel je pense…*

rappeler (se) v. Est assez proche par le sens de *se souvenir.* Ne dites pas : *je me rappelle d'une chose, je m'en rappelle, je me rappelle de vous.* Dites : *je me rappelle une affaire, je me la rappelle. Je m'en rappelle les détails.* On ne peut employer *s'en rappeler* que si le verbe est suivi d'un complément d'objet direct.

rasséréner v. Ne dites pas *rassénérer.* Pensez à *sérénité.*

rebattu adj. Ne dites pas : *avoir les oreilles rabattues par les mêmes discours.* Dites : *avoir les oreilles rebattues par les mêmes discours.*

remédier v. Apporter remède, obvier. *Remédier* est un verbe intransitif. On dit : *remédier à un inconvénient, à un abus, à un mal.* → pallier.

rémunérer v. Ne dites pas *rénumérer.*

rentrer v. → entrer.

résoudre v. À *solutionner une question, un problème,* **préférez** *résoudre une question, un problème.*

rester v. → habiter.

risquer v. Ne dites pas : *il risque de gagner, d'être le premier.* Dites : *il risque de perdre, il risque d'être le dernier* **ou** *il a des chances de gagner, d'être le premier.*

sauter v. Ne dites pas : *sauter bas de son lit.* Dites : *sauter à bas de son lit, à bas de son cheval.*

si adv., **très** adv. *Si* et *très* ne doivent modifier que des adjectifs ou des adverbes. *Un concert si bien organisé. Il est tombé si maladroitement. Il est très intelligent. Il a répondu très aimablement.* **Ne dites pas :** *j'ai si mal, j'ai si peur, j'ai très faim, j'ai très envie de.* Dites : *j'ai bien mal, j'ai fort mal, j'ai tellement peur, j'ai bien faim, j'ai grand faim, j'ai fort envie de lire.*

solutionner v. → résoudre.

somptuaire adj. Qui restreint les dépenses. On ne dit pas *des dépenses somptuaires* mais *des dépenses somptueuses.* Dites : *une réforme somptuaire.*

souvenir (se) v. Dites : *je me souviens de cette affaire, je me souviens de tous les détails de cette affaire, je m'en souviens. Je me souviens de vous.* ► *souvenir* suivi de *que,* dans une phrase affirmative ou interrogative, veut l'indicatif ; dans une phrase négative, veut le subjonctif. Dites bien : *je me souviens que tu as dit… Je ne me souviens pas que tu aies dit…*

stupéfait adj. *Je suis stupéfait, une personne stupéfaite.* Ne confondez pas *stupéfait* avec *stupéfié,* participe passé de *stupéfier. Stupéfié* s'emploie avec le verbe *avoir* ou dans la phrase passive. *Cette réponse l'a stupéfié, je suis stupéfié par…*

subit adj. Soudain, qui survient tout à coup. *Un ouragan subit ;* **subi** est le participe passé de *subir. Un malheur subi avec courage.*

suite (de) loc. adv. Signifie « l'un après l'autre, sans interruption ». **tout de**

suite loc. adv. Signifie « sans délai, sur-le-champ, sans attendre ». Ne dites pas : *il revient de suite.* Dites : *il revient tout de suite. On m'appelle, j'y vais tout de suite. J'ai écrit trois lettres de suite. J'ai lu plusieurs heures de suite.*

sur prép. → dans.

susceptible adj. → capable.

tout à coup loc. adv. Signifie « soudainement, à l'improviste ». **tout d'un coup** loc. adv. Signifie « qui se fait d'une seule fois ». Dites : *tout à coup, on entendit une détonation. Le malheur s'abattit sur lui, il perdit sa fortune tout d'un coup.*

traverser v. On dira de préférence *traverser la chaussée, passer le pont* **et non** *traverser le pont.*

trop adv. Ne dites pas : *il mange de trop, il parle de trop.* Dites : *il mange trop, il parle trop.*

vis-à-vis loc. prép. Signifie « en face de ». Elle ne remplace jamais *envers* ou *à l'égard de.* Ne dites pas : *il est insolent vis-à-vis de moi.* Dites : *il est insolent envers moi ou à mon égard.*

voici adv. Se rapporte à ce qui va être dit, ou présente des êtres ou des choses proches. *Voici ce qui vous plaira : une glace et des biscuits. Voici notre professeur qui entre en classe.* **voilà** adv. Se rapporte à ce qui vient d'être dit, ou présente des êtres ou des choses éloignées. *Bonté, franchise, droiture, voilà ses qualités. L'avion sort des nuages, le voilà qui descend.* ► Pour les autres sens, *voici* et *voilà* sont proches, mais *voilà* tend de plus en plus à éliminer *voici.* ► Devant l'infinitif du verbe *venir,* employez *voici. Voici venir le printemps.*

voire adv. A généralement le sens de « même ». *Cet élève est excellent, voire brillant. Voire* se joint quelquefois à *même. Ce remède est inutile, voire même dangereux pour la santé.*

Vocabulaire à retenir

Les numéros renvoient aux pages.

▶ Vocabulaire à retenir

Index
Les numéros renvoient aux pages ——————————————

►index

► index

Achevé d'imprimer en Espagne par Macrolibros
Dépôt légal : 01/2015 - Collection n° 14 - Édition 19
12/5191/7